日本の歴史　十一

徳川社会のゆらぎ

倉地克直

Kurachi Katsunao

小学館

日本の歴史

徳川社会のゆらぎ

第十一巻

アートディレクション　原研哉
デザイン　竹尾香世子
野村恵
美馬英二

凡例

- 年代表示は原則として和暦を用い、適宜、西暦を補いました。
- 本文は原則として常用漢字および現代仮名遣いを用いました。また、人名および固有名詞は、原則として慣用の呼称で統一しました。なお、敬称は略させていただきました。
- 歴史地名は、適宜、（ ）内に現在地名を補いました。
- 引用文については、短歌・俳句なども含めて、読みやすさ、わかりやすさを考えて、句読点を補ったり、漢字を仮名にあらためたりした場合があります。
- 中国の地名・人名については、原則として漢音の読みに従いました。ただし慣習の表記に従ったものもあります。
- 朝鮮・韓国の地名・人名は、原則的に現地音をカタカナ表記しました。ただし、歴史的事柄にかかわる地名・人名などは漢音読みにした場合があります。
- この巻が扱っている時代の年表を巻末に掲載しました。
- 図版には章ごとに通し番号をつけ、それぞれの掲載図版所蔵者、提供先は巻末にまとめて記しました。
- おもな参考文献は巻末に掲げました。
- 五十音順による索引を巻末につけました。
- 本書のなかには、現代の人権意識からみて不適切な表現を用いた場合がありますが、歴史的事実をそのまま伝えるために当時の表記どおりに掲載しています。

1

暮らしをめぐる

さまざまな世間

◉一所で雨を避ける人びと
夏の夕立に、あわてて雨やどり。大きな屋敷の門前に、鳶《とび》や振売り、武家や宮参りの旅人、芸能者まで、老若男女さまざま、縁のない人が集う。（英一《はなぶさいっ》蝶《ちょう》筆『雨宿《あまやど》り図《ず》屏風《びょうぶ》』）↓265ページ

2

◉夕涼みの親子

夕顔棚の下の親子三人。仕事のあとにくつろぐ楽しみ。江戸時代は、親子という家族単位での生活が保障されはじめた時代。(久隅守景《くすみもりかげ》筆『納涼図屛風《のうりょうずびょうぶ》』)

↓162ページ

3

●出立する松尾《まつお》芭蕉《ばしょう》と曾良《そら》

弟子たちに見送られ、芭蕉は廻国の旅に出る。自然の景色に感じ、多くの人と触れ合い、それを俳句に詠んでいく。（与謝蕪村《よさぶそん》筆『奥《おく》の細道図屏風《ほそみちずびょうぶ》』）

↓33ページ

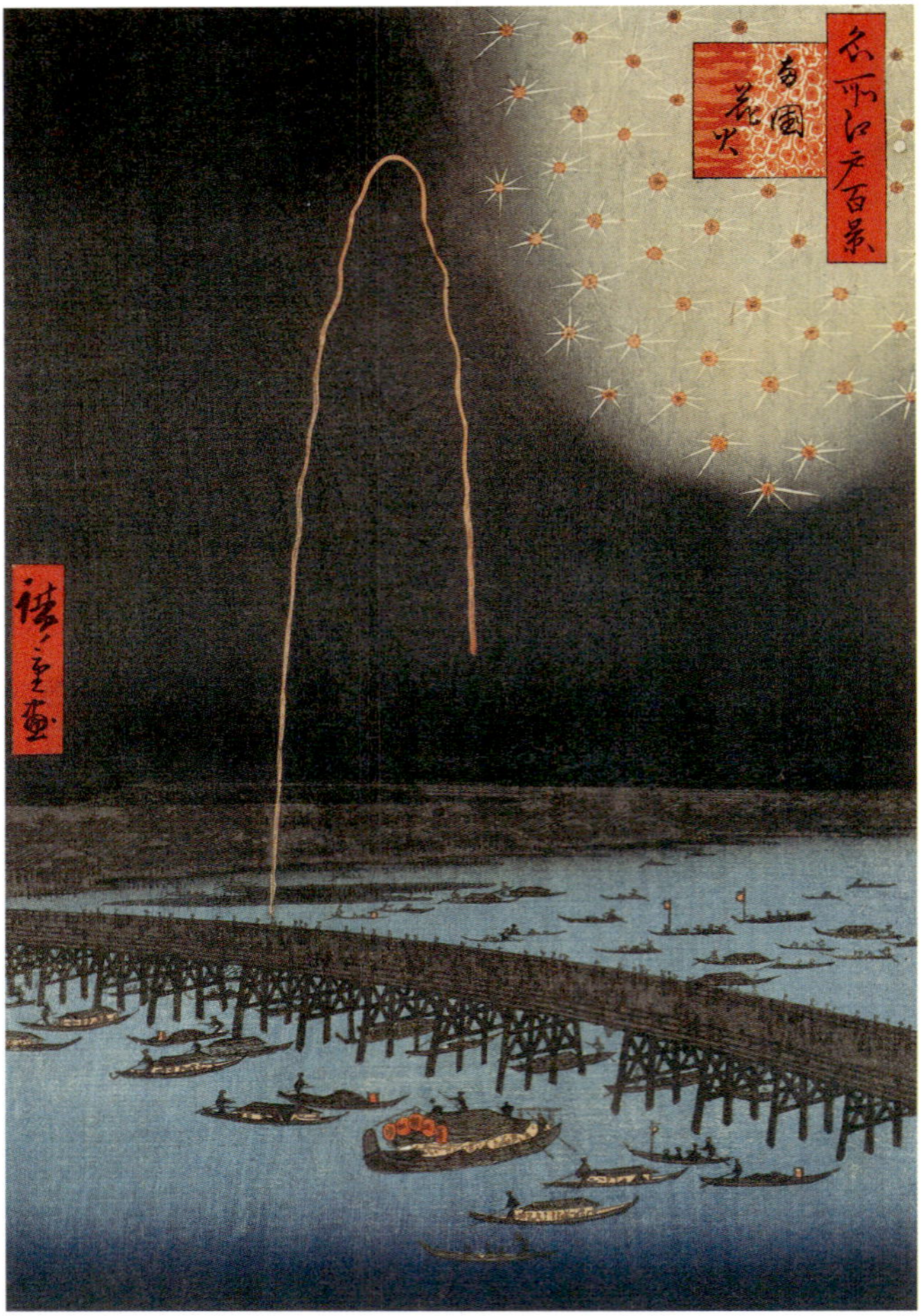

4

●隅田川両国橋の花火

「玉屋！」「鍵屋！」と多くの人びとを楽しませた花火は、享保《きょうほう》の飢《き》饉《きん》の犠牲者の慰霊に始まる。花火は木炭の燃える橙色《だいだいいろ》だけだった。（歌川広重《うたがわひろしげ》『名所江戸百景《めいしょえどひゃっけい》』両国花火《りょうごくはなび》）

↓253ページ

5

◉写楽の大首絵

わずか九か月で姿をくらます謎の浮世絵師、写楽。庶民の「ハレ」の場、歌舞伎の人気と結びつき、一世を風靡《ふうび》する。（東洲斎写楽《とうしゅうさいしゃらく》『三代目大谷鬼次《おおたにおにじ》の江戸兵衛《えどべえ》』）

↓249ページ

室町一町目
本舩町入口

上赤味噌大安賣
大田屋

◉農村の春から夏へ
正月の伊勢《いせ》太神楽《だいかぐら》、茶店の店先や田の神を迎える水口《みなくち》まつりなど、にぎやかな春。田起こしや代掻《しろか》き、田植え、草取りと夏の仕事が続く。（渡辺始興《わたなべしこう》筆『四季耕作図屏風《しきこうさくずびょうぶ》』）
↓178ページ

●江戸・日本橋周辺のにぎわい

身動きできないほどの日本橋魚市場、路上には前栽《せんざい》売りが並ぶ。都市の居住空間は身分別に分けられていたが、生活空間ではさまざまな人が触れ合った。（『熙代勝覧《きだいしょうらん》』）

↓225ページ

釘店入口

8

◉微笑をたたえる木喰上人
諸国巡礼の旅の途中、一〇〇〇体以上の仏像を彫った木喰《もくじき》。庶民の信仰を受け止めた穏やかな「微笑仏《みしょうぶつ》」が、各地のお堂や民家に残されている。（「自身像」）

↓275ページ

目次

日本の歴史 第十一巻 徳川社会のゆらぎ

第四章　「いのち」の環境

第五章　都市と「世間」

徳川社会のゆらぎ

はじめに

成熟か、停滞か

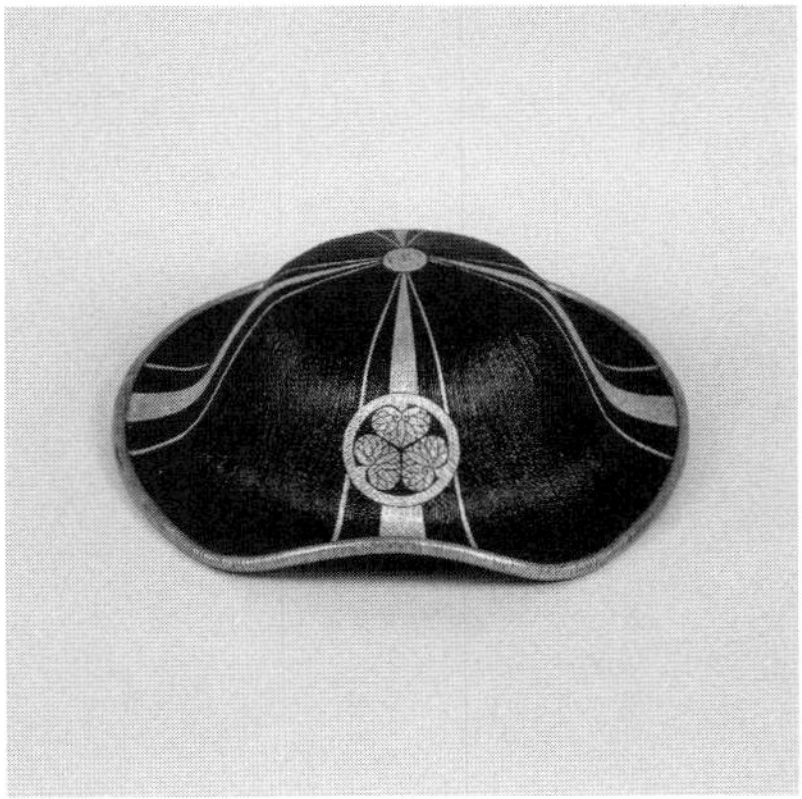
1

元禄江戸を襲った大地震

いまから三〇〇年ほども前のことだ。

元禄《げんろく》一六年（一七〇三）一一月二三日未明に、房総沖を震源とする大地震が起こった。地震の規模を示すマグニチュードは、推定最大8・2。大正時代に起きた関東大震災のときがマグニチュード7・9。単純な比較はできないが、それよりひとまわり大きな地震が関東地方を襲ったのだ。その体験を儒者《じゆしや》の新井《あらい》白石《はくせき》が自伝の『折《おり》たく柴《しば》の記《き》』に記している。

夜半過ぎ、白石は激しい揺れに目を覚ました。飛び起きると、あちこちから戸や障子が倒れてくる。あわてて妻子や家内の者を連れて庭へ出た。武士としては、何はともあれ主君のところに駆け付けなければならない。ふたたび建具の散乱する屋内に駆け込み、衣服を改めて家を飛び出した。

当時白石は甲府宰相《こうふさいしよう》と呼ばれた徳川綱豊《とくがわつなとよ》に仕えており、神田《かんだ》の湯島天神下《ゆしまてんじんした》に住んでいた。日比谷《ひびや》門外にあった甲府藩邸まではほぼ南へ三キロメートル。駿河台《するがだい》を駆けて神田橋までたどり着いたときに、ふたたび大きな揺れがきた。箸《はし》をまとめて折ったような音とともに家々が倒れ、人びとの叫び声が蚊の群れ集まって鳴くように聞こえる。石垣が崩れ、塵《ちり》があたりに立ちこめる。地が裂けて、水がわき出ているところもある。目も耳も覆うばかりの惨状《さんじよう》だ。余震が絶え間なく続く。

大名屋敷の立ち並ぶ辰《たつ》の口《くち》門まで来て南を望むと、藩邸のあたりに火柱が立っている。大変だ。心はせくけれども、足は止まっているようでもどかしい。やがて日比谷門に至る。番屋が倒れてい

●鷹狩り用の陣笠
八代将軍吉宗《よしむね》が、鷹狩《たかが》りで使用した夏用の陣笠《じんがさ》。徳川家の紋所である三葉葵《みつばあおい》は、「公儀」の象徴でもあった。
前ページ図版

て、下敷きになった人がいるのか、苦しげな声がする。ようやく藩邸にたどり着く。火が出たのは長屋とわかりひと安心。藩主綱豊の無事な姿も確認できた。のちの六代将軍家宣《いえのぶ》である。

翌日、綱豊は将軍綱吉《つなよし》のご機嫌伺いのために登城した。白石も市中に出てみたが、どこも壊れた家屋や焼け跡ばかりだ。倒れた家で圧死した人を引き出している。井戸水が尽きたために火を消せずにいるところもある。御殿は傾き、余震も続くので、その日から綱豊は仮屋住まいになった。現在の避難所生活と同じだ。

地震から六日後の二九日。戌《いぬ》の刻というから午後八時頃だ。小《こ》石川《いしかわ》の水戸《みと》藩上屋《かみや》敷《しき》から出火。またたく間に燃え広がり、本《ほん》郷《ごう》から谷中《やなか》までが焼けた。白石の家でも隣家まで火の手が迫ったため、庭に坑《あな》を掘って、綱豊から拝領した書物や自分で抄録した手書《しゅしょ》などを埋めた。最近、東京都心の発掘で地下の穴蔵遺構が見つかることがある。火事のときに、ここへ財産や道具類を隠したのだ。白石が掘った坑も即席の穴蔵である。畳を六、七枚もかぶせ水をまき、土で覆って、家を出た。両国橋《りょうごくばし》が焼け落ちたため、逃げ場を失った避難民が一七三九人も亡くなったと『武江年表《ぶこうねんぴょう》』は記している。大きな余震が原因の失火かもし

2

◉穴蔵（有楽町二丁目遺跡・東京都千代田区）
かつて江戸・南町奉行所があった、ＪＲ有楽町駅東側の再開発地区から「大岡越前守様御屋敷」と書かれた木札を伴った穴蔵が見つかった。地下街に穴蔵の底の部分が復元展示してある。

れない。世に水戸《みと》様火事《さまかじ》という。

以上は江戸の様子だが、もっと被害が大きかったのは、相模《さがみの》国《くに》西部である。鎌倉町中は残らず潰《つぶ》れ、箱根《はこね》峠では三〇〇人が死亡、小田原《おだわら》では火災が起こって城下をことごとく焼き尽くした。地震のあと、房総半島から伊豆半島までの海岸部を大津波が襲った。波の高さは一〇メートル、大波は四度押し寄せたという。夜分であったため、多くの人が逃げ遅れた。『武江年表』は犠牲者を、小田原で二三〇〇人、小田原より品川《しながわ》までが一万五〇〇〇人、安房国《あわのくに》一〇万人、江戸三万七〇〇〇余人、と記している。江戸時代でも最大級の災害だが、地震そのものよりも津波と火事による被害が大きいのは、いまと変わらない。

停滞する社会

一九九五年の阪神・淡路大震災以来、日本列島の各地で大地震が続いている。列島以外でも最近は巨大地震が目立つ。二〇〇四年のスマトラ沖地震では三〇万人が津波の犠牲になったし、二〇〇八年の中国四川《しせん》大地震では八万人を超える死者・行方不明者が出ている。新井《あらい》白石《はくせき》の体験に、みずからの地震体験を重ねられる方も少なくないだろう。

3

◉阪神・淡路大震災
一九九五年一月一七日の明け方、近畿地方をマグニチュード7・3、最大震度7の大きな地震が襲った。死者行方不明者は六四〇〇人あまり。経済的な損失は一〇兆円といわれる。

白石が生きていた江戸時代は、徳川《とくがわ》将軍が江戸に幕府を開いていた時代を指している。徳川家康《いえやす》が征夷大将軍《せいいたいしょうぐん》となったのが慶長《けいちょう》八年（一六〇三）、一五代将軍徳川慶喜《よしのぶ》が将軍職を返上した大政奉還《たいせいほうかん》が慶応《けいおう》三年（一八六七）のことだ。この間の二六〇年あまりが、江戸時代といわれる。

江戸時代は、ふつう前期・中期・後期という三つの時期に区分される。三つの時期は、徳川社会の成立期・安定期・解体期と呼ばれることもある。また、大ざっぱに西暦に置き換えてみれば、前期は一七世紀、中期は一八世紀、後期は一九世紀にあたっている。わたしたちの『日本の歴史』でも、この区分に従って三つの巻で江戸時代を分担して描くことにした。この巻では、一八世紀の徳川日本がおもな対象となる。

ところで、一八世紀の徳川日本について、みなさんはどんなイメージをもたれるだろうか。創成期である一七世紀や激動期である一九世紀に比べて、あいだの一八世紀は繁栄や成熟というイメージで語られることが多い。華やかな元禄《げんろく》文化、天明《てんめい》期を中心とした戯作《げさく》や浮世絵《うきよえ》の隆盛、江戸や大坂など都市の発展、産業や流通・交通の発達などをあげて、徳川社会の成熟がうたわれる。こうした立場からすれば、一八世紀こそがもっとも江戸時代らしい時期だということになる。その成熟のうちに

4

◉元禄地震の痕跡（汐留《しおどめ》遺跡・東京都港区）
地盤の亀裂に沿って、軽い砂が地震の震動で噴き出してくる。この噴砂の痕跡《こんせき》から、おおよその地震の発生時期を導き出すことができる。

資本主義や近代精神の萌芽《ほうが》を見つけ、蘭学《らんがく》や蘭画を取り上げて「江戸のなかの近代」といわれることも少なくない。

このように繁栄や成熟というイメージで語られることの多い一八世紀だが、じつは人口増加や耕地拡大といった面からみれば、明らかに停滞期であった。

歴史人口学の鬼頭宏《きとうひろし》の推計によれば、日本全体の人口は一七世紀初めから一八世紀初めにかけて二・五倍の急増を示したのに対して、一八世紀（一七二一～九二年の数値）は四・五パーセントの減少、一九世紀（一七九三～一八四六年の数値）は八・五パーセントの増加であった。下のグラフは、現在の岡山県にあたる備前《びぜん》・備中《びっちゅう》・美作《みまさか》の人口変動を示したものだ。本巻では、できるかぎり地域に即して具体的に歴史を語りたいと思っている。その際、岡山地域を例に取り上げることが多いが、そこから列島各地につながる事実をくみとっていただければ幸いだ。ここでみる人口変動の場合も、個々の地域の特徴と全国的な共通点の両方を読みとっていただきたい。

グラフに即していえば、備前・備中・美作の三か国ともに大

江戸時代における全国および備前・備中・美作の人口動向

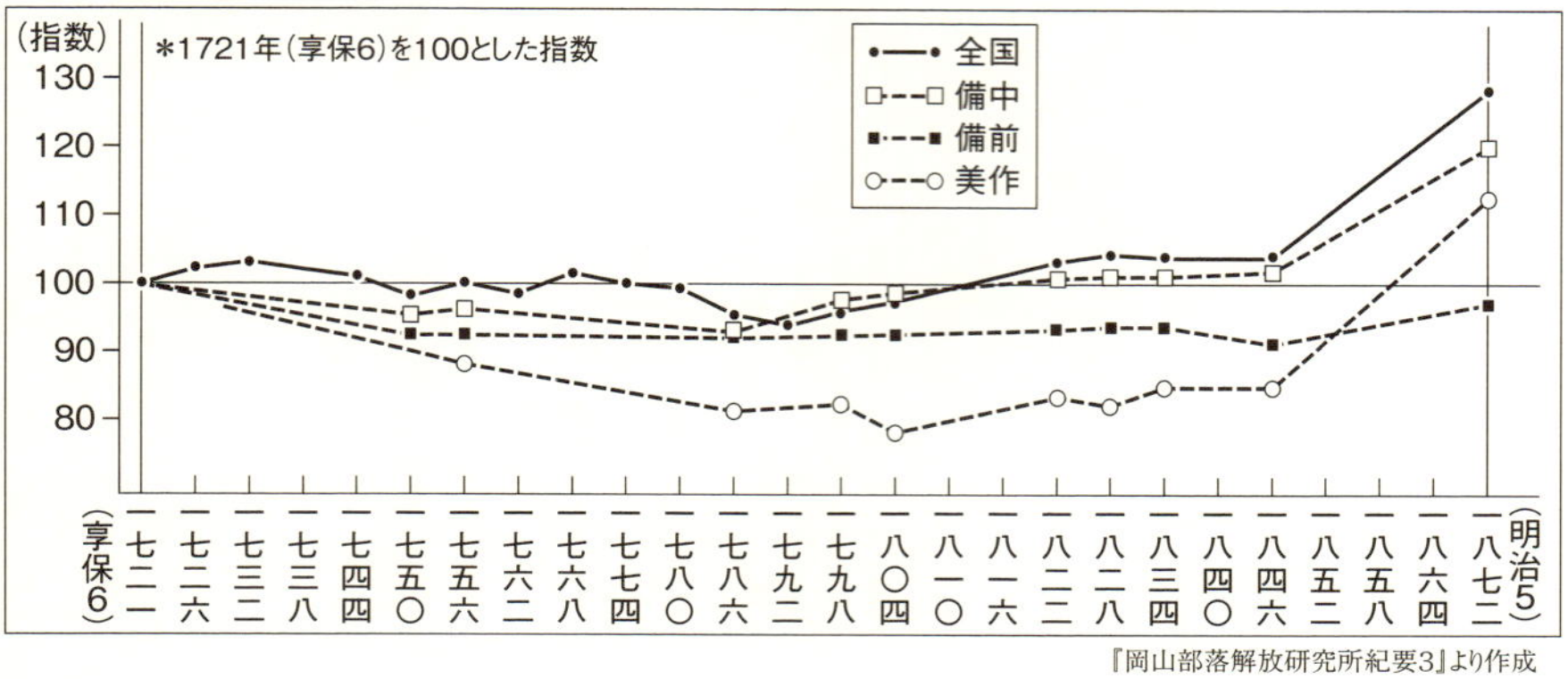

『岡山部落解放研究所紀要3』より作成

ざっぱにみて、一八世紀を通じて減少し一九世紀になって上昇に転じる点では全国平均と同じ傾向だと見てとれる。ただし、美作国ではほかに比べて一八世紀の落ち込みが激しく、一九世紀に入っても回復の速度は鈍い。しかし、幕末期には全国並みの上昇角度を示し、逆に備前国の伸び悩みが目立つ。細かくみてゆけばまだいくつかの特徴が読みとれるが、ここではとりあえず、一八世紀が人口の減少期もしくは停滞期であることが確認できればよい。

耕地拡大はどうだろう。木村礎《きむらもとい》の研究によれば、日本全国の耕地は一六世紀末に二〇〇〇万町歩であったものが、一八世紀初めに三〇〇〇万町歩、一九世紀後半に四〇〇〇万町歩に増加した（一町は約一ヘクタール）。下の表は、江戸時代の新田開発の件数を示したものだ。一七世紀の万治《まんじ》～延宝《えんぽう》／天和《てんな》～正徳《しょうとく》と、一九世紀の文化《ぶんか》・文政《ぶんせい》／天保《てんぽう》～嘉永《かえい》／安政《あんせい》～慶応という二つの時期は件数が多い。この二つの時期に挟まれて、享保《きょうほう》～元文《げんぶん》／寛《かん》保《ぽう》～安永《あんえい》／天明《てんめい》～享和《きょうわ》という時期は、相対的に件数が少ない。岡山県は江戸時代を通じて新田開発の件数が全国でもっとも多

16～19世紀における新田開発件数

年代	全国	岡山
天文～元亀期(1532～72)	6	0
天正・文禄期 (1573～95)	21	3
慶長・元和期 (1596～1623)	73	4
寛永期 (1624～43)	113	43
正保～明暦期(1644～57)	132	35
万治～延宝期(1658～80)	211	51
天和～正徳期(1681～1715)	261	33
享保～元文期(1716～40)	82	11
寛保～安永期(1741～80)	108	10
天明～享和期(1781～1803)	100	9
文化・文政期 (1804～29)	186	15
天保～嘉永期(1830～53)	262	33
安政～慶応期(1854～67)	249	19
合　計	1,804	266

木村礎『近世の新田村』より作成

岡山県の旧国名とおもな藩(18世紀後半)

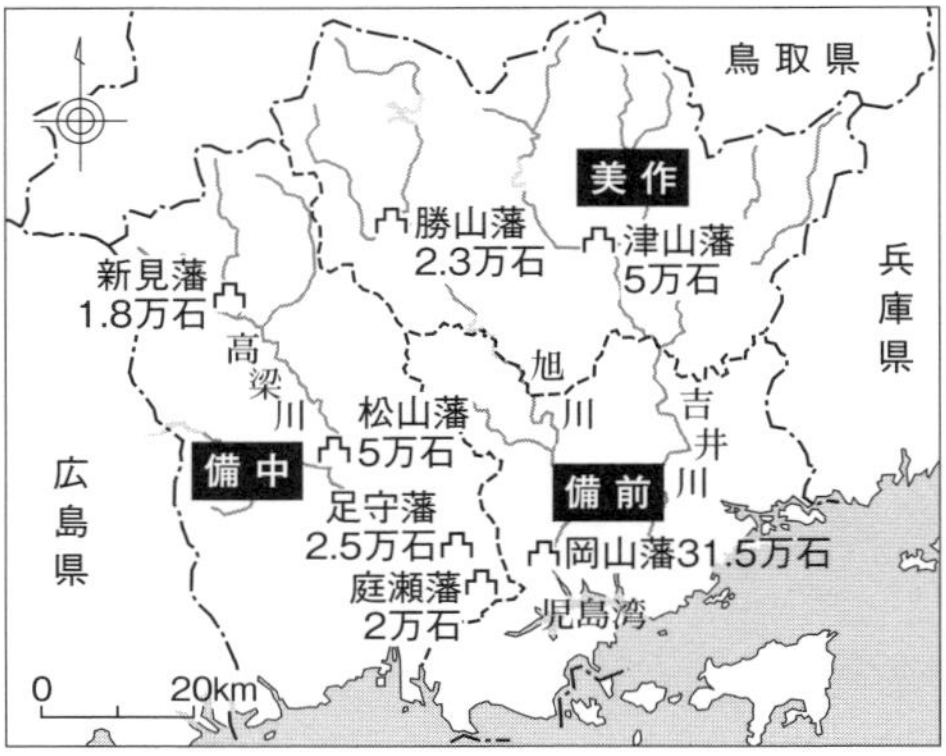

い県だが、やはり全国と同様にこの時期の件数は少ない。一八世紀は、耕地拡大が進まなかった時期と考えてよいだろう。

耕地と人口が急激に増加した一七世紀が拡大成長期だとすれば、一八世紀はその動きが、社会のキャパシティーとの間で、ある種の限界に達した時期だといってよい。量的拡大より質的充実が課題になったといいかえることもできる。くわえて、一八世紀は災害の多い時期でもあった。歴史人口学の速水融《はやみあきら》は、一定の出生数は確保されていて本来ならば上昇していたはずの人口が、それを上まわる飢饉や疫病の流行、都市の劣悪な生命環境などのために、停滞もしくは減少したとみる。新田開発についても、のちに述べるようにさまざまな努力がなされたのだが、やはり大きな成果にはつながらなかった。自然環境は厳しく、一七世紀に拡大した人口や耕地を定着させるのに苦労した時期だった。

同時代のヨーロッパと比べてみると

一八世紀が成熟というイメージでとらえられる背景には、そもそも江戸時代自体がまれにみる平和な時代であったという認識がある。実際、寛永《かんえい》一五年（一六三八）の島原《しまばら》・天草一揆《あまくさいっき》から元治《げんじ》元年（一八六四）の長州《ちょうしゅう》戦争まで、二二〇年以上にわたって国の内外での本格的な戦争も大規模な戦闘もなかった。これが「徳川《とくがわ》の平和」といわれる。この平和が社会の成熟をもたらしたというわけだが、他面では平和による弛緩《しかん》が社会を停滞させたといえなくもない。

同時代のヨーロッパは、戦争と平和の繰り返しであった。一六世紀にはキリスト教徒が新教と旧教に分かれて争う宗教戦争が各地で続いた。一七世紀前半には三十年戦争があった。一八世紀になるとフランスのルイ一四世が周辺国との戦争を繰り返し、オランダ・イギリス戦争、スペイン継承戦争と続いた。さらに一八世紀末にはアメリカ独立戦争が起こり、フランス革命が周辺国の干渉から戦争になり、ナポレオン戦争へと展開した。

戦争は社会に緊張をもたらし、平和は緊張を弛緩させる。平和は社会にある種の自由をもたらす。社会にはさまざまな矛盾がある。その矛盾が社会に緊張をもたらし、時に戦争を引き起こすのだが、戦争になると多くの矛盾は棚上げとなる。戦争が終わると棚上げされていた矛盾が顕在化し、しばらくするとそれがふたたび社会に緊張をもたらすようになる。緊張と弛緩が呼吸のように繰り返した。

戦争は、それまでに蓄積された社会の富や力を消耗させる。平和は、消耗されたものの回復に始まり、やがて新しい蓄積につながる創造が続く。平和の時代に学術・文化・産業が発展した。戦争と平和は消耗と創造を演出し、社会システムや生活スタイルは螺旋《らせん》状に変化していった。

それに対して徳川日本では、なぜ外見的な平和が二〇〇年以上にわたって続いたのだろうか。徳

5

◉**波利稔王像（ナポレオン）**
破竹の勢いでヨーロッパ大陸を席巻し、大帝国を築いたナポレオンも、最後はロシア遠征に敗れて失脚する。その伝記は蘭学者によって幕末に日本にも伝えられた。（『那《ナ》波《ポ》列《レ》翁伝《オンでん》』）

川日本が生み出した平和のシステムが存在したことは間違いないのだが、だからといって緊張もなくだらだらと平和が続くとは考えにくい。平和のなかで、社会に緊張と消耗を強《し》いたのは何だったのだろうか。そこで本書は、ひとつの仮説から出発することにした。徳川日本に緊張を与えたもののひとつは災害との闘いではなかったか、という仮説である。本書の記述を一八世紀初頭の元禄大地震から始めてみたのは、そのためだ。

徳川日本を襲った災害は、地震や津波だけではない。火山の噴火、飢饉《ききん》や疫病《えきびょう》、大雨風・洪水、それに火災など。もちろん災害はいつの時代にも起きる。しかし、過疎地と過密都市との災害を比べてみればわかるように、同じ災害でも社会に与える影響は大きく異なる。江戸時代には、急激な人口増加と国土開発が起こった。いわば災害が社会に特別な意味を与える歴史段階であったのではないか。頻発する災害による消耗。そこから回復するために、人びとはさまざまな営みを行ない、さまざまな動きを起こした。そのなかで、「生きる」力が蓄えられ、「生きる」システムが工夫されたに違いない。文化の創造も「生き

6

◉**地震にあわてふためく人びと**
大きな揺れに驚いて地面に伏せる人、竹藪《たけやぶ》に逃げ込む人、崩れた建物の下敷きになる人。（円《まる》山応挙《やまおうきょ》筆『七難七福図《しちなんしちふくず》巻《かん》』天災《てんさい》巻）

る」喜びと哀《かな》しみの表現ではなかったか。そこに、一八世紀徳川日本の時代像をみたいと思う。

徳川日本人の名刺

徳川《とくがわ》日本に緊張を与えたものは何であったかという問いに対して、本書が準備したもうひとつの仮説は、「治」をめぐるせめぎ合い、というものだ。これは平和のシステムそのものから生まれるものでもあるのだが、説明は少しまわりくどくなる。

突飛《とっぴ》なようだが、もし徳川日本人が名刺を持っていたら、そこにはどんな肩書きが書かれているだろうか、ということから考えてみたい。江戸時代の一般庶民が、自分のことを他人に紹介するとき、どのように自分を表現しただろうか、ということだ。それは、たとえば幕府の裁判に提出する書類や全国を旅行する通行《つうこう》手形《てがた》に、どのように名のっていたかということから知ることができる。仮に名刺をつくってみよう。

①　松平新太郎様御領分
②　備前国御野《みの》郡津島村
③　一郎右衛門倅
④　太郎

①②③が④「太郎」という人物の肩書きにあたる部分である。

①の松平新太郎は、現在の岡山県南部を領知した岡山藩で、江戸時代初期に四〇年間藩主をつとめた池田《いけだ》光政《みつまさ》のこと。彼には本書でもときどき登場してもらうが、その岡山藩の領民であることを示している。当時は藩という言葉は使われなかったので、統治する領主の名前でそれを示した。この場合は領主が大名なのだが、旗本《はたもと》領であれば、たとえば「戸川内蔵助《くらのすけ》様御知行所」と書かれるし、幕府領であれば支配代官の名前を付けて、たとえば「千《ち》種《ぐさ》清《せい》右《え》衛門《もん》様御支配所」と書かれる。つまり、最初の①のところでは領主支配が表示される。

つぎの②は、いまの住所表示と同じように思われるが、そうではない。ここでは、村や町《ちょう》といった所属する地縁団体と身分が表示されている。平人《へいにん》（一般庶民）である「百姓」の表示は省略されることが多いが、平人以外の「穢多《えた》」や「説教《せっきょう》」など差別された身分の場合は必ず書き加えられた。また、町であればたとえば「岡山栄町」と書かれ、借家人であればたとえば「高知《こうち》屋《や》庄左《しょうざえ》衛門《もん》店《たな》」と付け加えられることもあった。江戸時代の村や町は、一種の法人格をもった身分団体であった。
②は、所属する身分団体を表示している。

③は、所属する「家」を表示する。江戸時代に個人は「家」を単位として把握された。そのことはのちにあらためて述べる。「倅」のかわりに、「娘」や「妻」「父」「母」など戸主との続柄、「下人」「下女」といった隷属的な地位で書かれることもある。④の「太郎」自身が戸主であれば、③の部分はなくて②のつぎに④がきて、そのまま「太郎」と書かれる。この場合は「太郎」という語が

「家」と個人の両方を表示していることになる。

これが徳川日本人の名刺に書かれた肩書きの意味である。「太郎」は独立した裸の個人として存在しているのではない。領主支配・身分団体・「家」という三つの関係に包まれて存在しているのだ。三つの関係は、義務と保護、奉仕と扶養の関係である。そこにおいて「太郎」は基本的に従属的な位置にあるのだが、そのことによって生活を支えられているということもできる。逆にいえば、この三つの個別的な関係から見放された場合には、生活や「いのち」の保証はないということだ。

ところで、この名刺は徳川社会の「うち」で通用するものだ。「太郎」が運悪く漂流民になってしまったとしよう。すると彼は、異国の役人に対して①から④の前に「日本」とか「大日本国」とかを付けて名のることになる。この「日本」を外国に対して代表しているのは徳川将軍だ。だから、当時の国家を「徳川日本」と呼ぼう。その国土・国民に対する統治権をもつことから、徳川幕府や将軍は「公儀《こうぎ》」と呼ばれた。ただし「公儀」は、「太郎」との間に先の三つのような直接的な義務と扶養の関係があるわけではない。個々の人からみれば、「公儀」は日本列島を覆っている笠のようなものであった。日本の「うち」では、「公儀」と個人のかかわりは基本的に公共的なものであった。

なお、江戸時代には幕府や将軍だけでなく藩や大名を指して

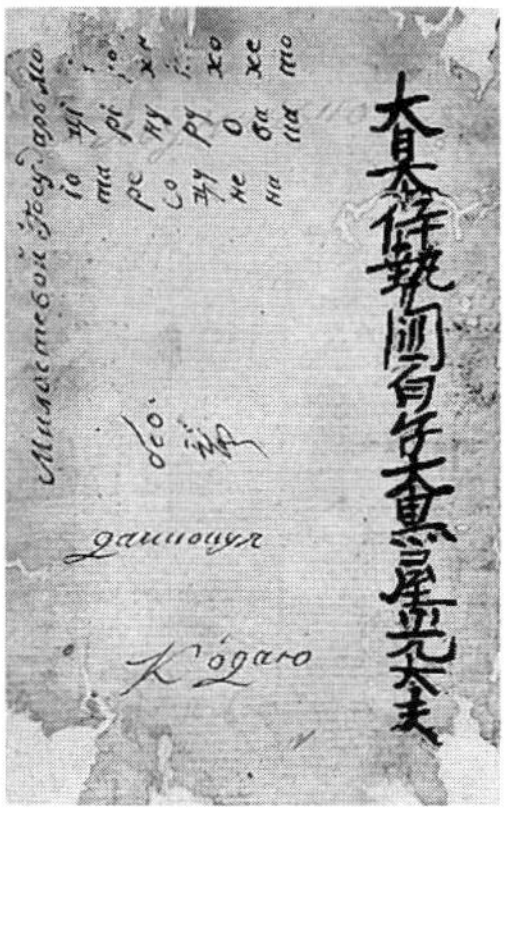

7

◉算術の本に書かれた大黒屋光太夫の自署
外国に流れ着くと、ふだんは意識しない国家概念が求められる。ロシアに漂着した伊勢の廻船の船頭、光太夫は祖国を「大日本」と表現した。

「公儀」という場合もあった。これは一方では、藩が幕府の統治の役割を分担しているためであり、他方では領民から公共的な役割を期待されているからでもある。

ただし本書では、幕府・藩・民間の関係を鮮明にとらえたいと考えるので、「公儀」という用語は幕府・将軍を指すものとして使用する。だからといって幕府と藩とが領主として一体である点や、藩など私領主の統治における公共的な側面を無視するわけではない。

「おさめる」ということ

先に「治」という言葉を使った。「治」という語からは、現在でいう政治を思い浮かべられるかもしれないが、江戸時代の「治」はそのような狭い意味ではない。本書でも、「治」という語は広く「おさめる」という意味で使いたい。

「おさめる」という語を『日本国語大辞典』などで引いてみると、大きく分けて、①ものごとを安定した状態にする、②物をきちんと中にしまい入れる、または、ある行為や状態を終わらせる、という二つの意味があげられている。そして、①には「治める」「修める」という漢字があてられ、②には「納める」「収める」があげられている。

たしかに二つの意味はニュアンスを異にするし、四つの漢字も使い分けられている。しかしそれらも、大きくいえば、物事をあるべきところにあるべきように置く、という意味では共通している。政治というと何か権力や支配のニュアンスが強いが、本来の「治」の意味は、あるべきようにコントロールする、ということだろう。
「修身斉家《しゅうしんせいか》治国平天下《ちこくへいてんか》」という語がある。朱子《しゅし》学《がく》で四書の最初に置かれる『大学《だいがく》』にあって、「道」の目的とされる八条目《じょうもく》のうちの後半の四条目である。「修」「斉」「治」「平」という動詞はそれぞれに読みは異なるが、意味するところはいずれも「おさまる」「おさめる」ということ。しかも、朱子学では「身」から「天下」まではひとつながりのものととらえられる。つまり、「身」「家」「国」「天下」というものを「おさめる」「おさまる」ようにすることが学問の目的なのだ。この儒学《じゅがく》が社会の規範を提供したのが江戸時代であった。そうした意味で江戸時代というのは、社会のさまざまなレベルで「治」というものがつねに意識された時代であったといってよいだろう。

ここでもう一度名刺のところに戻ってみよう。

徳川《とくがわ》日本人を包む三つの関係は、平時であればとくに意識されることもなく、人びとの生活と「いのち」を支えていただろう。領主も村も「家」も、相互に矛盾と対抗を秘めていたが、「公儀」の国家システムのもとでまさにおさまっていたのである。しかしなんらかの理由で矛盾が蓄積してくると、それぞれにおさまりがつかなくなる。とくに大災害のような激変に襲われると、日常の個別的関係では対処できない状況に陥る。そう

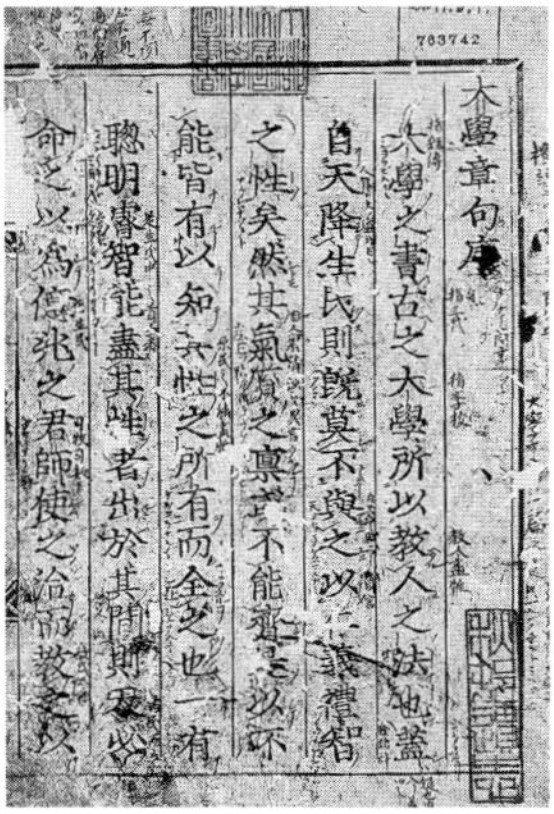
大學章句序
大學之書古之大學所以教人之法也蓋自天降生民則既莫不與之以仁義禮智之性矣然其氣質之稟或不能齊是以不能皆有以知其性之所有而全之也一有聰明睿智能盡其性者出於其閒則天必命之以爲億兆之君師使之治而教之以

8

◉『大学』の注釈書『大学章句』の序
中国・南宋の朱子（朱熹《しゅき》）が著わしたもので、『大学』の要点などをまとめてある。『大学』はもと『礼記《らいき》』の一節であったものを、朱子が本文を校訂し、「四書」のひとつとした。

したときには、個別的関係を超えた公共の役割が求められるのだが、その担い手をめぐってせめぎ合いが起きてくる。

「治」のゆらぎをもたらすものは災害だけではない。耕地開発は一七世紀にある限界に達した。一八世紀に開発を続けようとすれば、これまで所属が曖昧《あいまい》であったり多様な用益権が存在していた共用空間を対象とせざるをえない。しかし、こうした空間への開発は個別的に対処できるものではない。しかも技術的に新しい対応が求められる。個別的関係を超えた、より公共的な対応が必要であった。そこにいままでにない「治」をめぐるせめぎ合いが起こってくる。

また、一七世紀の人口と耕地の拡大は、新たな需要と供給を生み出した。商品としての産物の生産が拡大し、個別の関係を超えた人と物の交通・流通が広がった。江戸・大坂・京都を中心とした全国市場も成立する。貨幣の使用が活発になり、金融をめぐるトラブルも頻発するようになる。流通・金融をどのようにコントロールするか。こうした問題をめぐっても、幕府・藩や商人たち、さらには生産者や消費者たちがせめぎ合うようになる。

災害・開発・流通などを通じて、個別的関係を超えた公共空間が広がった。徳川の国家システム

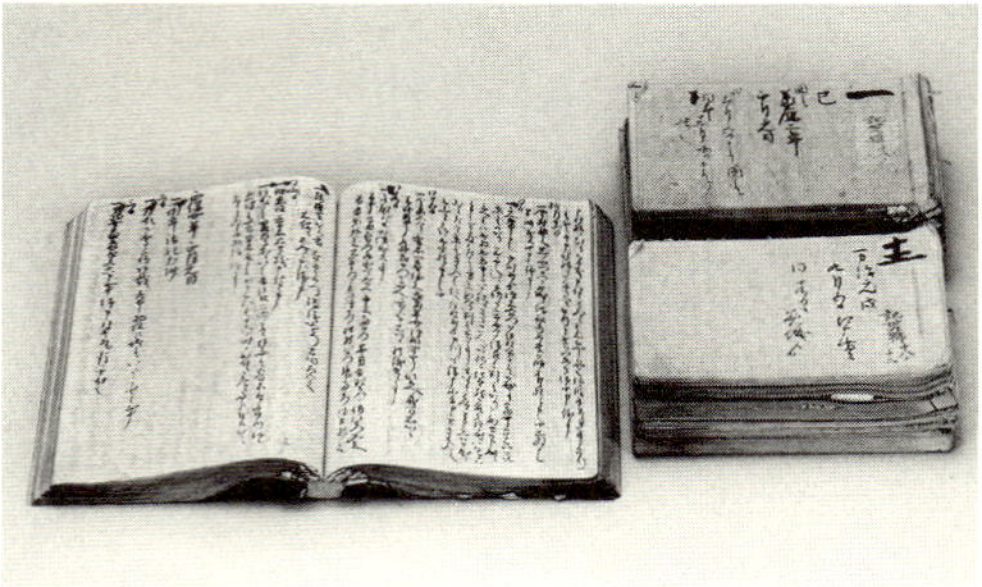

9

●池田光政日記
岡山藩主池田《いけだ》光政《みつまさ》が、政務を綴《つづ》った自筆日記。治者としての自覚がにじみ出る。寛永《かんえい》一四年から寛文《かんぶん》九年（一六三七～六九）までの二一冊が残されている。

のもとでは、その公共空間で主役を期待されているのは「公儀」なのだが、「公儀」も万能ではない。公共の役割と担い手をめぐって、幕府・藩・民間がせめぎ合うことになる。ここでいう民間は、徳川の国家システムでは統治される側にある社会や集団（村・町などの身分団体）であり、民間人といえばそれを構成する民衆のことである。もちろん、「治」をめぐるせめぎ合いは、統治する側の内部にも民間の内部にも起きてくる。

つまり、一八世紀の徳川日本には、厳しい自然環境とある種の限界状況のなかで、社会のさまざまなレベルで「治」をめぐるせめぎ合いが広がっており、それが徳川社会に緊張を与えていたのではないか。そう考えたのだ。各地で頻発する紛争や訴訟、一揆《いっき》や打ちこわしなどが、その象徴であることはいうまでもない。

ただし、緊張の高まりがただちに権力や体制の動揺につながらなかったのは、当時の東アジアの国際秩序が比較的安定していたことが大きい。中国では乾隆帝《けんりゅうてい》のもとで清《しん》が最盛期を迎えており、ロシアやイギリスが太平洋への進出をうかがっていたが、列島への直接の脅威にはまだなっていなかった。「鎖国」という外交秩序は機能しており、内憂と外患とが連動する状況にはなかった。

成熟というイメージで語られることの多い一八世紀を、緊張と弛緩《しかん》、消耗と創造の繰り返される螺旋《らせん》状の過程として描いてみたい。「ゆらぎ」という語がそれを示している。安定でも停滞でもなく、その内側で進む「治」のせめぎ合いを見つめる。そして、その背後に「いのち」をめぐる徳川日本人の営々とした努力を読みとる。それらを通じて、日本歴史のなかで一八世紀がどのような位置にあるかを考え、これまでとは違った一八世紀徳川日本のイメージを示してみたい。

綱吉から田沼まで

西暦でいう一八世紀は、日本の年号でいえば元禄《げんろく》から寛政《かんせい》まで、徳川《とくがわ》将軍でいえば五代の綱吉《つなよし》から一一代の家斉《いえなり》までである。ただし、時代の区切りは厳密に世紀に対応しているわけではない。本書では、綱吉が将軍となった延宝《えんぽう》八年（一六八〇）から、田沼意次《たぬまおきつぐ》が最終的に失脚して松平定信《まつだいらさだのぶ》が登場する天明《てんめい》七年（一七八七）までをひとつの時代として扱う。この一一〇年間は、綱吉の「元禄時代」、新井白石《あらいはくせき》の「正徳の治《しょうとくのち》」、吉宗《よしむね》の「享保の改革《きょうほうのかいかく》」、「田沼時代」、という四つの時期に分けられる。

綱吉は三代将軍家光《いえみつ》の四男であったが、四代将軍家綱《いえつな》に後継者となる子どもがなかったためにその養嗣子《ようしし》とされ、五代将軍となった。将軍在職は二九年と長い。治世の後半は、牧野成貞《まきのなりさだ》や柳沢吉保《やなぎさわよしやす》が側用人《そばようにん》として重用された。

綱吉にも継嗣《けいし》となる実子がなかった。家光の三男徳川綱重《つなしげ》の子である綱豊《つなとよ》が家宣《いえのぶ》と名を改めて、六代将軍となった。綱吉にとっては甥《おい》にあたる。在職は四年。没後、子の家継《いえつぐ》が七代将軍となるが、幼少であったため実際の政治は老中《ろうじゅう》で側用人の間部詮房《まなべあきふさ》が前代に続いて指揮した。この二代にわたって、儒者《じゅしゃ》の新井白石が重用された。

家継は八歳で亡くなったから、継嗣もなかった。このため徳川宗家の血筋は絶えてしまった。この危機に八代将軍となったのが、御三家《ごさんけ》のひとつ和歌山藩（紀州藩ともいう）の藩主であった徳川吉宗である。彼を支持したのは、元禄以来の将軍近臣を中心とした政治に不満を抱いていた譜代《ふだい》大名層であった。しかし吉宗は、彼らに左右されることなく改革にリーダーシップを発揮した。家格や身分にとらわれない人材登用も積極的に行なった。在職期間は三〇年に及ぶ。

隠退した吉宗は大御所《おおごしょ》となり、子の家重《いえしげ》が九代将軍を襲職《しゅうしょく》した。その家重は生来の病弱で、側用人の大岡忠光《おおおかただみつ》に頼ることが多かった。政治にリーダーシップを発揮することはなく、幕府の官僚たちにより、享保の改革の基調を引き継いだ政治運営が行なわれた。家重は子の家治《いえはる》に家督を譲る。

家重治世の末期に頭角を現わし、一〇代将軍家治によって重用されたのが田沼意次である。本書では、意次が評定所《ひょうじょうしょ》に出座する宝暦八年（一七五八）からを田沼時代として扱う。意次は、家重の小姓《こしょう》から身を起こし、家治のもとで側用人と老中とを兼ね、子の意知《おきとも》も若年寄《わかどしより》となって権勢をふるっ

徳川将軍(3〜11代)系図

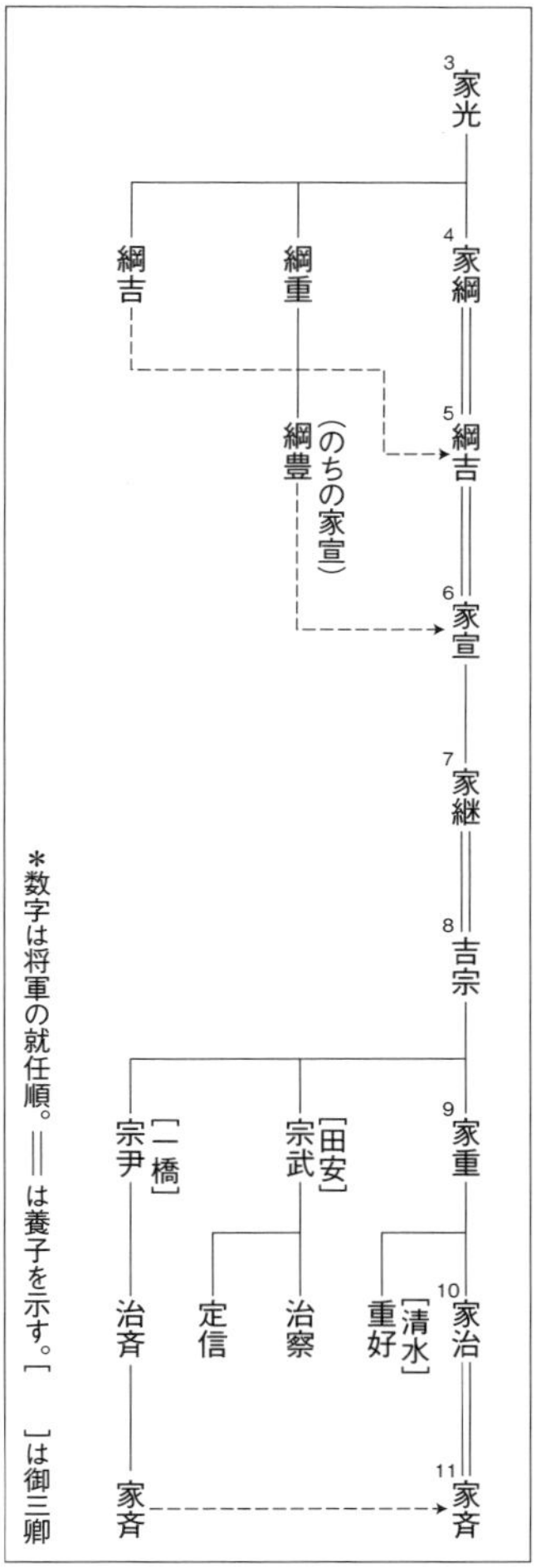

た。一般には賄賂《わいろ》汚職の政治家として悪評が高いが、歴史家の間では積極的な経済政策を推進した開明的な政治家として評価する向きが多い。意知が江戸城中で殺害されると急速に力を失い、後ろ盾であった家治が亡くなるとともに失脚した。

田沼追い落としの中心にいたのが、白河《しらかわ》藩主の松平定信である。彼は、御三卿《ごさんきょう》の田安宗武《たやすむねたけ》の子で、吉宗の孫にあたる。養子として陸奥《むつ》白河藩を継ぎ、藩政改革に実績をあげた。譜代大名層の支持を得て老中となり、一一代将軍家斉に信任され、将軍補佐となった。享保の改革を模範とした彼の治世は寛政の改革といわれる。

享保・寛政・天保の改革を三大改革として並べ、いずれもが「幕藩封建体制の危機に対する反動的な対応」であったととらえる議論がある。他方、一八世紀のなかばから後半の宝暦〜天明期を徳川日本の転換期ととらえる議論も根強い。しかし、本書ではそうした立場はとらない。「公儀」のあり方からみた場合、元禄・享保期と宝暦・天明期を分けてしまうよりは、ひとつながりとして理解したほうが時代の特徴はよくみえる。また、国際関係に規定されて成り立つ徳川日本のありようからすれば、対外的危機への対応から「鎖国」制の再検討が本格化する寛政期以降に、新しい時代への起点が置かれるべきだ。

先の二つの仮説を念頭におきながら、綱吉から田沼までの時代の流れを読んでみよう。

第一章

綱吉・吉宗と「公儀」

1

元禄の改革政治

日光大地震と江戸

天和《てんな》三年（一六八三）の六月頃、江戸の本所《ほんじょ》の街角に数百人が出て、毎夜のように手拍子にあわせて踊るという出来事があった。祭りの踊りではない。誰がいいだしたのか、何が目的なのかわからない。とにかく突発的な踊りであった。踊りにあわせて「伊勢《いせ》ハおぼろに駿河《するが》ハくもる、花のお江戸ハやみとなる、日光の事にてがってんか、おほさがってん（そうさ！　わかってるよ）」という歌謡がうたわれた。

江戸が闇《やみ》になるというのは、明らかに将軍や幕府を批判したものだ。「日光の事」というのは、この年五月に起こった日光山の大地震を指している。山が崩れ、谷が埋まった。その後の大雨でこれが土石流となり、日光の町は大洪水になった。徳川家康《とくがわいえやす》を権現《ごんげん》様として祀《まつ》る日光を襲った災害は、徳川政権の行く末を暗示しているのではないか。

日光の災害は、政権中枢部にも衝撃を与えた。時の将軍綱吉《つなよし》の生母である桂昌院《けいしょういん》は、食事も湯茶も断った。将軍に改心を促すためだと、巷《ちまた》ではまことしやかにささやかれた。綱吉が生母を厚く敬慕したことはよく知られている。その桂昌院が、「いまのままであれば乱世は遠くないだろう。日光

●目黒行人坂大火の様子
明和《めいわ》九年（一七七二）二月二九日の正午過ぎ、目黒行人坂の大円寺《だいえんじ》から出火し、江戸の町の三分の一を焼いて、翌日の午後に鎮火。死者・行方不明者は約一万八〇〇〇人。放火犯は火付盗賊改の長谷川《はせがわ》平蔵《へいぞう》が捕縛した。（『目黒行人坂火事絵巻《めぐろぎょうにんざかかじえまき》』）　前ページ図版

の怪異は、御仕置《おしおき》がよくないことを権現様が示されたのではないか」と嘆いたというのだ。災害は天が地上の人間に下した戒《いまし》めであるという考えは、古代の中国に成立した。これを天譴論《てんけんろん》という。徳川日本でもこの考えが社会通念となって広く支持されていた。綱吉周辺でも、政情に対する不安感や危機感が広がっていたのだ。

こうしたうわさは『御当代記《ごとうだいき》』という書物に書かれている。戸田茂睡《とだもすい》という歌学者が著わしたものだ。茂睡は旗本《はたもと》の家に生まれたが、のちに浪人となり、当時は江戸市中で歌学の研究に没頭していた。それにしても綱吉が将軍となってまだ三年しかたっていない。それがこの不評判なのだ。

茂睡によれば、綱吉の政治は「厳しい」のひとことに尽きる。制度を厳格に運用し、法令も厳守させる。年貢や税の取り立ても曖昧《あいまい》にしない。武士に対しても庶民に対しても、賞罰を厳重明確に行なう。これを賞罰厳明主義という。とにかく「刑法つよく」、人が「なつきしたがう」ことがない。こうした批判は茂睡だけのものではない。儒者《じゅしゃ》の熊沢蕃山《くまざわばんざん》も、綱吉の政治

2

◉桂昌院
京都堀川《ほりかわ》の八百屋の娘という。家光《いえみつ》側室となり綱吉を産む。戦乱で荒れ果てた各地の寺院の再興に尽くすが、綱吉の悪政の原因ともされる。

3

◉戸田茂睡
中世の歌学が秘事として伝授されたことを批判。自由に歌を詠むことを主張した。近世歌学のさきがけとなり、国学への道を開いた。

は「不仁《ふじん》にてきびしき成《な》され方」であり、この「御代《みよ》に天下をも御失い成さるべし」と評した。

しかも、この三年間は長雨や大雨風・洪水が列島各地を襲い、諸国で不作・凶作が続いた。長崎や京都・大坂では黄檗《おうばく》僧たちによる施粥《せがゆ》が行なわれ、庶民はようやく飢えをしのいだ。災害続きのうえに起こった日光の地震であったのだ。

元禄文化の主人公

江戸の本所《ほんじょ》で毎夜町人たちが踊り明かしていた天和《てんな》三年（一六八三）。前年の一〇月に、大坂で井原西鶴《いはらさいかく》の『好色一代男《こうしょくいちだいおとこ》』が刊行されている。いわゆる浮世草子《うきよぞうし》の登場を告げる記念すべき作品で、世之介《よのすけ》という男の女性遍歴を通じて世相や風俗をいきいきと描き出した傑作だ。それまで談林《だんりん》派の俳諧師として知られていた西鶴は、以後浮世草子作家となり、傑作をつぎつぎとヒットさせる。好色物といわれる絵入りの草紙が、出版界に活況をもたらす。

同じ天和期に、江戸では浮世絵の創始者といわれる菱川師宣《ひしかわもろのぶ》が活躍の場を広げていた。草紙類の挿絵から独立した揃物《そろいもの》の浮世絵版画が制作されるようになり、有名な『見返り美人』はまだ描かれてはいなかったが、師宣風の女性が登場する肉筆《にくひつ》浮世絵もさかんに描かれていた。いずれも江戸の

4

◉崇福寺の施行大釜（長崎市）
崇福寺《そうふくじ》は、長崎貿易に携わっていた福建省出身の華僑《かきょう》たちにより、建立された黄檗宗の寺院。門前に置かれた大釜は、飢餓救済の施粥を炊くためにつくられたという。

街角や吉原《よしわら》の風俗に取材したものであった。

歌舞伎《かぶき》の江戸四座も隆盛に向かいつつあった。しかし天和二年末の「お七火事」で中村《なかむら》・市村《いちむら》両座が焼失した。翌天和三年三月、森田《もりた》座は『女若二河白道《によじやくにがびやくどう》』を上演。初代市川団十郎《いちかわだんじゅうろう》が悪役の不破《ふわ》伴左衛門《ばんざえもん》を演じて健在ぶりを示し、大当たりとなる。団十郎は延宝《えんぽう》三年（一六七五）に、富士のすそ野の仇討《あだう》ちで知られる曾我五郎《そがごろう》を演じて好評を博した。これがいわゆる曾我物続き狂言の始まりで、以来団十郎は荒事《あらごと》の創始者として絶大な人気を得ていた。

他方、大坂では天和三年五月に起きた遊女市之丞《いちのじょう》の心中《しんじゅう》事件がただちに劇化され、大坂三座で競演された。これが心中狂言の始まりである。五年前の延宝六年、大坂新町《しんまち》の遊女夕霧《ゆうぎり》が病死した。『好色一代男』で日本第一と絶賛された名妓《めいぎ》だ。和事《わごと》の名手坂田藤十郎《さかたとうじゅうろう》はさっそく『夕霧名残《ゆうぎりなごり》の正《しょう》月《がつ》』を上演し、以来夕霧の年忌ごとに追善興行を繰り返していた。

俳諧の宗匠としてすでに諸国に名を知られるようになっていた松尾芭蕉《まつおばしょう》は、江戸の雑踏を避けるかのように深川《ふかがわ》の芭蕉庵に移り住み、新しい蕉風《しょうふう》の創造に取り組んでいた。ところがやはり天和二年末の「お七火事」で庵は焼失、自身も隅田川《すみだがわ》に飛び込んで九死に一生を得る始末であった。天和三年、弟子や支援者の力で庵は再建されるが、芭蕉は世の無常を感じ、自然とともに旅に生きる決意を固める。翌年には最初の『野ざらし紀行』の旅が始められる。

天和三年。この年にはさまざまなことが起きているので少し記憶しておいていただきたいのだが、わたしたちがよく知っている元禄《げんろく》文化の主人公たちは、この年すでに本格的な活動を展開していた。

しかし、他方で将軍綱吉《つなよし》は、華美や奢侈《しゃし》を抑制する緊縮政治を強めていた。同年二月、幕府は町人の日常の衣類・持ち物をはじめ祭礼・法事などの拵《こしら》え物をいちだんと軽くするように命じた。あわせて、芝居小屋の役者や人形の衣装、吉原の遊女の衣類・帯までを質素にするように命じている。元禄文化は政治の空白に花開いたわけではない。緊縮政治にあらがいながら、しぶとく花開いたのだ。『好色一代男』で世之介は、「日本は残らず遊び尽くした」と、女護《にょご》の島《しま》に船出し、そのまま行方《ゆくえ》知れずになる。この日本脱出の結末には、綱吉の緊縮政治によって世の中が息苦しくなったことに対する西鶴の批判が込められているに違いない。女護の島が単純なユートピアではないことを、西鶴は十分に承知しているのだが。

「天和の治」始まる

徳川綱吉《とくがわつなよし》が五代将軍となったのは、延宝《えんぽう》八年（一六八〇）八月である。その四か月後、四代家綱《いえつな》政権の後半期をリードした大老酒井《さかい》忠清《ただきよ》が免職となった。前代までの門閥譜代《もんばつふだい》層を中心とした幕府政治を転換したいという、綱吉の強い決意を示すものであった。幕府内部はもとより、社会にもなれあいが広がっていた。あちこちに緩みが目立ち、幕府財政の困窮もはっきりしていた。しかも打ち続く災害である。このままでは早晩幕府に危機が訪れる。なんとかしなければならない。

「犬公方《いぬくぼう》」と呼ばれた綱吉は、政治的能力に乏しかったと思われる向きがあるかもしれないが、そんなことはない。幕府政治を改革したいという熱意は旺盛《おうせい》で、改革の方向も明確であった。とりわけ、綱吉政権初期の政治は「天和《てんな》の治《ち》」と呼ばれ、政治史家の評価も高い。実際のところ、綱吉の進めた改革路線が一八世紀の幕府政治をリードしたといってもよいほどだ。この流れは、門閥譜代中心政治から将軍専制化による側用人《そばようにん》政治への転換と評価されてきた。しかしその意味は、政権の運営方法にとどまらない。それは、政策内容から国家のあり方にまで及ぶものであった。

改革政治は、幕府の財政基盤となる農政の改革から始まった。綱吉は将軍就任早々の延宝八年八月、側近の堀田《ほった》正俊《まさとし》を勝手《かって》掛老中《がかりろうじゅう》に任命した。これが、幕府に農政専任の老中が置かれた最初であり、以後曲折を経ながら幕末まで続いた。次いで閏《うるう》八月には、代官に対して七か条の掟書《おきてがき》を定め、幕府領支配の厳正な実施を求めた。この掟書は「民は国の本也《もとなり》」という言葉で始まっている。農政の最前線を担う代官に対して、治める者としての自覚を促した宣言といってよい。さらに、天和二年(一六八二)六月には実務経験の豊富な者を選任して勘定吟味役《かんじょうぎんみやく》を設置した。その職務は、勘定奉行を補佐し勘定方諸役人を監督することであった。

こうした体制のもとで各地の幕府領支配の実態が点検され、代官の不正が摘発された。その結果、多くの代官が処分された。森杉夫《もりすぎお》の研究によれば、綱吉時代を通じて死刑ないしは免職にされた代

◉徳川綱吉
三代将軍家光の四男として生まれ、上野《こうずけ》国館林二五万石の藩主を経て五代将軍となる。儒学を信奉し、みずからも経書の講義を行なった。

官は四〇人、祖父・父の代の失態を咎《とが》められたものを含めると五一人にのぼる。うち三〇人は元禄《げんろく》二年（一六八九）までの九年間に罰せられている。江戸初期以来の在地に影響力をもっていた有力な代官たちが、年貢の滞納を理由に処罰されたことが特徴的であった。

代官や諸役人の刷新によって、彼らの官僚化が進んだ。地元とのなれあいが排され、中央集権化が図られた。幕府内での勘定方役人の地位が向上し、勘定奉行の権限が強まった。家柄や家格によって役職が決められる基本は変わらなかったが、実務や政策対応の能力を高めた中堅および下級の役人たちが、幕府運営のうえで欠かせない存在になっていく。

綱吉改革は、大名にも及んだ。大名の「治」のあり方を問題にし、大名への統制を強めたのだ。手始めとして綱吉は、延宝九年六月に越後国高田《えちごのくにたかだ》藩の御《お》家騒動《いえそうどう》をみずから裁断した。裁許では、関係者双方を厳罰に処すとともに、藩主松平光長《まつだいらみつなが》も家臣の掌握が不十分との理由で改易《かいえき》とした。当時の人も驚くほどの厳しさであった。

この越後騒動を含めて、綱吉による大名の改易・減封《げんぽう》は四六例を数える。これは、前後の時期と比べても極端に多い。その特徴のひとつは、外様《とざま》大名が一七件であるのに対して譜代《ふだい》大名のほうが二九件と多いことである。外様大名の勢力削減を目的とした徳川家光《いえみつ》までの改易とは、大きく様変《さまが》わりした。もうひとつは、役職勤務上の過失、家中不《ふ》取締《とりしま》り、素行不良などを理由にした賞罰厳明主義に基づく処分が多いことである。このうちには、大名自身の「乱心」「乱気」による処分が八例もある。治者として不適格な大名を、「公儀」として排除しようという意図は明確であった。

庶民の「こころ」に踏み込む

綱吉《つなよし》改革は、治める者を対象としたものだけではない。治められる側にある民衆に対する統制政策も強化された。秩序を引き締め、民間社会を「公儀」のもとに統合することがめざされた。統合のためには民衆にも価値観を共有させることが必要だ。

民間統合策の第一は、風俗統制と道徳教化である。

儒学《じゆがく》を信奉する綱吉は、華美を戒め倹約を勧めた。天和《てんな》元年（一六八一）には、商人に似合わぬ奢侈《しやし》を咎《とが》められて、江戸の石川六兵衛《いしかわろくべえ》（六大《ろくだ》夫《ゆう》）夫妻が屋敷家財没収のうえ、追放処分となっている。大坂では宝永《ほうえい》二年（一七〇五）に豪商淀屋辰五郎《よどやたつごろう》（通称三郎右衛門《さぶろうえもん》）が処分された。真相は罪のない相手を告発した裁判に加担したことを咎められたようなのだが、当時一般には驕奢《きようしや》が理由と信じられていた。華美や奢侈に対する禁令は、先にあげた天和三年以降にもたびたび発せられている。

他方では、天和二年三月に駿河国《するがのくに》富士郡今泉村（静岡県富士市）の五《ご》郎《ろう》右衛門《えもん》が、親孝行と村方救恤《きゆうじゆつ》によって褒賞され、永代にわたり年貢免除を仰せ付けられた。綱吉は林信篤《はやしのぶあつ》に命じて五郎右衛門の伝記をつくらせて刊行している。孝子節婦表彰の始まりだ。同年五月には忠孝札《ちゆうこうさつ》が諸国に立てられた。「忠孝をはげまし、夫婦兄弟諸親類にむつまじく、

6

◉犬の形をした湯たんぽ
銅製のこの湯たんぽは、日光の輪《りん》王寺《のうじ》宝物殿に伝わる。一説に綱吉が愛用していたという。

召仕《めしつかい》の者に至るまで憐愍《れんびん》を加うべし」と始まる高札で、庶民の日常倫理に踏み込んだという意味では生類憐《しょうるいあわれ》み政策につながるものであった。

綱吉が犬愛護のために生類憐みの令を出したという俗説が誤りであることは、近世史家の塚本学《つかもとまなぶ》が繰り返し説いている。貞享《じょうきょう》四年（一六八七）正月に出された最初の生類憐みの令は、捨子《すてご》と捨牛馬の禁止をめざしたもので、もともとの政策意図は、人びとに「慈悲」や「仁」の心をもたせることであった。他方、当時の都市では無主《むしゅ》の野犬が横行し、人に害を与えることもあったので、野犬を殺すこともしきりに行なわれていた。この野犬対策と生類憐み政策とが結びついた。元禄《げんろく》八年（一六九五）には、江戸の四谷《よつや》と中野《なかの》につくられた犬小屋に野犬の収容が始まった。ただし、民衆史家の林基《はやしもとい》によれば、収容されたのは牝犬《めすいぬ》のみで、犬の繁殖を嫌ったものだという。犬一般の愛護というより、やはり江戸町中の野犬対策の意味が大きそうだ。

貞享元年二月には、親族などの死や血の穢《けが》れを祓《はら》うための期間を細かく定めた服忌令《ぶっきれい》を布告した。幕府はその全文を町触《まちぶれ》として江戸町中に知らせ、庶民も忌《い》みに服する日数を守るように命じている。家族関係をはじめとして格式や序列を厳格にするとともに、日常の生活習慣にまで道徳を浸透させることを目的としたものであった。

綱吉時代に出版活動が飛躍的に拡大したことはよく知られている。それにあわせて出版に対する統制も始まった。天和二年には、忠孝札と一緒に「新作《しんさく》の慥《たしか》ならざる書物、商売すべからざる事」と記した高札が掲げられた。さっそく同年に、『越後記《えちごき》』という書物を著わした僧侶が流罪となった。越後騒動（延宝《えんぽう》二年〔一六七四〕）について根拠のない「空言《そらごと》」を流したというのが理由である。貞享元年四月には、服忌令に手を加えて勝手に出版した者が処分された。『百人男《ひやくにんおとこ》』など幕府政治を風刺した書物を著わした者も処罰されている。鍼《はり》や灸《きゆう》についての俗説を記した書付《かきつけ》も、人心を惑わすものとして発禁になった。出版以外でも、馬が物を言ったという「虚説《きよせつ》」を流し、流行病除《はやりやまいよ》けの札《ふだ》や薬方《やくほう》を流布させたとして浪人が斬罪《ざんざい》に処された。「犬の見使《けんし》」と称して「犬の薬」を売り歩いた者も処罰された。いずれも綱吉の政策に直接かかわるものだ。うわさも厳しく取り締まられた。

民間統合策の第二は、宗教統制の強化である。

貞享四年六月、キリシタン類族改《るいぞくあらため》が全国に命じられた。これは、キリシタンの親類・縁者・子孫

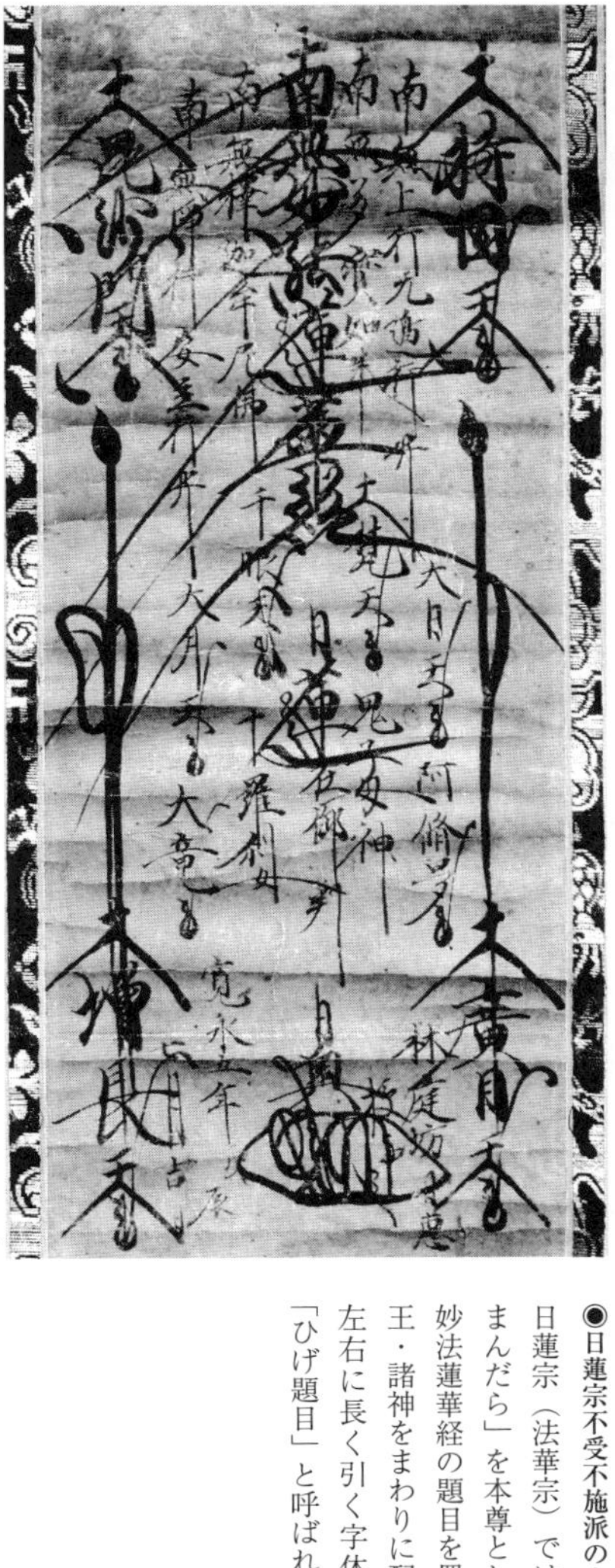

7

◉日蓮宗不受不施派の本尊
日蓮宗（法華宗）では師僧から与えられた「おまんだら」を本尊として崇拝する。中央に南無妙法蓮華経の題目を置き、それを守護する四天王・諸神をまわりに配する。題目の文字の端を左右に長く引く字体は僧日奥《にちおう》独特のもので、「ひげ題目」と呼ばれる。

の動向を調査し、監視するものであった。キリシタンの脅威が現実的でなくなったあとにも、厳格な取り扱いを指示することで、キリシタンに限らず一般の人びとの日常的な信仰生活にまで監視の目を向けることを求めるものであった。

元禄五年には、仏教諸宗派本山《ほんざん》による末寺改《まつじあらため》と末寺帳の提出が命じられた。これにより、本山による末寺の統制が強められ、自由な宗教活動が抑えられることとなった。また、その前年には、日《にち》蓮宗不受不施派《れんしゅうふじゅふせは》の流れをくむ悲田派《ひでんは》（悲田宗）が禁教とされている。

日蓮宗不受不施派は、妙覚寺日奥《みょうかくじにちおう》に始まる。他宗他門徒の布施は受けず、他宗他門の僧へは施さないという宗義を頑《かたく》なに守った。豊臣秀吉《とよとみひでよし》の主催した千僧供養《せんそうくよう》に出仕せず、弾圧を受けた。その後、日蓮宗寺院の多くが他宗派門徒の布施も受けるという受不施《じゅふせ》の立場に転じたが、それでも不受不施の教義を堅持した一派は幕府との軋轢《あつれき》が絶えず、ついに寛文《かんぶん》五年（一六六五）に処罰され、以後禁教となった。徳川《とくがわ》家は代々浄土宗《じょうどしゅう》である。だから他宗派である将軍から寺領を供養として受けることはできないと不受不施派は主張した。こうした態度が「公儀」の法秩序（王法）に逆らうものとして弾圧されたのだ。このとき、寺領は将軍による「慈悲の田」であるとして幕府との妥協を図ったのが悲田派で、幕府も不受不施派を分断するためにいったんはその存続を許したが、ここにきて悲田派も禁教の対象としたのだ。これによって、不受不施派に対する最終的な禁教が実現した。以後、信徒たちは隠れキリシタンと同じように隠れ不受不施となって地下で信仰を守った。

火付盗賊改の登場

綱吉《つなよし》が直面した問題には、都市の生活と治安にかかわるものも少なくない。先に見た捨子《すてご》や野犬対策としての生類《しょうるい》憐《あわれ》み政策も都市が強く意識されていたし、出版や風俗の統制もおもに都市や町人を対象としたものであった。以後一八世紀を通じて江戸を中心とした都市対策が幕府の重要課題となる。都市全般についてはのちに第五章で取り上げるので、ここでは二つのことだけ触れておきたい。

ひとつは、都市の防火問題である。

「火事は江戸の華」といわれたように、江戸では毎年何件もの火事が起きた。そのうち大火といわれるものは江戸時代を通じて一〇〇件ほど（下の表）。なかには、新井《あらい》白石《はくせき》が体験した水戸様火事のように、名前が付けられて語り継がれているものも少なくない（次ページ下の表）。大火が起きたのは江戸だけではない。大坂でも京都でも、各地の城下町でも起きている。都市は家屋が密集しており、いったん火事になると被害も大きい。都市生活の安定のためには、防火対策は欠くことができなくなっていた。

江戸時代のおもな火災の件数

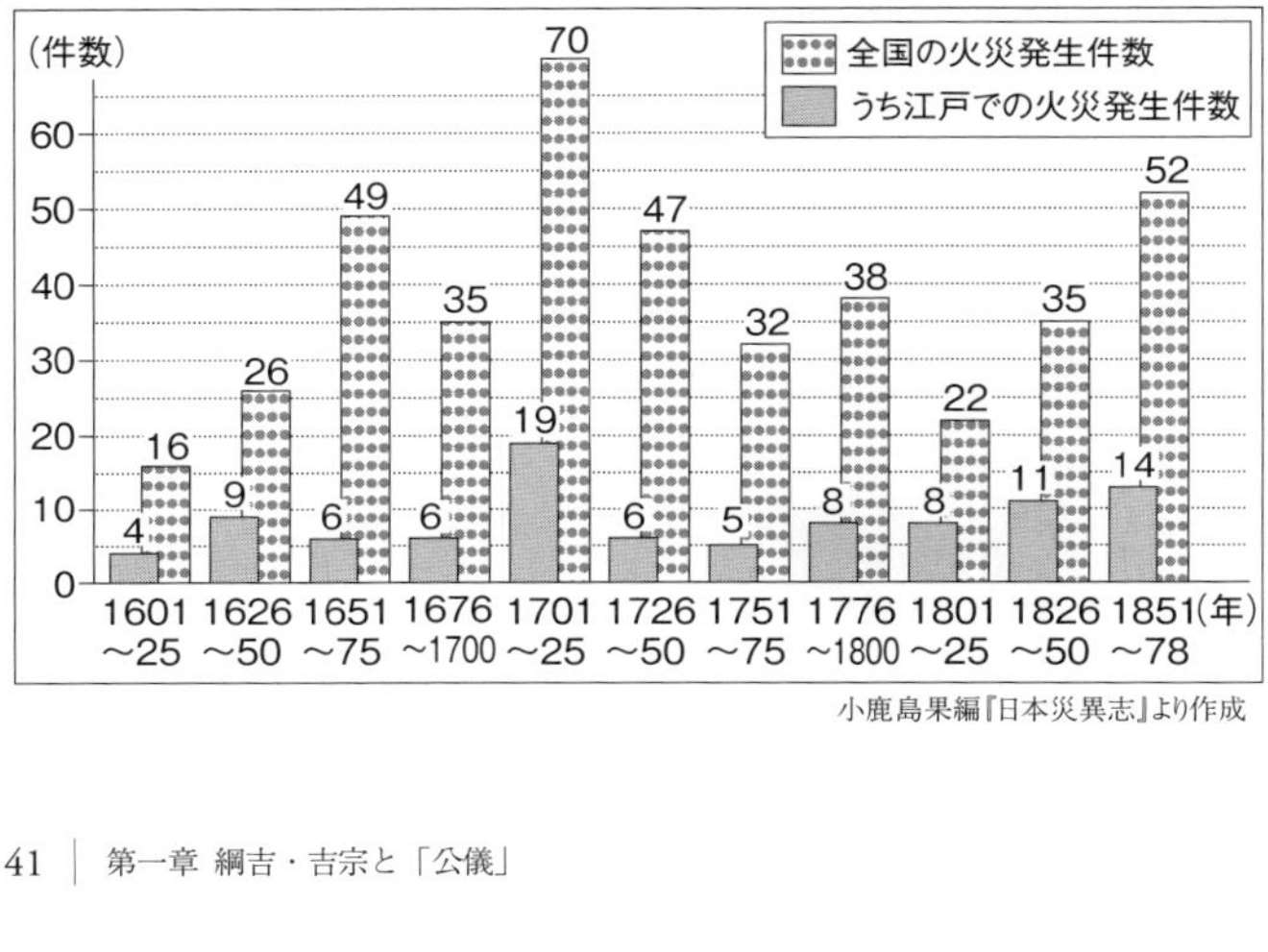

小鹿島果編『日本災異志』より作成

松尾《まつお》芭蕉《ばしょう》たちが体験した「お七火事」は、綱吉が将軍となって二年後、天和《てんな》二年（一六八二）一二月二八日に起きている。駒込《こまごめ》より出火して下谷《したや》・神田《かんだ》を焼き尽くし、本所《ほんじょ》・深川《ふかがわ》に及んだ。明暦《めいれき》三年（一六五七）の「明暦の大火」以来の大火であった。この火事で焼け出された八百屋お七は、避難先の寺小姓《てらこしょう》（寺の雑用をつとめた侍姿の少年）を見初《みそ》め、ふたたび会いたさに翌天和三年三月に付け火をして処刑されたという。こうした言い伝えから「お七火事」の名が付いた。

『御《ご》当代記《とうだいき》』は、それ以降翌天和三年の二月まで毎日昼夜に五、六度、多いときには八、九度も火事があったことを記す。しかも、それがすべて放火だったという。それを取り締まるために幕府は、先手頭《さきてがしら》の中山《なかやま》勘解由《かげゆ》直守《なおもり》を火付改《ひつけあらため》に任じた。池波《いけなみ》正太郎《しょうたろう》が描く「鬼平《おにへい》」こと長谷川《はせがわ》平蔵《へいぞう》で知られる火付盗賊改の早い事例である。江戸町中の治安維持は、本来江戸町奉行の職掌だが、先手鉄砲頭《てっぽうがしら》や先手弓頭《ゆみがしら》の者が加役として任じられて、独自に火付・盗賊・博徒《ばくと》を取り締まった。火付改、盗賊改、博徒改が別々に任じられることもあり、また兼ねられることもあ

8

江戸のおもな火事

寛永18年(1641)	桶町火事
明暦３年(1657)	明暦の大火(振袖火事)
寛文８年(1668)	寛文の大火
天和２年(1682)	お七火事
元禄11年(1698)	勅額〔ちょくがく〕火事
元禄16年(1703)	水戸様火事
享保２年(1717)	小石川馬場火事
明和９年(1772)	目黒行人坂の大火
寛政６年(1794)	桜田火事
文化３年(1806)	文化丙寅火事(車町火事)
文政12年(1829)	文政の大火(佐久間町火事)
安政２年(1855)	安政の地震火事

った。名称も時期により異なる。とにかく取り調べが苛烈《かれつ》で、自白が強要された。戸田茂睡《とだもすい》も批判しているように、冤罪《えんざい》も多かったに違いない。同年三月二日、放火犯を多数捕らえた功績によって、中山勘解由は金五枚を与えられている。

同じころ、一町に二つずつ「火の見せいろう（火の見櫓《やぐら》）」を設けて付け火の監視をすることが命じられた。以後、そびえる火の見櫓は江戸を代表する景観となる。また、火事のときには、大八車《だいはちぐるま》や地車《じぐるま》・車長持《ながもち》を引くこと、および鑓《やり》・長刀《なぎなた》・抜き身などが禁止された。地車は、床の低い四輪の車。家具など重い物を載せて綱で引いた。車長持は、底に小さな車がついていて移動できるようにした長持。家財道具をいっぱいに積み込んで避難する人や車が道を塞《ふさ》いで、焼け死ぬ人が多かったのだ。こうした禁止事項は、この後もたびたび町触《まちぶれ》で出されている。

◉江戸の町にそびえ立つ火の見櫓
一町に二つずつ、江戸は俗に八百八町というが、それほどではないにせよ、そこかしこに建てられたのであろう。それでも、町の景観が変わってしまうような大火事に何度もあう。手前の櫓の足もとの空き地は火除け地か。遠くにみえる大屋根は浅草寺《せんそうじ》。（『江戸名所図会《えどめいしょずえ》』）

高まる呪術の需要

もうひとつは、綱吉《つなよし》の宗教政策も都市対策としての側面を強くもっていたことである。

「乱心」を理由に改易《かいえき》される大名が続いたことは先にも触れた。『御当代記《ごとうだいき》』にも「乱心」による自害や殺傷事件が目立つ。「乱心」や「乱気」が必ずしも病的な状況を指すとは限らない。当時の人びとが人知を超えた事件を「怪異」と信じたのと同じように、「乱心」は事件の不明な部分や人の行動の不可解さを了解するために必要な観念であったのだが、他面、「怪異」や「乱心」の流行が不安な社会心理と相関的であったことも間違いない。

貞享《じようきよう》五年（一六八八）六月はとにかく寒くて、昼間でも綿入れの小袖《こそで》が手放せなかった。そういえば、前年の六月も寒《かん》の内《うち》のような寒さで、綿入れの小袖を二枚も重ね着したり、炬燵《こたつ》や火鉢《ひばち》を出すというありさまであった。寒冷気象が続いていることに注意しておこう。この貞享五年の寒さの記事に続けて戸田茂睡《とだもすい》は、「この頃は天候が異常なためであろうか。乱気の者が甚《はなは》だ多い」と記し、さらに「植村大膳《うえむらたいぜん》も乱気して座頭《ざとう》を斬り殺し自殺した。くれまき町一町で六月中に二三人も乱気の者が出た。そのほか、あちこちでどれほど乱気の者が出ているか数えきれない」と続けている。

植村大膳は三〇〇〇石の旗本《はたもと》で小普請組《こぶしんぐみ》。二七歳であった。事件の真相はよくわからない。「くれまき町」は江戸日本橋南の榑正町《くれまさ》のことだろう。一町でひと月に二三人もの「乱心」者が出るというのは、尋常ではない。異常気象は「天」の「気」が不順なために起こる。この「気」の不順が移って人の「気が乱れる」。茂睡によれば、「天」の「気」が不順なのは悪政の結果である。だから、「乱気」も悪政の結果ということになる。これも一種の天譴《てんけん》論だ。

「乱心」「乱気」による異常行動は、「狐憑《きつねつ》き」といわれることもある。当時の人びとは、心身の内から正気が抜け出て悪気が入り込むのを、「気が違う」と考えた。悪気は、悪霊のような姿の見えないものもあれば、虫のようなものや狐のような動物の場合もあった。だから、狐が跳梁《ちようりよう》すると、「狐憑き」＝「乱気」が流行する。

元禄《げんろく》二年（一六八九）二月初めから江戸城内で狐に化《ば》かされる事件が続いた。城中だけでなく、城廻《まわ》りの屋敷にも出て、女が髪を切られたり、男が腹を切らされたりする事件があちこちで起こった。四月一三日には、江戸城の御台所《おだいどころ》で御家人《ごけにん》が「乱気」して同僚を斬り殺し、自害した。もっぱら狐のしわざと取りざたされた。将軍の居所である江戸城内での狐の跳梁や「乱気」の流行は、まさに悪政の証明だと茂睡はいいたいのだろう。

江戸城の狐騒ぎは「知足院《ちそくいん》の御祈禱《ごきとう》」によって鎮まったという。知足院は、将軍綱吉や桂昌院《けいしょういん》が帰依した隆光僧正《りゅうこうそうじょう》のこと。新義真言宗《しんぎしんごんしゅう》の僧で、筑波山《つくばさん》知足院の院主となり、江戸別院（のちの護持院《ごじいん》）に住した。綱吉に生類憐み政策を勧めたといわれている。大奥では、彼の呪力《じゅりょく》が頼りにされた。

他方、民間でもさまざまな呪術師が活動していた。

書院番《しょいんばん》の内藤主馬《ないとうしゅめ》が「法花坊主《ほっけぼうず》」を呼んで祈念させていたところ、主馬の弟が「乱気」して坊主を斬り殺した。「法花坊主」は弟の「乱気」を祓《はら》うために呼ばれていたのだろう。

火消同心《ひけしどうしん》の千右衛門《せんえもん》は、表向きの寺請宗旨《てらうけしゅうし》は一向宗《いっこうしゅう》であったが、内証は法華宗《ほっけしゅう》。つまり、隠れ不受不施《ふじゅふせ》だった。千右衛門には同じ宗旨の仲間が何人かいたようだが、『御当代記』が紹介

9

◉隆光僧正
大和国《やまとのくに》出身。新義真言宗の本山である長谷寺《はせでら》で修行し、のちに江戸に出る。綱吉・桂昌院の帰依を受け、大僧正にまで昇りつめた。

する宗旨の内容は、奇妙なものだ。千右衛門の持仏堂《じぶつどう》には、釈迦《しやか》と多宝《たほう》の二仏が安置され、その脇《わき》に「でくるぼう」（人形）がひとつ置かれていた。月に一度精進日があり、その日は部屋の戸を閉めて外出しない。魚鳥を仏前に供えて、自分も食べ酒を飲み、「でく」を相手に日を暮らすという。千右衛門はこの宗旨を湯島天神下《ゆしまてんじん》の日下宗有《くさかそうゆう》という医師に伝えられた。宗有は、もとは「法花坊主」で、還俗《げんぞく》して医師になっていた。やはり隠れ不受不施だろう。宗旨の内容はゆがめて伝えられているに違いないが、権力からみれば得体の知れない「法花坊主」たちが、江戸町中のあちこちに棲息《せいそく》して、民間の呪術需要をまかなっていたのだ。

社会不安の広がりは呪術に対する需要を高めた。とりわけ都市での宗教者の活動が活発化する。秩序維持のためには、当然それに対する統制を強めざるをえない。町中の表店《おもてだな》で鉦《かね》や太鼓《たいこ》をたたき念仏・題目を唱えて大勢の人を集めることや、表店を借りて諸寺社の開帳《かいちょう》や勧進《かんじん》を行なうことを禁止する町触《まちぶれ》が出された。

他方、日蓮宗悲田《ひでん》派《は》が禁教となった同じ元禄四年には、知足院が無本寺《むほんじ》という本山から独立した特別の寺格を与えられた。祈禱寺であることを理由にした破格の扱いであった。祈禱僧隆光の呪力への期待の現われである。のちに歌舞伎などで有名になる累《かさね》の怨霊《おんりよう》を解脱《げだつ》させたことから、庶民の信仰を集めていた祐天上人《ゆうてんしようにん》を伝通院《でんづういん》住持に取り立てたのも綱吉であった。綱吉の宗教政策の背景には、民間との呪術をめぐるせめぎ合いがある。強引な民心の統合は、かえって庶民の「こころ」との溝を広げるものでもあった。

社会のなかの「公儀」

怒る富士

宝永《ほうえい》四年（一七〇七）一〇月四日、関東地方から九州地方にかけて大地震が発生した。元禄《げんろく》大地震からわずか四年後のことだ。推定マグニチュードは8・4。南海トラフ（次ページ下の図）が大規模に動いたもので、いわゆる東海地震・東南海地震・南海地震が同時に起きた列島史上まれにみる巨大地震であった。この地震で、伊豆半島から九州までの広い範囲で大津波が押し寄せ、大波は大坂湾や瀬戸内海にも及んだ。『月堂見聞集《げつどうけんぶんしゅう》』は大坂での被害として、圧死三六二〇人余、水死一万二〇〇〇人余と記している。全国での被害は、この数倍にのぼるだろう。

地震から四九日後の一一月二三日の午前一〇時頃、富士山が大噴火した。山麓《さんろく》では前日から地震が起きており、江戸でも前夜には揺れを感じている。巨大地震の影響で、地下のマグマ周辺の状況が変化したのだろう。噴火は、東南斜面の海抜二七〇〇メートルあたりで起こった。山塊《さんかい》を吹き飛ばし、火炎を噴き上げ、熱した岩や砂を空高く飛ばしつづけた。その様子は江戸からもはっきり確認され、火山灰は西風に乗って房総半島まで広く降り積もった。

山麓の住民たちは、恐怖のどん底にあった。現在の静岡県小山《おやま》町にあった生土《いきど》村の僧が記した『降砂記《こうさき》』には、「三災壊空《さんさいえくう》の時至る」とある。世界が壊滅する「劫末《ごうまつ》」の到来と感じたのだ。男も女も老人も子どもも、みな仏前に集まり、仏の名号を唱え、経を読み、「臨終」を祈った。それでも雷鳴や轟音《ごうおん》はやまず、砂《さ》礫《れき》は降りつづく。焼け石の直撃を受けて、死傷する人や焼け落ちる家も出た。須走《すばしり》村では、七五戸のうち三七戸が焼失し、ほかの家もすべて倒壊。人びとは、家屋も家財も捨てて避難した。一二月八日頃になってようやく噴火もおさまり、天気ももとに戻った。噴火によって出現した山塊は、のちに宝永山と呼ばれる。集落が灰に埋まった村は、五〇あまりに及んだ。永原《ながはら》慶二《けいじ》の研究によりながら、復興の経過を追ってみよう。

　避難先から帰郷した村人は、降り積もった灰になすすべもなく、たちまち食糧は尽きて飢餓《きが》が広がった。被害地のほとんどは、小田原《おだわら》藩一〇万三〇〇〇石《こく》の領地のうちであった。藩主は老中の大久保忠増《おおくぼただます》。被災地の村々では、被害状況の見分《けんぶん》を藩に求めた。しかし、巡回に来た藩の役人は、自力で灰を除くように命令するばかりであった。やむなく、領内のうち一〇四か村が相談して江戸に出訴することにした。この動きにあわてた藩では、とりあえず、二万俵の御救米《おすくいまい》と二万七〇〇〇両の砂除金《すなよけきん》

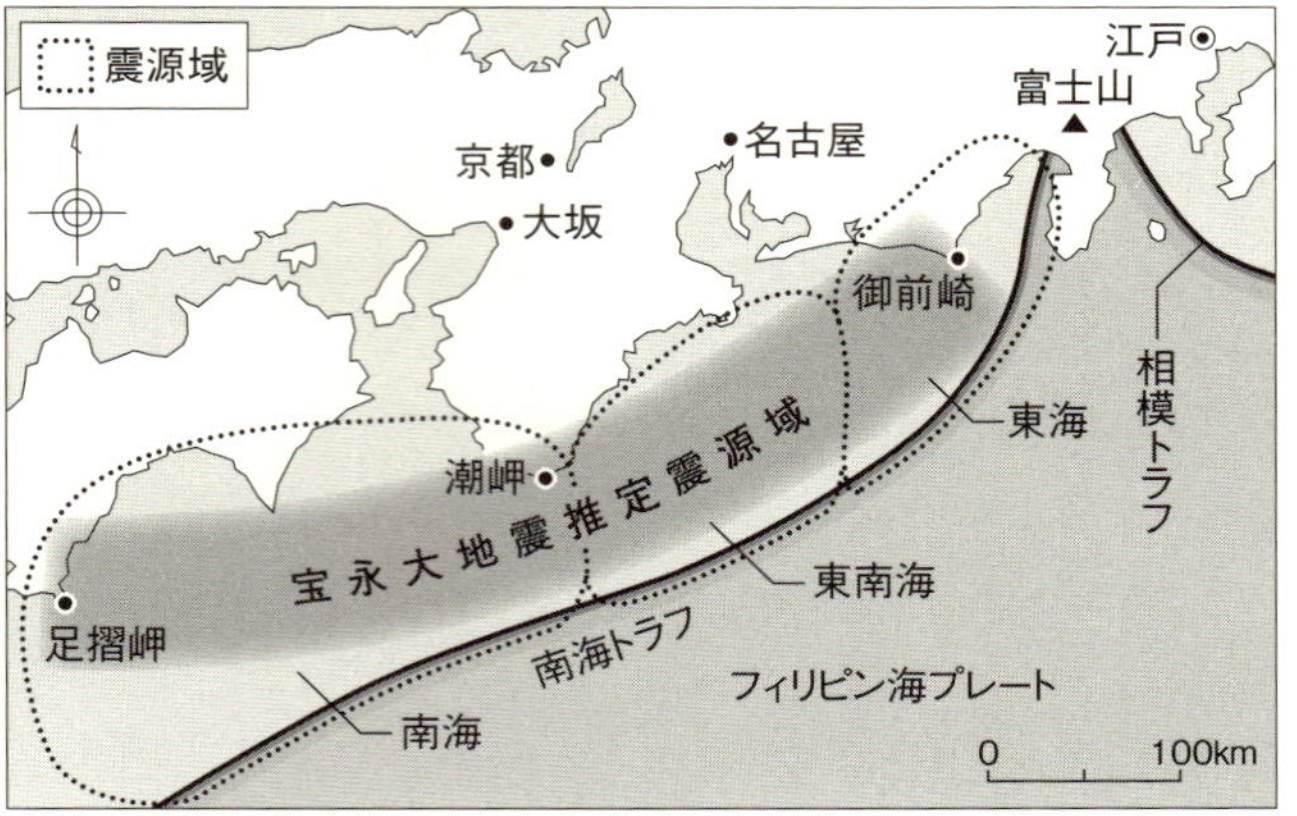

●宝永大地震の震源域と南海トラフ
日本列島の南岸沿いに延びる南海トラフ周辺では、周期的に大きな地震が起こる。東海、東南海、南海とそれぞれを震源域と想定する地震だけでなく、宝永大地震では潮岬《しおのみさき》沖を起点に、西の足摺岬《あしずり》から東の御前崎《おまえざき》周辺までの広域のプレートが一度に動いたと考えられる。

を支給すると村々に告げた。

しかし、年が明けて宝永五年になっても、復興は遅々として進まなかった。そこで幕府は、思いきった復興策を打ち出す。被災地を幕府に上知《あげち》（知行地を返上すること）させて、幕府の手で直接に復興しようというのだ。小田原藩領の過半にあたる五万六三八四石余が幕府領とされ、かわりに美《み》濃《の》・三《み》河《かわ》・伊《い》豆《ず》・播《はり》磨《ま》の四か国で同量の知行地が大久保家に与えられた。老中大久保家に対する破格の優遇措置であることは間違いない。なお、小田原藩支藩の荻《おぎ》野《の》山《やま》中《なか》藩と旗《はた》本《もと》稲《いな》葉《ば》紀《き》伊《いの》守《かみ》正《まさ》辰《とき》の知行地も、その一部が幕府に上知された。

伊奈忠順による復興

幕府領となった被災地の復興を任されたのは、関東代官頭（郡代《ぐんだい》）伊《い》奈《な》半《はん》左《ざ》衛《え》門《もん》忠《ただ》順《のぶ》である。伊奈氏は三《み》河《かわ》以来の徳《とく》川《がわ》譜《ふ》代《だい》の家筋で、家康の信任が厚かった五代前の忠《ただ》次《つぐ》の時代から、代々郡代として関東とその周辺の幕府領支配を任されていた。被災地の「修治」を命じられた忠順は、復興事業の中心を酒《さ》匂《か》川《わ》などの治水工事に置いた。酒匂川は、丹《たん》沢《ざわ》・足《あし》柄《がら》両山地の水を集めて東南方向に流れ、足柄平野を潤して相《さ》模《がみ》湾《わん》に注ぐ、この地域でも重要な河川である。しかし、流路が安定せず、たびたび洪水を起こしていた。治水などの大工事を「公儀」が行ない、耕地の再建は各村に自力で行なわせるというのが、伊奈郡代のとった方針であった。

河川の治水事業は、藩領域内の場合は藩が自力で行なうというのが従来からの原則であったが、幕府領と大名や旗本《はたもと》などの私領とが入り組んでいる場合は、「公儀」によって御手伝普請《おてつだいぶしん》が命じられることが多かった。被災地を幕府領としたのは、この「公儀」による御普請《ごふしん》を可能とするためでもあった。幕府はさっそく、岡山藩池田《いけだ》家など五大名に御手伝普請を命じた。普請の内容は、川床にたまった砂を掘り上げる川浚《かわざら》えと堤の修築で、実際の工事は、町人が請け負うかたちで行なわれた。担当藩からは折衝と監督にあたる役人だけが派遣され、四か月ほどで工事はひとまず完了した。

ところが、同じ年の六月下旬の豪雨で、修築したばかりの酒匂川の大口《おおぐち》堤が決壊してしまう。上流域に堆積《たいせき》していた灰土が一挙に川へ流れ込み、土石流となって土手を打ち破ったのだ。大口堤は酒匂川が平野部に出る口にあたっていた。その対岸に導流のために設けられていた岩流瀬《がらせ》堤(大口西堤)も決壊し、あふれ出た濁流が右岸側の村々を水没させた。

幕府は、伊奈の見分をふまえて、改めて伊勢国津《つ》藩藤堂《とうどう》家と遠江《とおとうみ》国浜松《はままつ》藩松平《まつだいら》家とに御手伝普請を命じた。ただし、今回は被災地から人夫を徴募して、事前に川浚えを徹底して行なうことにした。賃金は、一人一日銀一匁《もんめ》五分《ふん》。のちに村人の要求で、二匁五分に上げられている。当時の江戸の米価は一石が銀六一匁三分ほどだから、これで四升《しょう》あまりの米が買える見当である。飢えた被災者には、願ってもない賃金稼ぎの機会である。つまり、これは災害復興事業であるとともに、被災者救済事業でもあったのだ。大口堤の修復は、やはり町人請負のかたちで翌宝永六年に実施された。この工事は、途中に仮堤が洪水で破壊されたりしたため、足かけ二年に及んだ。大口堤や岩流瀬堤の補強にとどまらず、支流の付け替えや大口堤を二重堤にするなどの工夫もなされた。

諸国に高役金を課す

被災地の幕府領化とあわせて幕府がとったもうひとつの措置が、諸国高役金《しょこくたかやくきん》の賦課である。これは、「武州《ぶしゅう》・相州《そうしゅう》・駿州《すんしゅう》三か国の内、砂積《すなつ》もり候《そうろう》村々御救旁《おすくいかたがた》の儀」のため、全国の幕府領と私領の村々から高一〇〇石《こく》につき金二両を取り立てる、というものであった。ただし、村々から取り立てるのには時間がかかるので、大名領分では当座領主が立て替えて三か月以内に納入するように指示された。「公儀」の権限によって、全国から一律に復興資金を徴収しようというのだ。

この高役金は期限どおりに金四八万八七〇両と銀一貫《かん》八七〇匁《もんめ》余が納入された。「公儀」の権威もさることながら、噴火と被害のすさまじさが、諸国にも知れ渡っていたのではないだろうか。

高役金の使途としては、つぎの三つが知られている。

①金六二二五両余　伊奈半左衛門《いなはんざえもん》に渡し、三か国の砂積もり村々へ御救《おすくい》として下されたぶん。
②金一八五四両余　須走村《すばしり》焼失につき下されたぶん。
③金五万四四八〇両余　村々砂除《よ》けならびに川浚《かわざら》え、その他諸役人諸入用のぶん。

三件の合計は、六万二五五九両余になる。①は、被災村々に一人一日一合の割合で下された御救の夫食米《ぶじきまい》（食糧）にあたるものだろう。②の須走村は全村壊滅の被害を受けたが、駿河《するが》と甲斐《かい》との国境の宿場町で、富士山登山（参詣《さんけい》）の登り口でもあったため、特別に措置されたもの。③は、村々の要求でようやく支給されることになった砂除け金、および先に述べた川浚えの人夫賃などである。

ところで、当時の幕府の財政責任者であった荻原重秀《おぎわらしげひで》によれば、高役金のうち本来の目的である噴火災害の復興資金として使われたのは、一六万両余だという。先の三件の合計との差額一〇万両の使途も気になるところだが、それはおくとしても、残りの三二万両余は幕府の御金蔵に入れられ、そのうち二四万両は江戸城北の丸の造営費として留保されている、と荻原は述べている。先の諸国高役金令でいえば、「御救旁《かたがた》の儀」とある「旁」がミソだ。「旁」は、「あれこれと」とか「何やかやと」といった意味である。当初から幕府は、高役金を災害復興以外にも幕府財政の補塡《ほてん》に使うことをもくろんでいたのだ。しかも、そのほうが大きな額になっている。ともあれ、決して十分とはいえないにしても、幕府から救済措置がとられたことで、被災村々もひと息ついたことだろう。

享保《きょうほう》元年（一七一六）、幕府領とされていた一九四か村のうち、八二か村が小田原《おだわら》藩に返還された。返還されたのは、比較的被害の少なかった酒匂川左岸と小田原に近い村々であった。

直接的な復興期はこの時期までと考えてよい。先頭になって復興を指揮した伊奈忠順《ただのぶ》は、これより先、正徳《しょうとく》二年（一七一二）二月に亡くなっていた。残された村々が関東郡代伊奈氏の手から離れるのは、さらにその後の寛保《かんぽう》三年（一七四三）。その後、順次小田原藩への返還が行なわれ、天明《てんめい》三年（一七八三）に、幕末まで幕府領として残る一か村を除いてすべての村が小田原藩領に戻された。噴火からここまで七六年。被害の甚大さがうかがわれる。

新しい国役の理念

幕府による復興事業は、被災地の幕府領化を経て、御手伝普請《おてつだいぶしん》による治水工事と諸国高役金《しょこくたかやくきん》による村々の復興という二つを軸に進められた。このうち御手伝普請は、軍役《ぐんやく》に準ずるものとして将軍から大名に個別に課された。つまり、主人の御恩に対して家来が奉公としてつとめるという、主従制の原理に基づいて命じられるもので、基本的に将軍と大名という領主間の役儀であった。こうした御手伝普請は、江戸城や大坂城の建設、天皇や院の御所の造営などとして、江戸時代の初めから行なわれていた。ただし、事業の内容や目的は私領主の利害を超えた広域的かつ公共的なものであったので、「公儀」の御普請《ごふしん》と呼ばれた。

他方、諸国高役金は、幕府領か私領かを問わず、全国一律に直接村々に対して賦課するものであった。もちろん、現実には領主が取りまとめ、時には立て替えることもあったが、建前《たてまえ》は村々から取り立てるのが原則であった。つまりこれは、「公儀」と民百姓との間の役儀であり、全国土を統治しているという「公儀」の権能に基づくものであった。

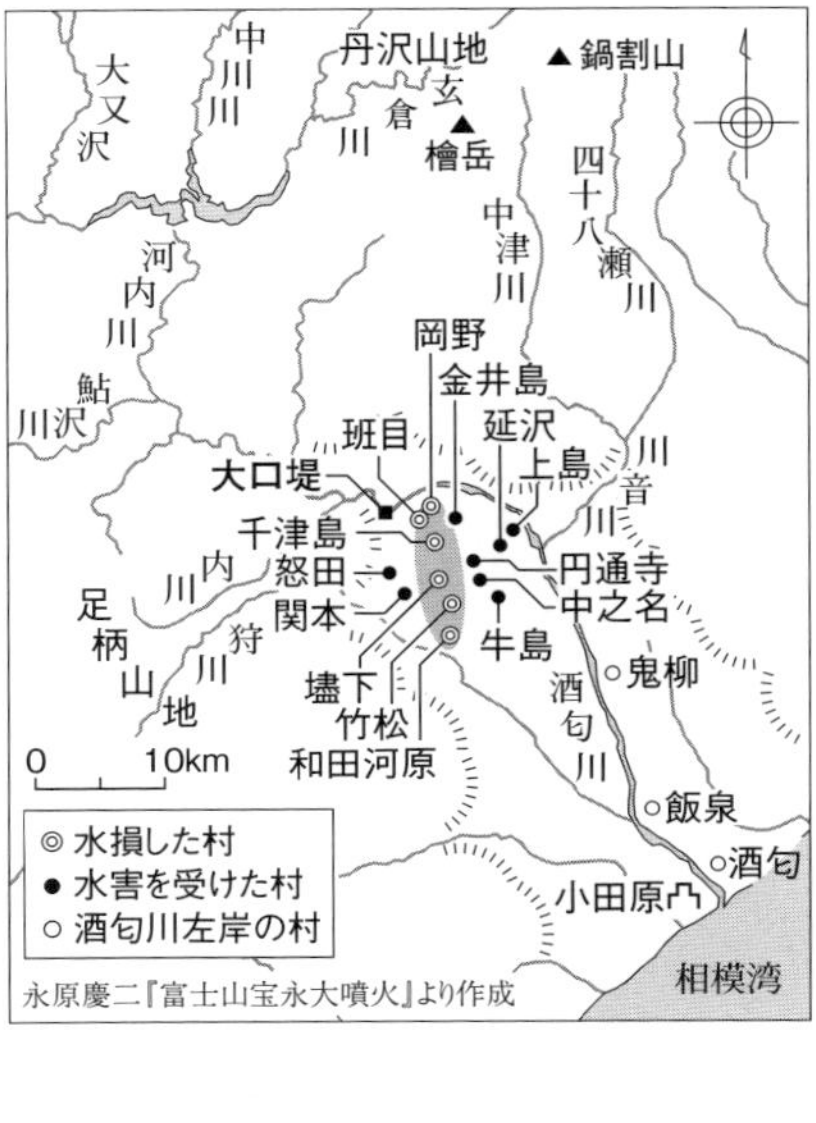

◉酒匂川流域の地図
山深い丹沢山地や足柄山地に降った雨が一気に太平洋へ流れ下る酒匂川は、ただでさえ氾濫しやすい。平野への出口にあたる大口堤周辺で、水の勢いを止める必要があった。

ところで、諸国高役金は国役《くにやく》と呼ばれることもある。ただし、一般に江戸時代に国役といえば、ある特定の目的のために幕府領か私領を問わずひとつの国内に平均的に賦課される役儀のことであった。この場合の国は、いうまでもなく相模国《さがみのくに》とか備前国《びぜん》とかいう地方行政区画としての国であり、とくに江戸時代初期には奉行や郡代などによって、百姓からの人足や大工・鍛冶《かじ》などの職人が国役として徴発されることがあった。その後も摂津《せっつ》・河内《かわち》では、淀川《よどがわ》などの広域的な治水事業のために、国役として人足や資材が賦課されていた。個別の私領主では対応できない広域的な事業を、幕府の奉行や代官が「公儀」の公共機能の代行者として、国を単位として実行したのだ。

こうした国役は、貨幣で代納されることもあったが、もともと現物のヒトやモノを徴発するのが原則であった。そして、実際に徴発された国役普請人足には扶持米銀《ふちまいぎん》が「公儀」から支払われた。だから、村田路人《むらたみちひと》の研究に明らかなように、国役人足が代銀納された場合にも、事後に奉行所や代官から相応の扶持銀が村に対して支給された。最初に差引勘定をして役銀を徴収するのではなく、このようなまわりくどい手続きがとられたのは、国役が現物徴発を原則としたからにほかならない。

これに対して宝永《ほうえい》の諸国高役金は、明らかに性格が異なっている。それは、現物賦課ではなく、事業費用そのものの分担で、租税により近いものであった。しかも、全国一律に賦課されるものであった。幕府領か私領かを問わず一律的に賦課するという国役の形式を引き継ぎながら、個別的かつ直接的な性格の希薄な、普遍的で公共的な性格を強くもった、いいかえれば、「公儀」の全国土に対する統治権という理念がより強く込められた国役であったのだ。

東大寺大仏殿再興のための国役

こうした諸国高役金《しょこくたかやくきん》＝国役《くにやく》が登場したのが、綱吉《つなよし》政権期である。その最初の事例は、東大寺《とうだいじ》大仏《だいぶつ》殿《でん》の再興事業であった。

聖武《しょうむ》天皇が建立した大仏殿は、戦火によって二度にわたって焼失している。一度は、一二世紀のこと平氏による南都焼き討ちによるもので、このときは源頼朝《みなもとのよりとも》が復興した。二度目は戦国時代末期のこと で、大仏殿に陣を構えていた三好《みよし》三人衆を松永久秀《まつながひさひで》が攻撃したときに焼け落ちた。このときは織《お》田信長《だのぶなが》や徳川家康《とくがわいえやす》が再建を試みたが、実現に至らなかった。

貞享《じょうきょう》二年（一六八五）、東大寺の龍松院公慶《りゅうしょういんこうけい》が大仏再興の勧進《かんじん》を開始する。全国をめぐって大仏の縁起《えんぎ》を説き、宝物《ほうもつ》を開帳して喜捨《きしゃ》を募った。奈良や京都町中には民間有志による大仏講がつくられ、公慶の活動を支えた。勧進を開始して七年、大仏の頭部の鋳造が完成し、元禄《げんろく》五年（一六九二）三月八日から四月八日まで露座のままでの大仏開眼供養《かいげんくよう》が実施された。鋳造費は一万一一七八両余、三一日間に斎《さい》（仏の功徳を施すための食）を受けた人は三〇万人にのぼっている。多くの人びとが大仏との結縁《けちえん》による救済を望んでいた。

次いで公慶は大仏殿の再建に取りかかる。しかし、これはさらに難事業であった。公慶は知足院《ちそくいん》の隆光《りゅうこう》を頼った。隆光は大和《やまと》の出身で、新義真言宗《しんぎしんごんしゅう》の本山である長谷寺《はせでら》で修行したので、大和の寺院の興廃には強い関心をもっていた。多数の庶民の寄進を集めて大仏像の補修を成し遂げた公慶の影響力にも注目したに違いない。隆光を通じて、側用人《そばようにん》の牧野成貞《まきのなりさだ》や綱吉生母の桂昌院《けいしょういん》からも寄付が寄せられた。元禄七年、幕府は幕府領か私領かを問わず諸国をまわって勧化《かんげ》することを許可した。大名からもしだいに寄付が集まるようになった。そして、元禄一二年、幕府領の村々から高一〇〇石《こく》につき金一分《ぶ》の勧化金を徴収することを命じ、同一四年には大名や旗本などの私領でも幕府領に準じて村々から一律に勧化金を徴収するよう命じた。本来自発的であるべき募金を、全国一律に割り当てるという異例の措置であった。

大仏殿勧化金は、幕府領から私領へと段階的に拡大されたという面では過渡的であるともいえるが、全国一律に村々に賦課するという意味では宝永の諸国高役金と変わるものではなかった。これによって、幕府領と私領をあわせて金一二万四一七一両余、銀八四貫《かん》五一匁《もんめ》余が集められた。公慶が独力で集めた募金の一〇倍以上である。大仏殿の落慶法要《らっけいほうよう》は、宝永《ほうえい》六年（一七〇九）三月二一日から四月八日まで行なわれ、一六万人の人びとが参詣した。「公儀」による新しい国役方式が、東大寺大仏殿再興に始まるということは、やはり注目しなければ

10

●露座のままの東大寺大仏
公慶上人の尽力により、まず大仏の修復が終わった。盛大な開眼供養の様子が見てとれる。（『大仏開眼供養図屏風《だいぶつかいげんくようずびょうぶ》』）

ばならない。東大寺大仏は、古代以来、国土《こくど》安穏《あんのん》・万民安楽《ばんみんあんらく》の象徴であった。そのため、その保護と荘厳《しょうごん》は王権の責務であり、その権能に属することであった。しかも元禄時代は、列島に災害が頻発し社会にストレスが蓄積した時期である。開眼供養に示されたように、人びとの救済願望は高まっていた。王権としての「公儀」の存在を示す絶好の事業であった。幕府は、大仏殿再興という「公儀」にふさわしい事業を、国役という「公儀」の権能に基づく方法によって実現した。これが、富士山大噴火の災害復興にも適用されたのであった。

武家諸法度がめざすもの

「公儀」についての徳川綱吉《とくがわつなよし》の考えは、天和《てんな》三年（一六八三）七月に発布された武家諸法度《ぶけしょはっと》の改定にすでに示されていた。

武家諸法度は「公儀」の構成員である大名（万石以上）と近習物頭《きんじゅうものがしら》（将軍の近臣および直属軍の長）に対して出される基本法令であり、徳川家光《いえみつ》が寛永《かんえい》一二年（一六三五）に武家諸法度を改定して以降、それ以下の旗本《はたもと》や御家人《ごけにん》に対しては諸士条目《しょしじょうもく》（旗本諸士法度）が出されていた。しかし、綱吉は諸士条目を別に出すことはせず、武家諸法度が旗本や御家人にも及ぶものとした。

従来の武家諸法度の第一条は「文武弓馬の道、専《もっぱ》ら相嗜《あいたしな》むべき事」であり、これが武家の職分を規定するものであった。綱吉はこの条文を、「文武忠孝を励まし、礼儀を正すべきの事」と改めた。これは、従来の諸士条目の第一条にあった「忠孝をはげまし、礼法をただし、つねに文道武芸を心がけ、義理を専らにし、風俗を乱すべからざる事」の前半を組み込んだものであったが、この結果、武家の職分のうちに「忠孝」や「礼儀」といった道徳の実践が位置づけられることになった。

この改定は、綱吉の儒教趣味といった以上の重大な意味をもっていた。つまり、これによって、一方では「公儀」の構成員のうちに大名とともに旗本や御家人が含まれることになり、他方では大名にも旗本や御家人と同じ主従制の原理がより強く及ぼされることになったのだ。この事態を近世史家の朝尾《あさお》直弘《なおひろ》は、「理念としては、全国の武士団を徳川家中《かちゅう》とする考え方のうえに立っている」と評している。いいかえてみれば、「公儀」の統治権能に将軍を主人とする主従制が縒《よ》り込まれたのであり、これによって「公儀」の全国統治権は強化された。しかし、他面では「公儀」と徳川家中との区別はますます不分明になったともいえる。

つぎの将軍家宣《いえのぶ》のときには、武家諸法度の第一条から「忠孝」の文字は消えた。新井《あらい》白石《はくせき》が書き改めたもので、第二条に「士民《しみん》の怨苦《おんく》を致《いた》すべからざる事」といった「仁政《じんせい》」の理念が加えられている。悪評の高かった綱吉政権を批判するという姿勢を強調したかったのだろう。しかし、やはり諸士条目は出されなかったから、大名と旗本や御家人とを等しく「仁政」の担い手とする点では、綱吉の構想は受け継がれている。さらに吉宗《よしむね》になると、綱吉とまったく同一の武家諸法度が出され、以後は、将軍の代替わりごとにほとんど同文の武家諸法度が繰り返し出された。一八世紀の徳川日本における「公儀」の理念は、綱吉によって開かれたといってよい。

「元禄国絵図」の国土観

こうしてみると、時代状況にあわせて「公儀」の権能を強化しようというのは、綱吉《つなよし》の一貫した姿勢であったと確認できる。綱吉政権のほかの政策も検討してみよう。

たとえば、国絵図《くにえず》の改訂事業。

豊臣秀吉《とよとみひでよし》・徳川家康《とくがわいえやす》によって試みられた国絵図の徴収事業は、正保《しょうほう》元年（一六四四）に家光《いえみつ》によって始められた「正保国絵図」によってひとつの完成をみた。この国絵図の徴収事業が「公儀」の国土統治権に基づくものであり、その実現には「公儀」の強い権威と権力が必要であったことは、いうまでもない。綱吉政権による国絵図の徴収は、「正保国絵図」の改訂というかたちで元禄《げんろく》一〇年（一六九七）四月に命じられた。

杉本史子《すぎもとふみこ》の研究によりながら、その特徴をまとめてみるとつぎのようになる。

第一に、元禄の国絵図改訂では国や郡の境の確定が重視されたこと。一七世紀後半

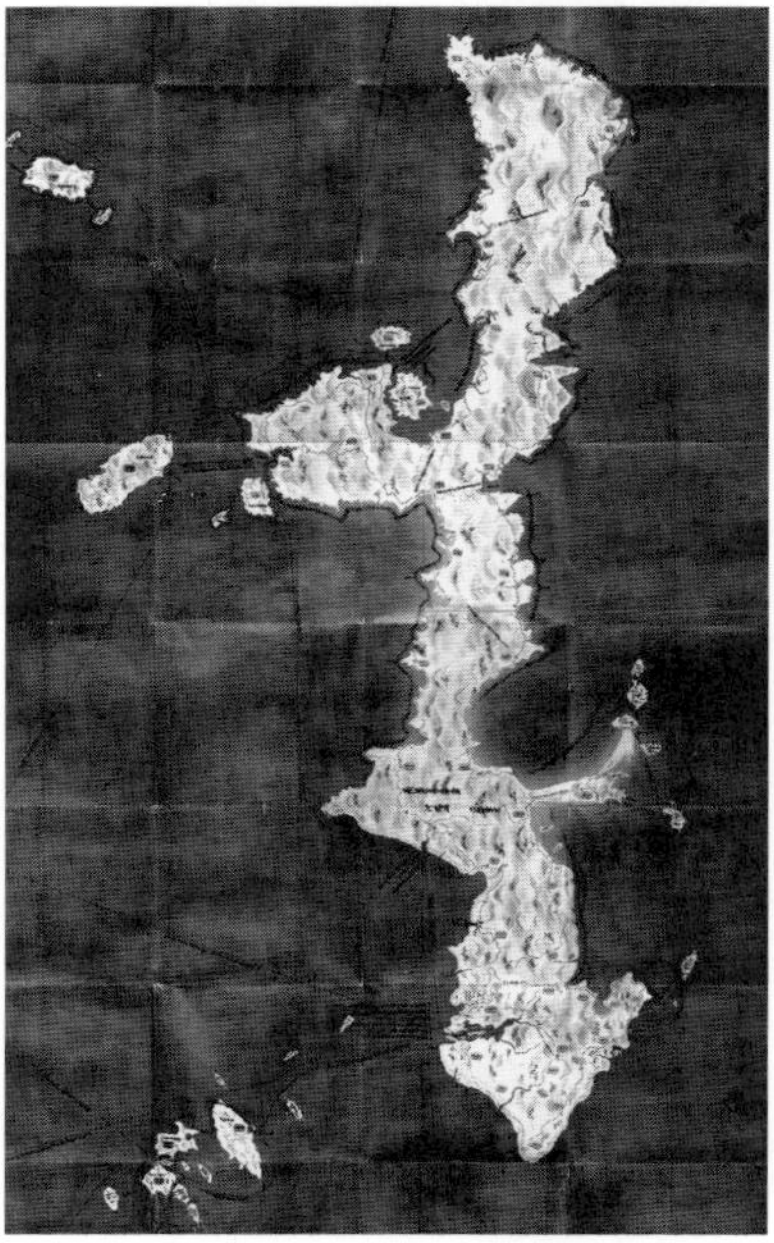

11

◉「元禄国絵図」のうちの「琉球図」（三枚のうち本島部分）
当時「琉球国」は清《しん》の冊封《さくほう》国であり、一方で鹿児島藩の侵略を受けて、その付庸《ふよう》国とされていた。したがって、幕府は直接その領土に権利をもたないが、日本の領土と認識していたことがわかる。

の国土開発によって、従来曖昧《あいまい》であった境界領域での境争論《さかいそうろん》が全国で頻発するようになっていた。そこで幕府は、係争中の境界については裁許を受けたうえで、その結果を描くよう命じた。領主違いの境界紛争の解決は、私領主を超える高権である「公儀」の権能である。幕府は国絵図改訂事業を通じて境界紛争を解決し、「公儀」の力で確定した新たな国土の姿を描き出そうとしたのだ。

第二に、国郡境の確定にあたっては、その土地の百姓から証文を取るようにしたこと。これは、領主は所替《ところが》えによって変わるが、百姓は「不易《ふえき》（替わることがない）」であるという考えに基づくのだが、ここでは「公儀」が私領主を介さずに直接百姓と対峙《たいじ》することになった。国役《くにやく》を通じて「公儀」が直接に村々に向き合う事態と同じ状況といってよい。

第三に、領分図の要素が一掃されたこと。正保図では、各村の領主名がわかるように表示されており、国絵図の畾紙《らいし》（余白）部分に領主別に知行高が集計されていた。いわば、国土は領地の集積という観念に基づいて作成されていたわけである。元禄図ではこうした表示はなくなり、畾紙には郡別の石高《こくだか》と一国の集計が記された。領地という観念を媒介せずに、国郡を単位として「公儀」に掌握されることになったのだ。領主はこうした作業を「公儀」の一員として実施させられた。

第四は、全国から国絵図が徴収されたあとに日本図が作成されたのだが、この日本図には正保期の日本図には含まれていなかった琉球《りゅうきゅう》国と朝鮮半島南端の倭館《わかん》（対馬《つしま》藩が釜山《プサン》に置いた出張所）が書き込まれていること。これが当時意識された徳川日本の範囲を示している。

総じて「元禄国絵図」は、当時の「公儀」の国土観をそのままに表示したものであった。

幕府検地による打ち出しの行方

また、つぎのような事実はどうだろう。

徳川綱吉《とくがわつなよし》によって大名の改易《かいえき》・転封《てんぽう》がしきりに行なわれたことは、先にも触れた。その跡地を別の大名に宛行《あてが》う際に、事前に検地を行なうという措置がとられた。こうした事例を下の表に掲げた。

最初は綱吉の御代始《おんだいはじ》め（初仕事）となった越後騒動《えちごそうどう》である。越後高田《たかだ》藩の松平光長《まつだいらみつなが》が改易となったあと、所領の二六万石はいったん幕府領とされ、翌天和《てんな》二年（一六八二）、陸奥国弘前《むつのくにひろさき》藩津軽《つがる》家などに御手伝《おてつだい》として検地が命じられた。検地後の総石高《そうこくだか》は三六万二五〇六石余。貞享《じょうきょう》二年（一六八五）、相模国小田原《さがみのくにおだわら》から稲葉正往《いなばまさみち》が一〇万二〇〇〇石で高田に入封、元禄《げんろく》一二年（一六九九）には出羽国村山《でわのくにむらやま》から本多助芳《ほんだすけよし》が糸魚川《いといがわ》へ一万石で入封する。いずれも転封に伴う加増はない。残る二五万石は幕府領に編入された。

元禄六年、備中《びっちゅう》国松山《まつやま》藩水谷《みずのや》家が跡目のないまま断絶となった。五万石の領地はやはりいったん幕府領とされ、姫路《ひめじ》藩本多《ほんだ》

検地終了年	検地対象地域	検地担当藩（藩主）
天和３年（1683）	越後・高田領（旧松平光長領）	陸奥・弘前藩（津軽信政） 信濃・飯山藩（松平忠倶） 信濃・高島藩（諏訪忠晴） 信濃・松代藩（真田幸道）
貞享１年（1684）	上野・沼田領（旧真田信利領）	上野・前橋藩（酒井忠挙）
元禄１年（1688）	陸奥・窪田領（旧土方雄隆領）	陸奥・磐城平藩（内藤義孝）
元禄３年	信濃・高遠領（旧鳥居忠則領）	信濃・松代藩（真田幸道）
元禄５年	出羽・幕府領（旧米沢藩預地）	陸奥・二本松藩（丹羽長次）
元禄８年	備中・松山領（旧水谷勝美領）	播磨・姫路藩（本多忠国）
元禄９年	飛騨・高山領（旧金森頼時領）	美濃・大垣藩（戸田氏定）
元禄10年	関東幕府領（関東郡代管轄地）	上野・前橋藩（酒井忠挙） 上野・高崎藩（安藤重信） 上野・小幡藩（織田信久） 下野・黒羽藩（大関増恒）
元禄13年	備後・福山領（旧水野勝岑領）	備前・岡山藩（池田綱政）
元禄16年	大和・松山領（旧織田信休領）	大和・高取藩（植村家敬）

『岡山県史 通史編・近世1』より作成

●**大名課役による幕府領の検地**
領主が改易や転封となった跡地で、「打ち出し」という強引な年貢増徴策を進めるための検地に、幕府はほかの大名たちを動員する。そのあと、新たな領主を置く一方で、幕府領にその一部を取り込んでいった。

家に御手伝の検地が命じられた。その結果、石高は一一万六一九石余に跳ね上がった。このうち半分ほどは水谷時代の内検《ないけん》（内々の検地）による増加分であるが、残りは本多検地による打ち出しであった。つまり、厳しい基準による検地で石高を算出し、総石高を増加させたのだ。この地域では、以後幕末まで、村々が領主に救済を願うときには、「本多中務大輔《なかつかさおおすけ》様御検地厳しく」というのが決まり文句になった。同八年、高崎から入封した安藤重博《あんどうしげひろ》に六万五〇〇〇石が与えられ、残りの四万五〇〇〇石余は幕府領に編入された。

元禄一一年、備後《びんご》国福山《ふくやま》藩主水野《みずの》勝岑《かつみね》が亡くなったが、跡目がなかったため一〇万石の領地は没収となった。幕府領となった跡地の検地が、岡山《おかやま》藩池田《いけだ》家に命じられた。大森映子《おおもりえいこ》の研究によれば、翌一二年のほぼ一年間をかけて実施した検地の結果をふまえて、岡山藩は田畑の等級ごとの石盛《こくもり》（一反《たん》あたりの標準収穫量。斗代《とだい》ともいう）をさまざまに操作した四種類の検地帳を作成している。そして、いずれの帳面を提出すべきか幕府に伺いを立てた。藩としては「地面相応《じめんそうおう》」の石盛をした帳面を提出したいという意向であった。ところが幕府からは、土地の様子にかかわりなく総石高が一五万石以上になるように逆算して石盛を定めた帳面を提出せよとの指示がくる。幕府は当初から一五万石への打ち出しを目標としていたのだ。翌一三年、福山には松平《まつだいら》（奥平《おくだいら》）忠雅《ただまさ》が山形から転封になる。知行高は同じ一〇万石であったが、村数は水野時代の二四三か村のうち一四四か村に減り、残りの九九か村五万石余は幕府領に編入された。

元禄地方直しがめざしたもの

幕府がねらったのは大名領だけではない。関東地方の旗本《はたもと》領にも再編の手が及んだ。

元禄《げんろく》一〇年（一六九七）七月、禄米《ろくまい》五〇〇俵以上の旗本について蔵米《くらまい》支給をやめて地方知行《じかたちぎょう》に引き替えるとの法令が出された。いわゆる元禄の地方直《じかたなお》しである。この政策の意味するところは、法令だけを見ているとよくわからないが、所理喜夫《ところりきお》らが明らかにしたその実施過程を見てみるとわかってくる。

まずはじめに、地方直しに先立ち関東諸国の幕府領に対して元禄検地が実施されている。これは、大名領の幕府検地と同様に大幅な打ち出しをねらったもので、たとえば江戸近郊の世田谷《せたがや》周辺の幕府領の村々では、正保《しょうほう》期（一六四四〜四八）に比べて平均三・三倍も村高《むらだか》が増加したという。蔵米を地方知行に変えればそのぶん新たに与える知行地が必要となるが、元禄検地はそれを大きく超える石高《こくだか》を生み出した。

つぎに、地方直しによって新たに知行地を得る旗本だけでなく、すでに知行取《ちぎょうどり》となっている旗本の知行地についてもあわせて知行替えのうえ再配分された。しかも知行割りにあたっては、生産力

12

◉検地の方法を描いた絵図
検地で土地の面積とともに、その等級や単位面積あたりの基準収量などが決められた。年貢量に直結するだけに、検地は領主と百姓の駆《か》け引きの場でもあった。（『羽陽秋北水土録図絵《うようしゅうほくすいどろくずえ》』）

が高く安定した地域や田畑を幕府領に編入し、それ以外の土地が旗本領に割り当てられた。幕府領優先の再配分だったのだ。

そして、地方直しに伴って、一部の旗本が知行地に対してもっていた小物成《こものなり》や運上金をとる権限、および給人《きゅうにん》による知行地での手づくり耕作が最終的に否定された。あわせて、江戸周辺の知行地では地元の陣屋《じんや》が引き払われ、旗本の江戸居住が命じられた。知行取は増えたが、領主としての実態は希薄となり、旗本の幕府官僚化がいちだんと進むことになった。

領地を宛行《あてが》ったり没収したりする権限や、課役として検地を命じる権限は、主人である将軍が主従制に基づいて命じるものだが、全国土を統治する「公儀」の責任で行なわれるものという建前《たてまえ》が強調された。その結果、増加する幕府領は、「公儀」を支える財政基盤でもあったが、実質は徳川家領であった。しかし、こうした状況は大名からみても支配される側の百姓からみても、不分明だ。朝尾《あさお》直弘《なおひろ》がいうように、「公儀」のものと将軍のものとの区別がつきにくくなり、「公儀」の家産制的支配が進む。「公儀」のうちに統治権と主従制が縒《よ》り合わされているというのは、こういうかたちでも現われた。事態は、「公儀」の事業を目的とした「国役《くにやく》」金が当初から幕府財政を補塡《ほてん》する目的をもっていたことによく似ている。いずれの政策も実際に指揮したのは幕府勘定奉行の荻原重秀《おぎわらしげひで》であった。家綱《いえつな》時代に三〇〇万石であった全国の幕府領は、綱吉《つなよし》時代には四〇〇万石を突破した。

享保の改革と地域社会

酒匂川の治水と民間力

ふたたび富士山大噴火後の相模《さがみ》地方に目を転じてみよう。

宝永《ほうえい》五年から七年（一七〇八〜一〇）にかけて行なわれた御手伝普請《おてつだいぶしん》によって修築された酒匂川《さかわがわ》の大口《おおぐち》堤は、正徳《しょうとく》元年（一七一一）の大雨でふたたび決壊した。二回目の修築では堤を二重にする工夫がされたが、濁流はこれをも打ち砕いた。火山灰土の流出は想像以上にすさまじいものであった。復興の目処《めど》はすぐには立たなかった。

享保《きょうほう》元年（一七一六）に八二か村が小田原《おだわら》藩に返還されたことは、先にも触れた。これらは酒匂川の左岸側（東側）で、復興も比較的早かった。しかし、大口堤は決壊したままであった。享保七年、幕府は復興の進まない右岸側村々を小田原藩の預地《あずかりち》とした。預かりの期間は七か年。この間に自力で復興せよというのだ。幕府では八代将軍徳川吉宗《とくがわよしむね》の享保の改革が始まっていた。財政再建が急務であり、この年には、諸大名から知行高一万石につき米一〇〇石を毎年上納させるという上米《あげまい》の制を命じたばかりであった。預地政策は、幕府領の支配がまちまちになるという理由から綱吉《つなよし》によって停止され、正徳期にもいっさい禁止となっていた。しかし、のちに述べるような代官の粛正によって農政担当役人が不足したため、藩の力を借りざるをえないという側面もあって、享保五年から復活されていた。そうした事情があったとしても、相模地方での復興事業をほうり出すような預地政策は、「公儀」としての責任を放棄したと非難されても仕方のないものであった。

幕府の政策転換を受けて小田原藩は復興に努めた。とくに、川浚《かわざら》えと酒匂川下流の堤の強化に力を入れた。しかし、大口堤（東堤）の修復は困難であった。享保一〇年、幕府は田《た》中丘隅《なかきゅうぐ》に酒匂川の治水工事を命じた。同じころ、預地をふたたび幕府直轄支配に戻した。

田中丘隅は、名を喜古《よしひさ》、通称を休愚右衛門《きゅうぐえもん》といい、武蔵国多《むさしのくにた》摩《ま》郡平沢《ひらさわ》村（東京都あきる野市）の農家に生まれた。川崎宿本陣田中家の養子となり、家督を継いで本陣当主をつとめるとともに、名主《なぬし》も兼ねた。家業のかたわら学問にも親しみ、江戸に出て荻生徂徠《おぎゅうそらい》や成島道筑《なるしまどうちく》に学んでいる。川崎宿での経験や見聞などをふまえて、地方《じかた》支配のあり方について考えを深め、享保六年に『民間省要《みんかんせいよう》』を著わした。この書が、師の道筑を通じて、町奉行の大岡忠相《おおおかただすけ》や将軍吉宗の目にとまった。成島道筑は幕府の奥坊主《おくぼうず》（江戸城で奥向《おくむき》の雑用をつとめた僧体の役人）で、儒学《じゅがく》をはじめ諸学に通じていた。吉宗に進講したり相談にあず

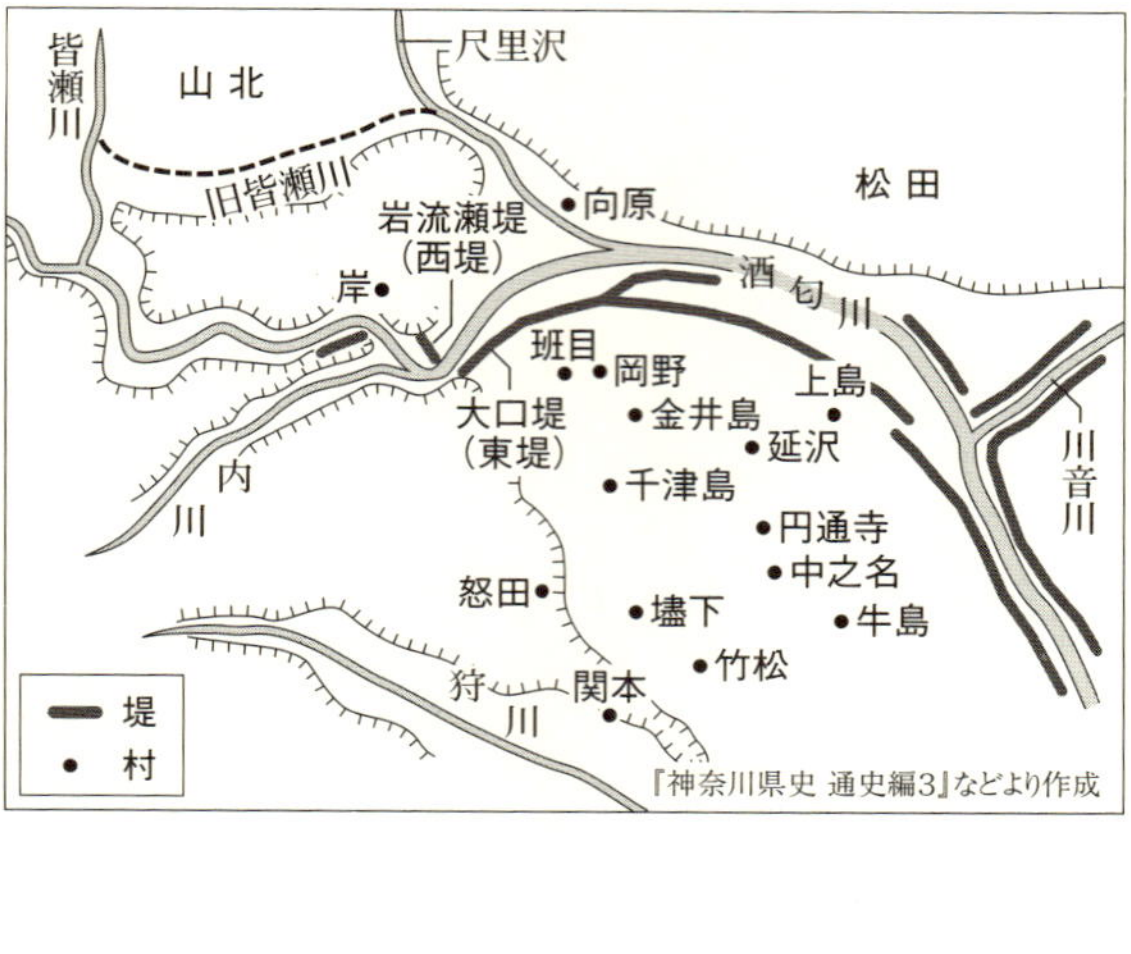

◉酒匂川と水害を受けた村
酒匂川によって形成された幅の狭い足柄平野は、つねに洪水と隣り合わせ。「島」の付く名の村が目立つことからも、それがうかがえる。

かったりと、信任が厚かった。道筑を通じて、多くの人材が吉宗や大岡のまわりに集められた。近世政治史を研究する笠谷和比古《かさやかずひこ》は、享保の改革の隠れたコーディネーターと評している。

享保八年、丘隅は、幕府の支配勘定並《しはいかんじょうなみ》に抜擢《ばってき》され、一〇人扶持《ぶち》を与えられる。御勘定《ごかんじょう》井沢《いざわ》弥惣兵衛《やそべえ》のもとで、武蔵国荒川《あらかわ》や多摩《たま》川の治水および周辺地域の用水の開削に従事した。井沢は、紀州流《きしゅうりゅう》の治水家で、和歌山《わかやま》藩主時代の吉宗に登用されて実績をあげていたのだが、前年の享保七年に江戸に呼び出され、幕府の治水工事や新田開発の元締めを命じられていた。従来の治水技術は、関東流（伊奈流《いなりゅう》）といわれる。水流を弱めるための霞堰《かすみぜき》や二重堰の活用、遊水池の設置などを主とした自然順応型の技術であった。これに対して紀州流は、長大で堅固な連続堤を建設し、増水時にも限られた河川敷内に水流を閉じ込めようという考え方である。これによって、大河川下流域での新田開発が可能になったといわれている。丘隅は、この紀州流を井沢のもとで学んだ。

丘隅に酒匂川の治水工事を命じたのは、大岡忠相であった。大岡は、享保七年から町奉行と兼帯で関東地方御用掛《かんとうじかたごようがかり》をつとめている。享保一一年から丘隅は工事に取りかかる。工事の中心は、決壊したままになっていた大口堤の閉め切りである。丘隅は、ここに長大な堤を築き、文命堤《ぶんめいづつみ》と名付けた。治水に優れた

◉文命東堤碑（神奈川県南足柄市）
古代中国の伝説の王朝、夏《か》の始祖・禹王《うおう》となる文命《ぶんめい》が、黄河《こうが》の治水に成功し「治水の神」とされたことから、その名を取った。大口堤（東堤）と岩流瀬堤《がらせてい》（西堤）にそれぞれ、田中丘隅が建立した文命堤碑が残されている。

という中国の伝説の聖人禹《う》王《おう》の号にちなんでいる。工事が完了したあと、酒匂川下流域の三五か村は水防組合を結成し、平常時の堤防の維持管理や増水時の水防について申し合わせた。地域の民間力を結集することが重要だという丘隅の考えに基づいて大岡が命じたものであった。

しかし、この文命堤も自然の脅威には勝てなかった。享保一九年の台風で決壊してしまう。丘隅は享保一四年に亡くなっていた。大岡忠相は、その修復を蓑笠之助《みのかさのすけ》に命じた。蓑笠之助、名は正高《まさたか》。もとは猿楽師《さるがくし》であったが、大岡に見いだされて多摩川治水事業のときに丘隅の下につけられた。笠之助の著書に成島道筑が序を寄せているから、やはり道筑ルートで抜擢された人材だろう。丘隅の娘が笠之助の妻となっている。享保一七年、町奉行配下の支配勘定格《かく》に登用され、関東幕府領支配の一端を担うようになっていた。のちに、農政の経験をふまえて『農家貫行《のうかかんこう》』を著わしている。

笠之助は、決壊後ただちに堤を仮閉め切りし、翌享保二〇年本工事に取りかかる。その技法は井沢や丘隅を継ぐものであった。残った堤の土台を木枠や大石で固め、堤を前より高くかさ上げした。作業は

●『農家貫行』に描かれた農家
元文《げんぶん》元年（一七三六）刊行。法令を解説しながら、農政についてわかりやすく説く。千歯《せんば》こき、石臼《いしうす》、箕《み》をふるって籾殻を飛ばす様子や、稲藁を干す光景が描かれている。

敏速で堅実であった。その後、堤の一部が崩れることはあったが、かつてのような大決壊が起こることはなかった。丘隅と笠之助の二代にわたる治水事業によって、富士山大噴火からの復興事業も二つめの段階を終えた。

享保期の復興事業は、田中丘隅や蓑笠之助といった民間出身者を抜擢して進められた。彼らは、在地の事情に明るく、農政についての確かな知識や技術を身につけていた。役人の不正や怠惰を憎み、民百姓の困苦を救いたいという熱意にあふれていた。彼らが書き残した著作には、そうした考えが繰り返し述べられている。彼らのような民政家を地方巧者《じかたこうしゃ》という。吉宗や大岡は地方巧者を組み込むことで「公儀」の機能を維持しようとした。民間に蓄えられた力を「村里の知」と丘隅は呼んだ。「村里の知」によらなければ、「公儀」の事業も進まなくなっていたのだ。

国役普請による広域治水事業

広域にわたる災害復興が、大名による御手伝普請《おてつだいぶしん》と諸国高役金《しょこくたかやくきん》によって遂行されたことは、綱吉《つなよし》時代のこととして先に触れた。後者は、吉宗《よしむね》時代に国役普請制度《くにやくぶしんせいど》として整備される。享保《きょうほう》五年（一七二〇）五月に幕府は、諸国の堤・川除《かわよ》け・旱損所《かんそんしょ》などの普請について、つぎのように触れた。

①「一国一円」の国持《くにもち》や二〇万石以上の大名は、これまでどおり自力で普請すること。

②二〇万石以下で「自普請」ができなくて、打ち捨てておいたら亡所《ぼうしょ》（人も住めず耕作もできない

場所）になるような大きな普請は、「御料《ごりよう》・私料《しりよう》」の別なく「国役割合《くにやくわりあい》」で行なう。
③「公儀」からも費用の一部に加金するので、自分で普請のできないところは、申し出ること。
詳しいことは勘定奉行に問い合わせるように。

あくまでも「自普請《じぶしん》」が原則だが、不可能なときは「国役割合」で普請を行なうというのだ。国持大名の領地を除外したのは、明らかに幕府財政の事情によるものであったが、そのぶん「公儀」の国土統治権の範囲をせばめる、いいかえれば、国持大名が「一国一円」支配の自立性を主張する根拠にもなるだけに、注意が必要だ。まさに両刃《もろは》の剣《つるぎ》である。

さらに同九年、対象となる河川、適用される工事の規模、国役を賦課する範囲が決められた。その一覧は次ページの表のとおりである。対象・規模・賦課範囲ともに限られたものであり、基準が明確にされたぶん、「公儀」の責任も権能も限定されたものになった。以前から国役普請が行なわれていた美濃《みの》や五畿内（山城《やましろ》・大和《やまと》・摂津《せつつ》・河内《かわち》・和泉《いずみ》の五か国）の大川も、この制度に組み込まれて修築されることになった。東北地方や西日本があがっていないのは、国持大名が多いことによる。

結果的に、譜代《ふだい》大名領や幕府領が錯綜《さくそう》する地域が対象となった。また、費用負担は、幕府が見立てて普請する場合は、一〇分の一を幕府が負担し残りを国役として賦課する。私領から願い出た場合は、私領が高一〇〇石につき一〇両を負担したうえで、残りの一〇分の一を幕府負担、その残りを国役にする、とした。費用区分の面でも「公儀」の負担を減らすように細かく規定されている。

広域にわたる治水事業を、幕府領か私領かを問わず村々から高割りの国役として徴収して行なう制度は、木曾《きそ》川・長良《ながら》川・揖斐《いび》川や淀《よど》川などで江戸時代前期から行なわれていた。享保の国役普請制度は、それを受け継いだともいえる。しかし、それ以上に強く宝永《ほうえい》の諸国高役金の理念を継承したものであった。村田路人《むらたみちひと》の研究によれば、淀川などの広域普請はこれを機に現物徴発原則から費用負担そのものの均一な徴収に切り替えられた。賦課範囲も、従来の一国や二か国単位ではなく五畿内に広げられ、全体として一括運用されることになった。従来は免除されていた公家《くげ》領・門跡《もんぜき》領・寺社領・除地なども賦課の対象とされることになった。より普遍的で公共性の高い理念に基づく制度として再構築されたのだ。

頻繁に起こる災害は、当事者である百姓や領主の間に「公儀」への期待を高めた。しかし、幕府の財政難も深刻であったので、できるかぎり財政負担を切りつめたかたちで、「公儀」の権能を発揮する制度が構想された。「国役」によって広く民間の力を動員することが図られたが、ただしそれは、他方で民

国役普請指定河川一覧

国	河川	国役金負担額
武蔵 下総	利根川・荒川・烏川・神流川 小貝川・鬼怒川・江戸川	3,000～3,500両は武蔵・下総・上野・常陸4か国、3,500両以上は安房・上総2国を加える
下野	稲荷川・竹鼻川・大谷川・渡良瀬川	2,000～2,500両は下野1国、2,500両以上は陸奥を加える
駿河 遠江 信濃	富士川・安倍川 大井川・天竜川 千曲川・犀川	5,000～5,500両は駿河・遠江・信濃・甲斐郡内領・相模5か国、5,500両以上は伊豆・伊勢を加える
越後	関川・保倉川・信濃川・魚野川・阿賀野川・飯田川	2,000～2,500両は越後1国、2,500両以上は出羽を加える
美濃	木曾川・長良川・郡上川	2,000～4,000両は美濃1国、4,000～4,500両は近江を加える。4,500両以上は越前を加える
相模	酒匂川	金高不定。駿河・遠江・三河3国
山城 河内 摂津	桂川・木津川・宇治川 淀川 神崎川・中津川	5,500両は山城・大和・摂津・河内4か国
河内	石川・大和川	1,500両は河内・大和・和泉3か国

『岐阜県史 通史編・近世(下)』より作成

衆の負担を増加させ生活を圧迫するものでもあった。

「国役」普請制度による治水工事は、享保一七年までに七例が知られる。しかし、同年に起こった蝗害《こうがい》による享保の飢饉《ききん》のために、この制度は畿内を除いて事実上中止に追い込まれた。従来からの慣行が民間に根づいていた畿内は別にして、飢饉対策を行なったうえに、さらにそれ以外の公共事業を行なう余力は、藩にも幕府にも、民間にもなかった。

享保の新田開発令

享保《きようほう》の改革《かいかく》で行なわれた地域政策としては、新田《しんでん》開発策にも注目したい。

享保七年（一七二二）七月二六日、幕府は江戸日本橋《にほんばし》に新田開発に関する高札《こうさつ》を立てた。その趣旨は、諸国の幕府領や私領が入り組んでいる場所でも、新田になるようなところがあれば、その地の代官や領主および百姓と相談し合意を取りつけたうえで、計画書に絵図を添えて申し出るように、というものであった。立てられた場所が日本橋であるので、大商人の新田開発への参加をねらったものと考えられている。いわゆる町人請負新田は、出資者に地主権が与えられ、入植した耕作人との間に地主と小作の関係が生まれるため、綱吉《つなよし》時代には原則禁止となっていた。勘定所の記録ではこの年からお構いなしとなっているから、この高札が町人請負新田を推進するものだと理解されている。しかし、より重要なのは同年九月に出された触《ふれ》だ。その内容は、つぎのようなものであった。

①今後新田畑として開発すべき場所については、吟味を遂げたうえで障《さわ》りがなければ、開発を申し付ける。

②私領村付きの地先にあって、山野や芝地あるいは海辺の出洲《です》や内川《うちかわ》の類で、新田畑になるべきところは、公儀より開発を仰せ付けられる。

③私領一円の内にあって新田に開くべきところは、公儀から御構《おかま》いはない。

これは、新田の開発権と開発許可についての規定である。と同時に、開発権は開発された新田の領有権の問題でもある。とすれば、重要なのは②の項目だ。私領の地先にある山野や芝地または出洲や中洲などに開かれる新田は、「公儀」の新田ということだ。私領の地先であっても私領主に開発権はなく、「公儀」が開発を命じ、新開地は「公儀」地に編入される。この論理は、私領主の知行高に結ばれていない空間（いわゆる高外地《たかがいち》）に対する領有権は「公儀」に属するという考えに立っていた。それは、全国土の統治権は「公儀」にあるという考えに基づいている。しかし、「公儀新田」が実質的には幕府領増大策であり、ひいては幕府財政再建策であるというのは、誰の目にも明らかであった。ただし、幕府領の拡大といってもやみくもにできたわけでなく、「公儀新田」という仕組みをつくらなければならなかったという点が重要だ。

また、この時期には代官見立《だいかんみたて》新田が盛んになった。代官が適地を見立て、「公儀」の命令で開発し、完成後は幕府領とするものだ。これも「公儀新田」の一種だが、新田を見立てて開発した代官には、その新田から収納される年貢の一〇分の一がその身一代に限り支給された。

享保期を代表する町人請負新田に、越後国《えちごのくに》紫雲寺《うんじ》潟《がた》新田（新潟県新発田《しばた》市）がある。この開発は、紫雲寺潟が新発田藩の地先であっただけに、工事中も同藩の百姓や隣接地域との間に紛争が絶えなかった。しかし、幕府は「公儀新田」令を盾に新発田藩百姓らの主張を退け、一六〇〇町歩あまりの新田が完成後、これをすべて幕府領に編入した（一町は約一ヘクタール）。この措置を推進したのも、かの勘定吟味役井沢《いざわ》弥惣兵衛《やそべえ》であった。

井沢が推進したものとしては、見沼《みぬま》新田（さいたま市）もよく知られる。周辺一七か村の村請《むらうけ》（約一〇〇〇町歩）と江戸町人の請負《うけおい》（約二〇〇町歩）による開発であったが、あわせて見沼代《みぬまだい》用水を掘削《くっさく》し、芝川を拡張して荒川への排水路を確保するとともに利根《とね》川《がわ》からの用水を実現した。これにより、周辺の耕地一万町歩が灌漑《かんがい》されることになった。さらに、井沢は芝川と見沼代用水の間に閘門《こうもん》式の通船路を掘削し、

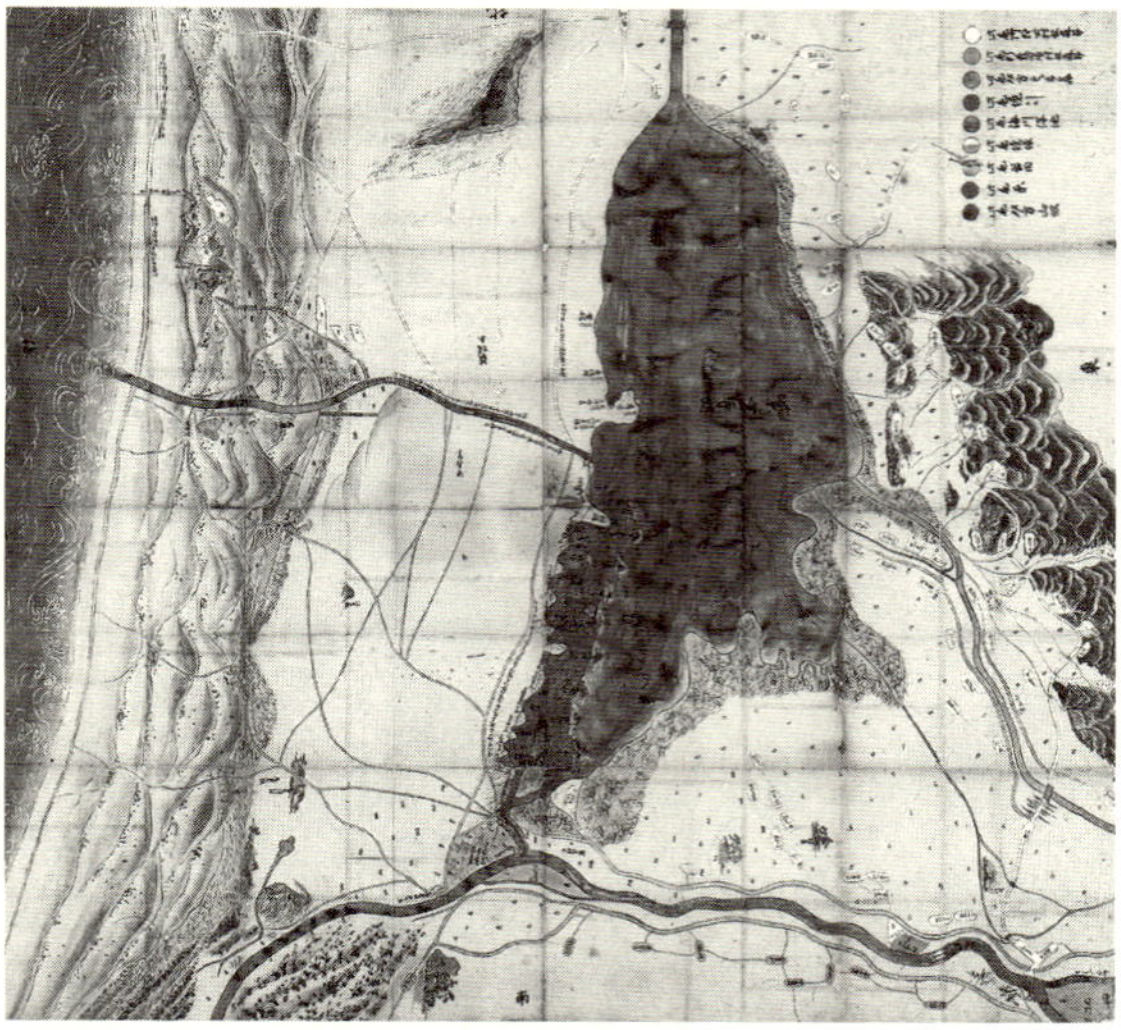

13

◉『紫雲寺潟新田絵図』

紫雲寺潟は、新潟平野を流れる河川の河口部に形成された海岸砂丘の内側に、多数あった潟湖《せきこ》のひとつ。川の流入を止め、用排水の設備を整えて、水田につくりかえられた。

江戸までの通船も確保した（見沼通船）。まさに地域総合開発といっていい事業だ。広域にわたる開発事業では、「公儀」の権能がそれなりに有効に発揮された。

井沢は、手賀沼《てがぬま》（千葉県我孫子《あびこ》市周辺）の干拓も手がけた。計画では、沼の中央に千間《せんげん》堤を築いて上下に二分し、それぞれに排水路を設けて干拓を進める予定であった。しかし、同年の大雨で堤が決壊。さすがに井沢の技術をもってしても制御できない自然の猛威であった。幕府の新田開発の掛け声にもかかわらず、一八世紀を通じて新田開発が思うように進まなかった原因のひとつが、当時の技術的な限界にあったのは間違いないところだろう。それでも吉宗《よしむね》時代には面積にして約五万町歩の「公儀新田」が開発された。幕府領も四五〇万石に達した。

田中丘隅が構想する「治」のシステム

新田開発をはじめとした領主の地域開発計画を進めるもうひとつの鍵は、地域の協力が得られるかどうかであった。そのためには、地域の状況を正しく把握するとともに、「村の治者」たちを計画に結集しなければならない。田中丘隅《たなかきゅうぐ》は、『民間省要《みんかんせいよう》』でそのことを繰り返し述べている。

民政の現場にいた丘隅にとって、もっとも問題に感じられたのは「下吏《かり》の禍《か》」であった。「下吏」とは、代官やその下役人である手附《てつけ》・手代《てだい》などのこと。彼らによる杓子定規《しゃくしじょうぎ》な法令適用、権力を笠に着た横暴な対応などによって庶民が迷惑し、はては困窮に及んでいるというのだ。しかも、そうした「下吏」は「衒商《げんしょう》」と結びついて庶民を苦しめている。「衒商」は、「天下の有無を交易する」

本来の商人ではなく、「ただ金銀のためには、世を欺《あざむ》き人を譏《そし》っても、自分の利益になる事だけに身命を賭ける」、そんな悪徳商人のことだ。不正な代官などの処分は、徳川綱吉《とくがわつなよし》によって厳しく行なわれ、新井《あらい》白石《はくせき》や吉宗《よしむね》もそれを引き継いだが、実際にはなかなか減少しなかった。くわえて享保期には、町人資本の力を借りて開発を進める政策がとられたから、両者の癒着も深まっていた。

こうした状況を打破するためには、「民間智《みんかんち》禄《ろく》」の人を登用しなければならない。民間の実情に通じた「村里の知」「下々《しもじも》の知」を「治」に活用しなければならないというのだ。そのために丘隅はつぎのような提案をする。

> 君主がすべての事柄を知り尽くし、ひとりで対処することはできない。君主の目となり耳となり、手となり足となる人びとが必要だ。そのような人物は、自分の身をよく修め、裕福だが私欲はなく、世俗の事情に通じ、智もあり仁もあり、出世や名誉は望まず、国土のために身命をなげうって誠を尽くす、そんな人物でなければならない。こうした人材を四〇人、全国から捜し求める。その内訳は、幕府直参《じきさん》の武士から五人、諸藩や知行所の家臣から五人、僧侶から五人、農民から一五人、商人から一〇人、とする。こ

14

◉田中丘隅
多摩川流域の農家出身で、のちに幕臣となる「村里の知」は三人いた。そのうちのひとりとして、『玉川三《たまがわみ》登鯉《とり》伝《でん》』に田中丘隅も取り上げられている。一八世紀になると、民間の知と治力の必要度が増していた。

のうち半分の二〇人を交替で全国に派遣して各地の政治の善悪や問題点を見聞させる。半分の二〇人は江戸にいて、幕府のあらゆる会議に参加できるようにし、一切の決定にあたっては必ず彼らの意見を参考にする。こうすれば何事も理にかない、道を誤ることはないだろう。

このような丘隅の提案を、民衆史家の林基《はやしもとい》は「身分制的政治機関の構想」と呼び、「一種の議会制思想の先駆」と評価した。的確な指摘だ。とくにこの賢人会議の半数以上が、治められる側の民間人であることが重要だ。治められる側の監察と献策を受けなければ、「公儀」はその役割を果たすことができないのだ。

もちろん丘隅の立場を民衆的というには、留保が必要だ。彼は、「それ百姓というもの、元来性僻《せいへき》にして、すさまじきものあり」という。偏っていて、しかもものすごい力をもっている。だから、「その用い様《よう》によりて頼母《たのも》しい味方ともなり、ひるがえっておそろしい敵ともなる」と評価する。丘隅は明らかに、時には一般庶民と敵対することもある大庄屋や村役人層の立場である。百姓一揆《いっき》になれば、時には打ちこわしの対象になる可能性もある存在であり、百姓の暴発を抑えてまわる役まわりであった。だから、百姓たちのことはよく知っている。「治」というものは、百姓を「敵」ではなく「味方」にしなければならない。「公儀」は中枢近くまで治められる側の民間人を引き入れなければ、その機能を果たすことができない。それが、丘隅の民間力についての認識であった。

コラム1 野犬の島流し

「生類憐みの令」が撤回されると、都市ではふたたび野犬問題が深刻化する。野犬は人を嚙《か》み傷つけるだけでなく、狂犬病流行の元凶でもあった。正徳《しょうとく》元年（一七一一）、岡山城下町でも野犬が目立ってきた。これに手を焼いた岡山藩では野犬を捕らえて島送りするよう指示している。この野犬の島送りはその後も続けられ、列島各地で狂犬病が大流行した享保《きょうほう》一九年（一七三四）には、毎月一六日間を指定して町中いっせいに野犬狩りを行なった。

野犬の送り先は、瀬戸内海に浮かぶ日生《ひなせ》諸島の鹿久居《かくい》島（岡山県備前《びぜん》市）。この島には、延宝《えんぽう》七年から元禄《げんろく》一一年（一六七九～九八）まで岡山藩の御用牧《ごようまき》（騎馬《きば》の育成場）が置かれていたが、以後、宝永《ほうえい》七年（一七一〇）までは領内の罪人の流刑地であった。そこへ人にかわって犬が流されることになったのだ。野犬の鹿久居島送りは、文政《ぶんせい》一二年（一八二九）まで実施されていたことが確認される。現在の鹿久居島は本土との間に架橋計画も進み、果実栽培と野外体験の島として人が行き来している。

◉**鹿久居島**
岡山県の瀬戸内海、本土から一㎞ほどの沖に浮かぶ、東西に細長い島。名前のとおり、野生の鹿が生息している。

第二章

享保と天明の飢饉

1

年貢をめぐる領主と百姓

強化される幕府勘定方の機構

徳川綱吉《とくがわつなよし》や吉宗《よしむね》は、新しい社会状況に「公儀」の権能を拡大強化することで対応しようとした。そのために、藩や民間までを「公儀」の事業に動員するシステムが工夫された。しかし、「公儀」の権能を強化するためには、何よりも幕府財政の再建が不可欠である。綱吉政権の後半期にこうした課題に取り組んだのが、勘定奉行の荻原重秀《おぎわらしげひで》であった。

つづく正徳《しょうとく》期は、のちに述べる貨幣政策などでは荻原重秀の施策を否定することから出発したが、幕府領支配や農政の基本は元禄《げんろく》期の改革の方向を引き継ぐものであった。

正徳二年（一七一二）七月、杉岡弥太郎《すぎおかやたろう》と荻原源左衛門《おぎわらげんざえもん》の二人が勘定吟味役《ぎんみやく》に任命されている。勘定吟味役は、農政刷新のために綱吉によって設置されたが、元禄一二年（一六九九）から空席になっていた。これを改めて任命したのだ。いずれも御勘定《ごかんじょう》や勘定組頭《くみがしら》を経験した能吏で、杉岡はのちの吉宗時代には勘定奉行となって活躍する。任務の中心は、元禄期と同様に、代官の不正摘発と年貢収納の増加である。正徳四年までに処罰された代官は一〇人。うち死罪は一件もなく、前後の時期よりはやや緩やかであった。

●飢饉に苦しむ人びと
天明《てんめい》三年（一七八三）、ヤマセによる低温と長雨から、東北地方の太平洋側を大飢饉が襲った。人肉を食べたという話まで流れるほど悲惨な状況となり、餓死者は弘前《ひろさき》藩だけで八万人を超えたという。（『天明飢饉之図《てんめいききんのず》』 前ページ図版翌正徳三年四月には、幕府領村々およびそれを支配する諸国代官に対して網羅的な触書《ふれがき》が出される。そこで幕府が問題としたことのひとつは、代官所役人が村役人と結託して年貢減免などの不正を行なっていたことだ。このため触書では、不正の温床となる大庄屋を廃止するよう命じている。大庄屋は所によって割元《わりもと》・惣代《そうだい》などと呼ばれることもあり、代官と村との中間にあって支配を取り継ぐ役職である。伝統的な由緒《ゆいしょ》をもった地域の有力者が任じられることが多く、私的な権力行使や恣意《しい》的な取り扱いが村々の反発をかうことも少なくなかった。こうした百姓の反発に配慮しつつ、中間職を排除することで幕府の政策を村々へ直接に行き渡らせることをねらったのだ。ただし、藩領域では江戸時代を通じて大庄屋が存在したところが多い。

吉宗時代にも代官の粛正は続いた。その数は延べ四六人。処罰例は将軍就任直後の初期に多い。とりわけ享保《きようほう》四年（一七一九）六月には、現職や前職の代官および親が代官時代に行なった不正を咎《とが》められた者など二〇人がまとめて処分されている。

吉宗は勘定所機構の整備・拡充にも力を入れた。まず享保六年閏《うるう》七月に、勘定所を財政と地方支配を担当する勝手方《かってかた》と裁

◉代官所の様子
手前は筵《むしろ》敷きの土間で、右のほうで百姓が願書を差し出している。手附《てつけ》・手代《てだい》が机に座り、後ろに帳簿が並ぶ。（『徳川幕府県治要略《とくがわばくふけんちようりやく》』）

判を扱う公事方《くじかた》とに分けている。翌享保七年には、水野忠之《みずのただゆき》を勝手掛《かってがかり》老中に任命した。次いで勘定奉行を二人ずつ二組に分けて、一年交替で勝手方と公事方を専管させ、勘定吟味役もひとりは勝手方専任、ほかの二人は半年交替で勝手方と公事方を担当させることとした。こうして勘定所内部の責任体制が明確にされた。さらに享保八年、一〇人の勘定組頭と約一四〇人の御勘定とをそれぞれ五つの部門に分課し、享保一八年には、御勘定を一九〇人に増員している。また、吉宗は人材登用を重視したが、とくに勘定方では地方巧者《じかたこうしゃ》が好んで登用された。

　ところで、代官による年貢滞納や不正が絶えなかった理由のひとつは、代官所経費の問題であった。代官所運営には下役人の給料や事務経費などが必要であり、それらは支配下の村々から年貢とは別に徴収される口米《くちまい》によってまかなわれていた。いわば、現地調達が原則であったのだ。口米は年貢一俵《ぴょう》につき何升《しょう》というかたちで賦課されたので、毎年の年貢量によって増減する。ところが、代官所経費は一定のものが必要であり、細かな支配を行なおうとすれば増加せざるをえない。また、年貢納

2

◉米を俵に詰める作業
刈り入れがすむと年貢の納入となる。唐臼《からうす》で籾《もみ》を挽《ひ》き、箕《み》で殻を除いて庄屋立ち会いのもと、年貢米を俵に詰めていく。(『老農夜話《ろうのうやわ》』)

入時までの期間は当座の運用資金を借り入れするため負債を抱える代官も少なくなかった。こうした問題を解消するために幕府は、享保一〇年から地域別に必要経費を算定し、支配高に応じて代官に経費を支給する方式に改めた。これによって代官所財政が安定し、年貢未納などで処罰される代官も減少した。元文《げんぶん》元年（一七三六）には全国の幕府領および預所《あずかりしょ》が五組に分けられ、五人の勘定奉行が一組ずつ監督する体制となった。代官の官僚化と行政の合理化がいっそう進んだ。

つぎの家重《いえしげ》時代になると、寛延《かんえん》三年（一七五〇）一二月から予算制度が導入される。幕府財政が一五の部門に分けられ、その部門ごとに翌年の予算額が決められた。宝暦《ほうれき》三年（一七五三）二月には勘定所が四部門に再編され、四部門ごとに勘定吟味役がつけられる。勘定所機能への依存がますます深まり、勘定方の官僚たちもみずからの職務に対する自覚を深めていった。

享保の改革における年貢増徴策

吉宗《よしむね》の享保《きょうほう》の改革《かいかく》では、勘定方の機構改革をふまえて、一連の年貢収納方式の変更が行なわれた。それは一般には年貢増徴策と性格づけられている。しかし、事態はそれほど単純ではなかった。いくつか具体的にみてみよう。

一つは、定免法《じょうめんほう》の採用である。定免法は、毎年の収穫量に応じて年貢高を決める検見取法《けみどりほう》に対して、過去数年間の平均で年貢高を決め、これを一定期間固定するという方法だ。一部の藩では江戸時代の前期から行なわれていたが、幕府領では享保七年（一七二二）頃から実施されはじめた。このとき幕府が採用したのはたんなる定免法ではなく、過去の平均にいくらかの増米《ましまい》を上乗せして年貢量を決め、一定の期間が過ぎたあとにはさらに増米を加えて定免を実施するという増米定免法であった。これによって、確実な年貢量の確保と段階的な増徴を実現しようとしたのだ。

しかし、これも百姓にとって一方的に不利であったのではない。村からの江戸時代史の見直しを主張する田中圭一《たなかけいいち》は、逆に、横暴な代官による恣意《しい》的な検見を排除し、負担を固定化するという意味で、百姓側によって要求されたものとみている。増米も百姓が可能な範囲で請《う》けるものだから、双方に交渉と妥協の余地は残されていた。

二つは、有毛《ありげ》検見取法。これは、田畑の上中下などの田品《でんぽん》（位付け）に応じて年貢高を決める畝引《せびき》検見取法に対して、田品を無視して実際の収量に基づいて年貢高を決める方法で、やはり享保七年からしだいに採用されるようになった。定免法の場合、一定以上の損毛があったときにはそれを適用せず破免《はめん》して検見を行なうことになっていたが、その際に有毛検見取法によって実収を量れば、定免のときよりも年貢量が多くなることもあるといわれていた。

しかし、実際の破免検見は百姓側の要求に基づいて行なわれたから、結果として有利な場合にしか百姓も破免を要求しなかった。したがって破免検見によって年貢量が増加することは、実際にもほとんどなかった。現実には代官の側が百姓の破免要求を認めなかった場合のほうが多かったわけであり、むしろ対立点は検見を認めるか認めないかにあった。

三つは、石代《こくだい》値段のせり上げ。石代納は、年貢米を銀や銭に換算して納めさせる方法である。もともと上方《かみがた》や西国の幕府領では、村高の三分の一を畑と見なして年貢米の三分の一を銀納させる三《さん》分《ぶ》一《いち》銀納法が早くから行なわれていた。幕府はこれを享保七年に廃止し、年貢のすべてを米納するように命じた。しかしこの方法は、田畑で米以外の商品作物を栽培している百姓には迷惑であった。しかも、皆米納《かいべいのう》になれば廻米《かいまい》の費用もかさむ。当然百姓は反対するだろうと幕府は読んでいた。そこで百姓が従来どおりの銀納を願い出た場合には、まげて許可するかわりに石代値段をできるかぎりせり上げるとあらかじめ定めておいたのだ。この場合も最終的には石代値段の決定をめぐって代官と百姓とのせめぎ合いが起こり、両者の力関係によって決着をみることになる。

幕府の年貢増徴策といわれるものも、幕府の一方的な都合で選択されたものでも、一方的に実施されたものでもなかった。百姓とのせめぎ合いのなかで選択され、実施されるものであったのだ。それでも、これらの政策は当座の年貢増徴をもたらした。

享保一二年の幕府の年貢総収納量は、享保六年を約三二万石上まわり一六二万石を記録した。しかし、享保一〇年代になると総じて気候が寒冷傾向となり、毎年のように大雨風の被害が続いた。とりわけ享保一三年は、七月に九州と近畿地方が、九月には江戸と東日本とが、それぞれ

3

●明治期の津山城（岡山県津山市）
津山藩は親藩《しんぱん》。美作国の中心地として栄え、五層の天守や多くの櫓《やぐら》をもつ城が藩庁だった。

大雨風による大洪水に襲われた。こうした影響もあって、年貢収納量はふたたび低落傾向に陥る。

他方、当然のように百姓たちの抵抗も強まった。享保一〇年一〇月、美作国《みまさかのくに》幕府領の百姓二二〇〇人あまりが津山《つやま》城下に押し寄せ、津山に滞在していた幕府役人に増徴策の軽減を嘆願した。こうした百姓の嘆願は各地で起きている。そのため、幕府も譲歩を迫られる。はじめは国や郡の単位で行なわれることになっていた破免検見が一村単位でも行なわれるようになり、さらに損毛五〇パーセント以上でしか認められていなかった検見を、享保一九年からは三〇パーセント以上の損毛から認めることにした。また、代官による恣意的な石代値段のせり上げも百姓の反対によって改められることになり、美作国などの中国筋では、享保一九年より、定額に抑えられることになった。幕府の農政は日常的に百姓や村方との緊張関係のもとに置かれることになったのだ。

よみがえる一揆の伝統

領主と百姓との緊張が高まったのは幕府領だけのことではない。財政窮乏から年貢増徴策をとらなければならないのは、大名の支配する藩でも同じであった。このため各地の藩領域でも百姓の抵抗が顕著になる。

武力による領主への反抗は、島原《しまばら》・天草一揆《あまくさいっき》を最後に途絶えた。その後しばらくは、列島各地で大規模な一揆が起こることはなく、百姓たちの要求は、さまざまな回路を通じた訴願によって実現が図られていた。しかし、綱吉《つなよし》時代になると集団の威力を背景にした強訴《ごうそ》が目立ちはじめるようになる。一八世紀の徳川日本は、いわゆる百姓一揆の時代でもあった。

そもそも一揆は、揆（筋道）を一にすることであり、中世の列島社会では広く存在するものであった。中世では、武士や僧侶から民衆まで、社会のさまざまなレベルで一揆が結ばれたが、江戸時代にはもっぱら領主支配に対する百姓の非合法な運動を指して一揆の語が使われる。一揆は、主従関係のようなタテの結合に対して、「一味同心」といわれるようにヨコの結合を特徴としている。戦国社会を克服するなかで生まれた統一権力は、社会のなかの一揆結合を否定することを通じて登場した。将軍権力を頂点としたタテ系列の支配が基本とされ、一揆結合を支えた暴力も、平和の代償と

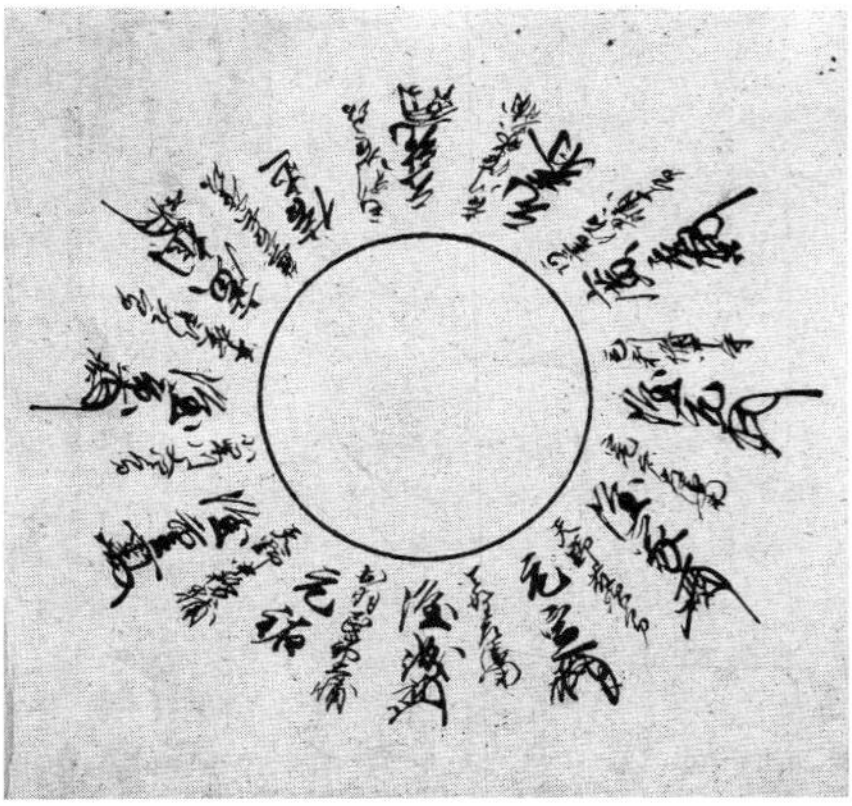

●傘連判状
円形に署名することで、一揆が平等な盟約であることを示す。上は弘治三年（一五五七）の安芸国人の起請文《毛利家文書》。下は宝暦五年（一七五五）の郡上一揆の連判状。百姓一揆では、張本人を隠す役割もあった。二〇〇年を経て一揆の伝統がよみがえっている。

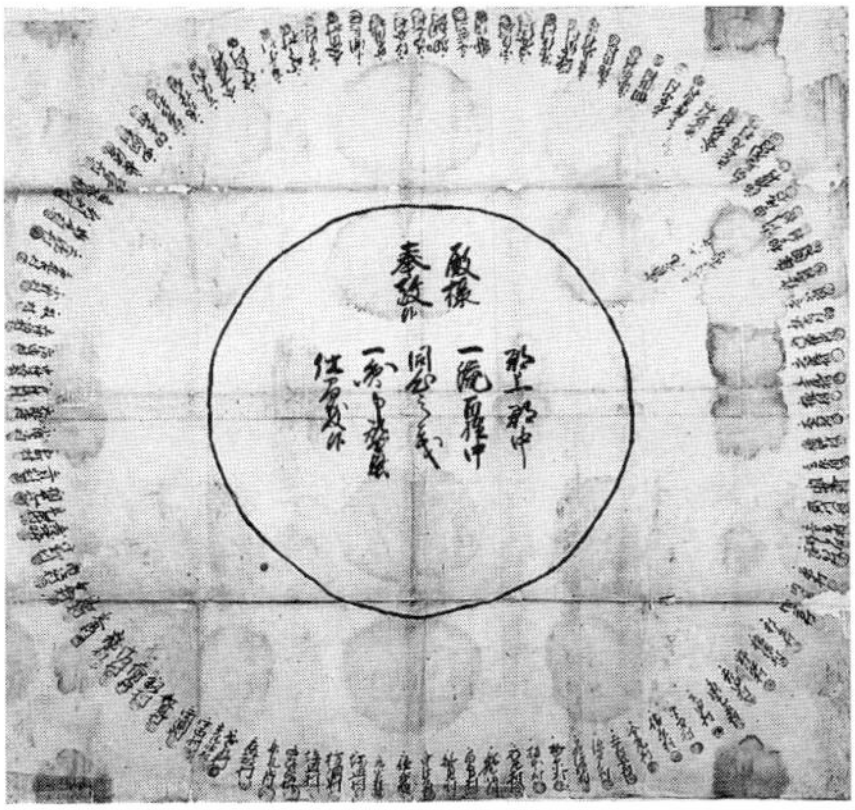

して「治」を担う身分である武士に独占された。一揆に過剰に反応するのは、江戸時代の領主に埋め込まれたDNAといってよい。

一揆を否定した統一権力は、百姓や町人などが訴《そ》や願いのかたちで異議申し立てを行なうことを認めた。民衆は「理」や「法」を盾に、「不正」や「非法」の是正、「百姓成立《なりたち》」を求めて訴願を繰り返した。要求は領主によって認められることもあるが、拒否されることのほうが多い。そのとき民衆は、通常の訴願のルールをはずれて越訴《おっそ》や強訴を行なった。こうした非常の行為には、非常な威力が必要である。それを与えたのが、一揆の伝統だ。一味神水《しんすい》（一味同心を誓って神水を飲みあう儀式）や傘連判《からかされんぱん》（前ページ写真）など、中世の一揆の作法や心性が再生した。

百姓一揆と聞くと、蓑笠《みのかさ》姿で竹槍《たけやり》を持ち、筵旗《むしろばた》を先頭に鬨《とき》の声をあげて行進する様子が想像されるだろう。しかしこうしたイメージは、幕末期の一揆の姿をもとに明治時代につくられたもので、最近の研究ではかなり違った百姓一揆像が描かれている。一揆勢の持ち物は鎌《かま》・鋤《すき》といった農具が中心で、武器を持つことはなかった。鉄砲を持つことはあるが、それは鉦《かね》・太鼓《たいこ》や法螺貝《ほらがい》などと同じ合図のための鳴り物であり、服装も野良着《のらぎ》・菅笠《すげがさ》・草鞋《わらじ》履きである。一揆は「百姓成立」を要求するものだから、百姓身分にふさわしい得物《えもの》やいでたちで行なうものであったというのだ。しかし、だからといって百姓一揆は儀式のような整然としたものではない。武力をもつ領主に対抗するものだけに、「一味《いちみ》」し「徒党《ととう》」する百姓の集まりは非日常の威力に満ちたものであった。その高揚感が、日常の「治《ち》」の秩序をゆるがすことも少なくなかった。

百姓一揆の時代、始まる

一揆《いっき》は、領主の側が従来とは異なるかたちで年貢や諸役などを徴収しようとするのに対して、百姓がその撤回を求めて起こす場合が多い。不作や凶作に際して、負担の軽減や夫食米《ぶじきまい》の支給などを求めて起こすことも少なくない。

江戸時代に起きた本格的な百姓一揆は、下総《しもうさ》の佐倉惣五郎《さくらそうごろう》など伝承的なものを除けば、綱吉《つなよし》政権の初期にあたる貞享《じょうきょう》三年（一六八六）の信濃国《しなののくに》松本《まつもと》藩領一揆が最初だと、百姓一揆研究者の保坂智《ほさかさとる》はいう。この一揆は、中心となった指導者の名前をとって加助騒動《かすけそうどう》と呼ばれている。このときの百姓側の要求は、年貢の納め方にかかわることが中心であった。年貢米はふつう籾《もみ》で納められる。籾のほうが保存がきくからだ。ただし、年貢高は精米した玄米の量で表示されるから、籾摺《もみず》りの程度（精米率）によって納める籾の量が変化する。この年、藩では、年貢米の籾摺りの精度を上げると指示することで実質的に納めさせる籾の量を増加しようとしたのだ。

元禄《げんろく》三年（一六九〇）に日向《ひゅうが》国延岡《のべおか》藩領の臼杵《うすき》郡山《やま》陰組《かげぐみ》で起きた一揆では、百姓一四二二人が隣の高鍋《たかなべ》

6

◉山陰一揆の供養碑（宮崎県日向市）
百姓一揆の指導者を義民として祀《まつ》る動きは、一九世紀に各地で盛んになる。山陰組でも文化《ぶんか》八年（一八一一）に地元の成願寺《じょうがんじ》に、犠牲者の法名を刻んだ供養塔が建てられた。

藩領に大挙して逃散《ちょうさん》した。組は一〇数か村で構成される支配の単位で、大庄屋が支配すれば大庄屋組といわれた。家や村単位ではなく、組としてまとまって逃散したのだ。これだけ大勢の逃散は前代未聞であった。この一揆は、大風洪水が三年間も続き、田畑が崩れたり川が氾濫《はんらん》したりして耕作不能となった耕地が多く出ているにもかかわらず、検見《けみ》も認めず、厳しく催促を繰り返すばかりの郡代《ぐんだい》の態度に抗議したものであった。

宝永《ほうえい》六年（一七〇九）、水戸《みと》藩領村々の代表約一五〇〇人が江戸に出府、前々年に始まった松波勘十郎《まつなみかんじゅうろう》による諸改革の廃止を、支藩である守山《もりやま》藩邸に訴えた。この松波勘十郎は、林基《はやしもとい》の長年の研究により、全国を股《また》にかけた財政改革請負人であったことが明らかになっている。彼は、水戸藩のほか陸奥国棚倉《むつのくにたなぐら》藩・大和《やまと》国郡山《こおりやま》藩・備後《びんご》国三次《みよし》藩などでも財政改革に携わっており、小物成《こものなり》（本年貢のほかに付加される雑税）免除を引き替えにした本年貢の増徴、豪商と結びついた借入金と藩札《はんさつ》発行、特産品の専売制を通じた収奪など、その改革手法はどの藩でも共通していた。そして、それが領民の反対や一揆を引き起こしたこともまた共通していた。江戸を騒然とさせた領民の行動に押されて、水戸藩は改革を中止し、とかげの尻尾《しっぽ》切りのように松波を処分した。

北陸の加賀《かが》国で正徳《しょうとく》二年（一七一二）に起きた大聖寺《だいしょうじ》藩一揆（那谷寺《なたでら》一揆）でも、風水害にもかかわらず検見をして年貢減免の措置をとらなかった藩役人への怒りが爆発した。この一揆でも水戸藩と同じように、茶や紙などの商品生産に対する諸規制の撤廃が要求に掲げられた。先の山陰組一揆でも、胡麻《ごま》・荏胡麻《えごま》・とう胡麻・菜種《なたね》や杉・楮《こうぞ》・槙《まき》・漆《うるし》・けずり柿《こけら》・桑《くわ》・棕櫚《しゅろ》・臭木《くさぎ》などの作付けが強制され、しかも安値で買い上げられることが問題にされている。本年貢に対する要求とともに、こまごまとした商品作物生産に対する課税や干渉が争点になっていることに注意したい。

松本藩の加助騒動では、一部の百姓たちが城下の挽屋《ひきや》五軒を打ちこわしている。挽屋は籾摺《もみず》りをする精米業者で、藩米を扱う特権的な米商人でもあった。籾の納め方の変更は、籾摺りによって利益を得ようとする挽屋の策謀だと百姓たちは考えた。民間人でありながら、民衆の利益を損なう者への制裁であった。本格的な百姓一揆が始まったとき、すでにそこに制裁のための打ちこわしが登場していたことは注目しておいてよい。領主の「治」に対する対応と、みずからの内なる「治」に対する態度とは、当初から異なっていた。

大聖寺藩一揆でも、小百姓たちが村役人の制止を振り切って茶問屋を打ちこわしている。紙問屋・塩問屋・米仲間などを打ちこわすという風聞も流れた。百姓の要求を取り継がず、藩の増徴策を押しつけた十村肝煎《とむらきもいり》も打ちこわされた。十村肝煎は、十数か村を束ねる大庄屋のような地方《じかた》役人である。

一揆への対応は逐一幕府に報告された。百姓による違法な越訴や強訴は、一大名もしくは一領主の問題ではなく、全領主にかかわる問題と意識されたからだ。そこに百姓を支配する総領主の権力として成立した

●松本城（長野県松本市）
加助騒動の首謀者の処刑は、松本城を見下ろす高台で行なわれた。磔にされた加助がにらんだため、天守が傾いたという伝承が残る。

「公儀」の本質がある。だから、「公儀」としての幕府は、一揆への対応に神経をとがらせていた。

加助騒動では、百姓の勢いに押された藩がいったん百姓の要求を認める家老《かろう》連名の証文を出した。こうした措置は江戸藩邸を通じて幕府老中大久保《おおくぼ》加賀守《がのかみ》忠朝《ただとも》に告げられた。忠朝は、富士山宝永大《ほうえいだい》噴火《ふんか》のときの小田原藩主大久保忠増《ただます》の先代である。忠朝は、百姓の申し分は不届《ふとどき》であると内意を伝えた。国元では、ただちに役人が村々に派遣され、家老の証文を回収した。新規の課税は撤回されたが、従来どおりの年貢納入が厳しく命じられた。一揆の指導者と目《もく》された百姓たちは逮捕され、八人が磔《はりつけ》、二〇人が獄門《ごくもん》に処された。磔は罪木《はたもの》に掛けて刺し殺す公開処刑、獄門は斬首《ざんしゅ》したうえ晒《さらし》首《くび》にする。いずれも見せしめのための極刑である。

山陰組一揆の情報は、高鍋藩を通じて幕府に通報された。ここでも、老中大久保忠朝が登場する。大久保は延岡藩に対して、逃散百姓の居所《きょしょ》への召し返しと首謀者の江戸召還を命じた。江戸では、藩の家老や郡代と百姓とが幕府評定所で対決した。その結果、百姓側では頭取《とうどり》二名が磔、五名が死罪、七名が流罪となり、藩側では郡代が追放処分となっている。個別領主を超えて、「公儀」が直接に百姓一揆を裁断することが始まった。さらに幕府は、延岡藩主有馬《ありま》清純《きよすみ》に対して、仕置不行届《しおきふゆきとどき》を理由に越後《えちご》国糸魚川《いといがわ》への転封《てんぽう》を命じる。領主にも百姓にも厳しく対処する、綱吉の賞罰厳明主義の現われであった。

なお、有馬氏の跡には二万三〇〇〇石を与えられて三浦《みうら》氏が入封、残りの五万石が幕府領とされた。改易《かいえき》・転封を通じて幕府領を拡大するのは、綱吉時代の「公儀」の常套《じょうとう》策である。

一揆と山中「コミューン」

岡山県の北部に位置していた美作国津山《みまさかのくにつやま》藩松平《まつだいら》家の財政も、ご多分にもれず火の車で、江戸上屋敷《かみやしき》の二度の火事による出費がかさんだこともあって、享保《きょうほう》一一年（一七二六）には家臣の俸禄米を半減する「半知借上《はんちかりあげ》」を実施しなければならないほどであった。この年は大旱魃《だいかんばつ》で不作となったのだが、藩としては年貢収入を減らすわけにはいかなかった。くわえて、臨時の財政補塡《ほてん》策として、作付け高に対して四パーセント年貢を上乗せする「四分加免《しぶかめん》」を命じた。納期も例年より早め、一〇月一五日を皆済日《かいさいび》としている。これを受けた大庄屋たちが百姓に年貢納入を厳しく督促したため、期限までに約八四パーセントの年貢が納入された。

ところが、一一月一一日に藩主松平浅五郎《あさごろう》が江戸藩邸で病死する。彼は当時一一歳だったので、まだ後継者も決まっていなかった。津山藩は取り潰《つぶ》しになるのではないかといううわさが流れ、家中や領民の間に動揺が広がる。同月二一日、郷蔵《ごうぐら》の年貢米を大庄屋が船積みしようとしたところを百姓たちが見とがめ、これを実力で阻止した。この事件を機に、領内は一触即発の状況となる。

7

◉『山中一揆義民之碑』（岡山県真庭《まにわ》市）
太平洋戦争後に地域の民主化が進められるなかで、地元の人びとにより義民顕彰会がつくられ、史料の発掘や記念碑の建立が行なわれた。現在も毎年義民祭が催されている。

同月二三日、陸奥国《むつ》白河藩《しらかわ》主松平明矩《あきのり》の弟又三郎《またさぶろう》を養子にし、領知を五万石に半減されて津山藩が存続されることになった。つぎの問題は、領地のうちどの地域が削減されるかである。旭川《あさひがわ》上流の真島《まし》郡と大庭《おおば》郡の北部にあたる山中《さんちゅう》地域が幕府領にされるという風聞が流れた。

一二月四日、山中地域の百姓三、四〇〇〇人が大挙して地域の中心である在町《ざいまち》の久世《くせ》（岡山県真庭市）に押し寄せ、郷蔵を押さえた。このとき、蔵元・大庄屋・中庄屋の屋敷三軒が打ちこわされている。先の蔵米積み出しをはじめ、日ごろから百姓の要求に敵対してきたことへの制裁である。津山藩ではあわてて役人を派遣し、百姓との交渉を行なった。百姓たちが提出した願書には、未納年貢と四分加免の免除、大庄屋・中庄屋・村庄屋の罷免、口米《くちまい》・糠藁《ぬかわら》代・諸給米の免除、山・川年貢と諸運上銀の廃止、大豆納の廃止、借米返済の免除、などがあげられている。このうち中心的な要求であった最初の二項目については、藩役人も認めざるをえなかった。庄屋にかわって連絡係として「惣代《そうだい》」と「状着《じょうちゃく》（触《ふれ》の伝達にあたる役）」を置き、その人選は百姓自身が行なうこととなった。

山中地域では、一揆の指導者たちが惣代や状着に選ばれていく。彼らは諸庄屋から帳簿類を取り上げ、不正を暴いては正米《しょうまい》を供出させ、納米のうちから四分加免や八四パーセントを超える過納米を取り返した。百姓たちは、役人に頼ることなく自主的に成果の実現を図ったのだ。抵抗する大庄屋たちは打ちこわされ、山中地域は一時的に百姓自治の実現した「コミューン」のようになった。

こうした状況に危機感をつのらせた津山藩では、徹底した武力鎮圧を決意する。翌年一月、鉄砲約七〇挺《ちょう》・大筒《おおづつ》一門を含む藩士および足軽《あしがる》など約四五〇人が派遣された。これに対して、百姓側は山中につながる二か所の峠に鉄砲を持った百姓を配置して鎮圧隊の進入を防いだ。山中に立てこもった百姓の抵抗は七日間に及ぶ。しかし、内通者が出たことで百姓の戦線は攪乱《かくらん》され、武力衝突は起こらず、一月一二日指導者の徳右衛門《とくえもん》らが逮捕されて一揆は崩壊した。藩の記録によれば、逮捕者は一四七人。そのうち三八人は現地で即刻打ち首、獄門となった。まともな取り調べなしの即刻処刑は異常だ。百姓の「叛乱《はんらん》」を峻拒《しゅんきょ》する藩側の姿勢を示している。現地で厳しい見せしめを行なわなければ秩序が回復しないほど、従来の支配を拒否する気分が百姓の間に広がっていたのだろう。津山まで送られた者は五五人。取り調べの結果、四九人は寺預かりとなり、六人が三月一二日に処刑された。一揆の中心的指導者であった徳右衛門と弥次郎《やじろう》の二人が磔となっている。

一揆にひそむ百姓自治への希求

寛延《かんえん》二年（一七四九）の姫路《ひめじ》藩大一揆も、山中《さんちゅう》一揆と同じような状況で始まる。当時の姫路藩主は、寛保《かんぽう》二年（一七四二）三月に陸奥国白河《むつのくにしらかわ》藩から転封《てんぽう》になった松平明矩《まつだいらあきのり》であった。知行高は一五万石だが、転封を繰り返した松平家の財政はやはり火の車であった。入封《にゅうほう》早々の寛保二年に領内へ御用金を課したのに続けて、延享《えんきょう》二年（一七四五）に一万両、同五年には二万両の御用金をそれぞれ課している。延享五年は将軍家重《いえしげ》の襲職を祝う朝鮮通信使が派遣されることになり、姫路藩は例によって瀬戸内の港町室津《むろつ》での使節の接待を命じられたが、御用金はその費用にあてるものであった。

延享五年（七月に寛延に改元）の夏は旱魃《かんばつ》であったうえ、九月には暴雨風に襲われる。作柄は平年の半分ほどで凶作は必至であった。そのようななかで、一一月一七日に藩主明矩が急死する。子の朝矩《とものり》の相続は認められるが、幼少であったため翌年の転封が命じられた。当年の年貢収納を確保するために、藩では凶年にもかかわらず厳しい取り立てを行なった。それに対する反発が百姓たちの間に広がる。

　動きは城下周辺の飾東《しきとう》郡から始まった。一二月二一日、約三〇〇〇人ほどの百姓が年貢減免を求めて城下へ打ち入る構えを示している。藩ではとりあえず年貢の延納を認めるとともに、事態を幕府に通報した。年が明けて寛延二年一月一六日、今度は藩領東部である加古《かこ》郡の百姓が蜂起《ほうき》し、大庄屋を打ちこわす。御用金賦課の不正をはじめ、日ごろの不公正な取り扱いに不満が鬱《うっ》積《せき》していたのだ。これに刺激されて領内各地で百姓が蜂起する。転封先が上野《こうずけ》国前橋に決まったという報が伝えられると、転封

8

●朝鮮通信使の接待
明和《めいわ》元年（一七六四）に、室津《むろつ》で朝鮮通信使を迎える姫路藩の様子を描いたもの。通信使が通過する周辺に課された接待費用が、諸藩を苦しめる。福岡藩の例では、現在の価値に換算すると四億六〇〇〇万円もかかったという。（『朝鮮通信使室津湊御《お》船備図屏風《ふねそなえずびょうぶ》』）

近しとさらに緊張が高まる。百姓たちは藩のお先棒を担いで年貢取り立てを強行した大庄屋や庄屋の居宅を打ちこわした。その数は五七軒。退役《たいやく》証文を提出して、打ちこわしをまぬがれた庄屋もあった。百姓たちは、彼らの手もとから帳簿類を取り上げて監査し、みずから新しい庄屋を選んだ。大庄屋がいなくなった組では、百姓立ち会いのもとで庄屋たちが合議して行政を行なっている。やはり非合法の権力による一種の百姓自治の状況といってよい。

こうした事態に幕府は、大坂城代《おおさかじょうだい》を中心に藩への介入を強める。鎮圧に際しては、百姓を打ち捨てにしてもかまわないし、鉄砲を使用しても苦しくないと強硬な指示を行なっている。大坂町奉行所の与力《よりき》を派遣して、直接に首謀者の逮捕にもあたらせた。二月二八日頃から始まった逮捕は五月まで続き、三四五人が大坂に送られる。取り調べと処刑は幕府の手で行なわれた。処罰された者は、磔《はりつけ》二人、獄門《ごくもん》二人、死罪三人、遠島《えんとう》一一人、追放二三人にのぼる。

美作《みまさか》と播磨《はりま》の二つの一揆に共通しているのは、領主の交替を機に起こっていることだ。領主は変わるもの、百姓は「不易」という言葉が思い出される。そうした時期には領主支配に空白が生じやすい。浮き足立つ領主は年貢の確保に走り、不作や凶作への対応は期待できない。領主支配につながる旧来の地域指導者が、百姓の利害に敵対する存在であることがあらわになる。一揆の高揚感のなか、地域をみずからの手で治めようという機運が高まった。一揆には、領主への「仁政《じんせい》」要求にとどまらない「自治」への希求がひそんでいた。そのなかで地域の「治」の担い手が変化していく。

御救と施行

徳川社会にみる勧農と御救

百姓一揆《いっき》は、「百姓成立《なりたち》」の条件を領主に求めることから始まる。一揆が「徒党」として禁止されるなかでも正当性を主張できたのは、その要求が徳川《とくがわ》社会に共通の価値であり、「治」の目的であると認められていたからだ。その「治」のあり方を、勧農《かんのう》と御救《おすくい》という面から考えてみよう。

勧農というのは、いまでは聞き慣れない言葉だ。農業を勧めるというのだから、広くいえば、農民が農業につとめるように励ます、という意味になる。古代の律令《りつりょう》では、国司《こくし》が年に一回国内を巡行して、百姓に農耕に励むよう教化することを義務づけていた。これを「勧課農桑《かんかのうそう》」といい、略して勧農と称した。のちには、たんなる教化にとどまらず、農業に励むための条件整備として、池堰《ちせき》の修造や種籾《たねもみ》の貸与などを勧農の内容として指示している。こうした勧農行為は中世の荘園制にも受け継がれ、秋の収納に対応して春の勧農という語が定着した。領主が年貢や公事《くじ》を徴収することができるのは、勧農の義務を果たすからだ。そうした関係が、広く認知されるようになっていた。

太閤検地《たいこうけんち》は、小農自立《しょうのうじりつ》を進めた。小百姓だけでなく、それまで下人《げにん》や被官《ひかん》など隷属的な地位にあった農民も名請人《なうけにん》とし、耕作権を認めるとともに年貢負担者として登録したのだ。しかし、そうした百姓たちの経営はきわめて零細《れいさい》で、しかも脆弱《ぜいじゃく》である。彼らを一人前の百姓に育て、順調に年貢を納入させるためには領主の勧農が不可欠であり、百姓の側もそれを望んだ。大名領では、種籾の貸与や、農具・牛馬・肥料などを購入するための貸し付けが行なわれており、用水の整備や治水対策も領主の勧農行為の一部であった。

承応《じょうおう》三年（一六五四）七月、岡山地域は大洪水に襲われた。急いで帰国した岡山藩主の池田《いけだ》光政《みつまさ》は、被害を受けた領民に飢扶持《うえふち》（飢人への救助銀）を給付するとともに、延べ九〇万人分の災害復興のための普請を起こし、領民を人足に動員して日用米《ひようまい》（日傭米）を与えた。こうした復興策に対しては、光政は百姓ばかりを大切にして家臣をないがしろにしているという批判が家中に広がった。これを光政は、「愚知《ぐち》千万《せんばん》なる義《ぎ》」と一喝し、「士《さむらい》が迷惑するのは百姓が成り立たないからだ、という理屈がわからないのか」と叱責《しっせき》する。「民は餓死《がし》すべきとも、先《ま》ず士さえよければと存ずる者は、いかなりあさましく候えば、士の本意にも、民を豊にするに有る事必然たり」ともいう。為政の基本は「百姓成立」にあるという理念を明確に示したのだ。こうした領主の「治」のあり方を、当時「仁政《じんせい》」と呼んだ。

災害や飢饉《ききん》などで「百姓成立」が危機に陥った場合、領主は民百姓の生命を保障し生活と経営の再建を支援しなければならない。勧農を平時の「仁政」とすれば、御救は非常時の「仁

9

◉池田光政
寛永九年（一六三二）に鳥取から岡山へ転封となり、以後四〇年間藩政をつかさどった。光政の治世を理想とした孫の池田継政《つぐまさ》が描いた像。

政」だ。徳川《とくがわ》日本の治める者と治められる者との関係には、「百姓御救」という理念と行為が構造的に組み込まれていたと、近世史家の深谷克己《ふかやかつみ》は指摘する。

しかし領主の側は、御救の義務をできるかぎり回避しようとした。そして、村や町など領民の所属団体による自力の救済に任せようとした。徳川社会では、年貢などの納入はその当人が所属する団体の請負制になっていた。いわゆる村請《むらうけ》制や町請《ちょううけ》制である。ゆえに、納入を実現するための条件整備もまず最初は村や町にゆだねられるというのが領主の立場であった。このことは、治水や用水工事などを見るとよくわかる。村にはさまざまな水利施設があるが、直接村の生産にかかわるものは村の自普請《じぶしん》が原則であり、他村を含めた広域にかかわるものは領主の御普請《ごふしん》とされた。ただし、自普請の施設でも大破の場合は御普請として領主から手当てがなされた。だから、危機に際しても、まずは村や町としての自力による対処が求められ、それを超える場合に訴《そ》や願いを通じて領主の御救が要請されるというシステムになっていた。このため危機には、御救をめぐるせめぎ合いが領主と百姓の間で激しくなる。

他方、村や町の自力による救済も簡単ではなかった。当時の村や町はそれほどフラットな集団ではなく、基本的に階層的な構成になっていたからだ。とりわけ江戸時代も中期から後期になると、零細な農民や都市下層民が増加する。村や町での救済は、大高持《おおたかもち》の有力農民や富裕な町人に頼らざるをえない。彼らこそ、「村の治者」であり「町の治者」であった。村や町の内部でも、救済をめぐるせめぎ合いが起こることになる。こうしたことを、飢饉を例に考えてみよう。

享保の飢饉の被害状況

飢饉《ききん》は、気象の異常によって起きることが多い。歴史上の気象は、大きなサイクルを描きながら周期的に変化している。地球規模でみたとき、一〇～一二世紀が温暖な気候であったのに対して、一五五〇年から一八八〇年にかけては寒冷期で、「小氷期（Little Ice Age）」と呼ばれている。日本列島の江戸時代は、まさにこの寒冷期にすっぽり入っている。

ただし、同じ寒冷期といっても、そのなかで寒暖は周期的に変動する。歴史気象学では、その様相が下図のように考えられている。これによれば、四〇年から五〇年の周期で寒冷な時期と温暖な時期とが、繰り返したことがわかる。享保《きょうほう》、天明《てんめい》、天《てん》保《ぽう》の各飢饉をあわせて江戸時代の三大飢饉といい、これに寛永《かんえい》の飢饉を加えて四大飢饉といったりするが、いずれも寒冷な気象状況で起きていることが確かめられるだろう。もちろん、相対的に温暖な時期でも飢饉が起きないわけではない。

享保一〇年代は寒冷な気候が続き、大雨や洪水などもあって、作柄は伸び悩んでいた。享保一七年（一七三二）は五月頃

近世小氷期		
時期	年代	気候
	一五五〇～一六一〇	寒冷
第1小氷期（元和・寛永小氷期）	一六一〇～一六五〇	非常に寒冷
第1小間氷期	一六五〇～一六九〇	温暖
第2小氷期（元禄・宝永小氷期）	一六九〇～一七二〇	非常に寒冷
	一七二〇～一七四〇	寒冷
第2小間氷期	一七四〇～一七八〇	温暖
第3小氷期（寛政・天保小氷期）	一七八〇～一八二〇	寒冷
	一八二〇～一八五〇	非常に寒冷
	一八五〇～一八八〇	寒冷
←現在へ		

前島郁雄「歴史時代の気候復元—特に小氷期の気候について—」より作成

◉江戸時代の気候
一三～一五世紀の気候については意見が分かれているが、一六～一九世紀後半までが小氷期に入ることでは一致している。とくに一八世紀初めの寒冷化は世界中で記録されている。

から霖雨《りんう》（長雨）となり、翌閏《うるう》五月には九州の筑後《ちくご》地方で大洪水となった。閏五月の末からは一転して旱魃《かんばつ》となり、日照りや曇天が続いたが暑気は薄く、夜は寒かった。九州地方では、六月の初めごろから害虫駆除のための虫送《むしおく》り行事が目立つようになるが、虫の発生はおさまらず、六月下旬には大量発生に至る。蝗害《こうがい》による享保の飢饉が始まった。連年の不作と先に述べたような享保期の領主による増徴策によって民間の「体力」が弱っていたところへ、蝗害が最後のとどめを刺した。

この虫はウンカであった。稲の汁液を吸って枯らす害虫で体長一センチメートルほど、形はセミに似ていてよく飛び跳ねた。梅雨時に中国大陸南部から季節風に乗って飛来し、時に異常発生した。この年、北部九州から始まった被害は近江《おうみ》・伊勢《いせ》にまで及んだが、九州や四国の西部では七月なかばごろまでにほとんどの稲が枯死する状況になった。また、このころから牛馬の疫病《えきびょう》が流行するようになり、福岡《ふくおか》藩では四〇〇〇頭あまりが死んだ。栄養不足の飢人《きにん》が疫病にかかり、狂犬病も流行した。

蝗害による被害状況は年貢収納高に現われる。左ページの表はその状況を示している。九州では筑後《ちくご》・肥前《ひぜん》・対馬《つしま》の被害が大きく、四国では伊予《いよ》がひどかった。松山《まつやま》藩は皆無、小松《こまつ》藩・宇和島《うわじま》藩も平年の一割ほどの収納にとどまった。諸藩が幕府に提出した報告によれば、餓死者は一万二一七二人、飢人数は二五万六五三九人にのぼっている。しかし、これは相当低く見積もられた数字のようだ。餓死者が多ければ、仕置不行届《しおきふゆきとどき》として「公儀」から領主の責任を問われかねないからだ。『福岡県史』によれば、この飢饉で福岡藩の死亡率は二〇パーセントを超え、六万人から七万人に達したはずだという。福岡藩が幕府に報告した餓死者数は一〇〇〇人余だから、実際は六〇～七〇倍に

享保の飢饉における私領への幕府の救済

国	藩	藩主	領知高	平年比	飢人数	餓死人数	拝借金	廻米石高
紀伊	和歌山	紀伊殿	55万5000石	45.2%	—	—	2万両	7,000.000
和泉	岸和田	岡部美濃守	5万3000石	49.2%	—	—	5000両	—
出雲	松江	松平幸千代	18万6000石	30.9%	100,000	—	1万2000両	15,579.000
	広瀬	松平式部少輔	3万石	26.3%	9,000	—	3000両	1,200.000
	母里	松平志摩守	1万石	18.6%	—	—	2000両	—
石見	浜田	松平周防守	5万400石	34.8%	9,300	—	5000両	2,500.000
	津和野	亀井因幡守	4万石	15.2%	12,500	—	4000両	2,500.000
安芸	広島	松平安芸守	42万6500石	37.9%	256,539	976	2万両	12,330.000
長門	萩	松平大膳大夫	36万9411石	24.6%	202,170	—	2万両	16,537.926
伊予	西条	松平左京大夫	3万3000石	49.7%	22,678	—	3000両	3,637.400
	小松	一柳兵部少輔	1万石	9.7%	5,411	—	2000両	800.000
	今治	松平筑後守	3万5000石	16.4%	26,553	113	3000両	5,895.722
	松山	松平隠岐守	15万石	—	94,783	5,705	1万2000両	21,488.000
	松山新田	松平備前守	1万石	—	—	—	2000両	—
	大洲	加藤遠江守	6万石	34.9%	43,000	—	5000両	9,574.700
	宇和島	伊達遠江守	10万石	10.4%	56,980	—	1万両	1,516.000
	吉田	伊達若狭守	3万石	25.4%	24,600	—	3000両	1,137.000
土佐	高知	松平土佐守	20万2600石	49.4%	—	—	1万5000両	—
筑前	福岡	松平筑前守	47万3100石	23.2%	95,000	1,000	2万両	23,625.598
	秋月	黒田甲斐守	5万石	23.9%	11,210	—	5000両	1,576.177
筑後	久留米	有馬中務大輔	21万石	4.5%	118,565	207	1万5000両	17,120.102
	柳川	立花飛騨守	10万9647石	5.6%	63,000	878	1万両	8,731.551
	三池	立花出雲守	1万石	7.1%	5,885	—	2000両	1,542.951
肥前	佐賀	松平信濃守	35万7036石	9.0%	110,000	12	2万両	36,496.000
	島原	松平主殿頭	6万5909石	20.5%	45,154	—	5000両	3,150.132
	大村	大村河内守	2万7973石	5.2%	12,120	—	3000両	1,171.200
	唐津	土井大炊頭	7万石	1.1%	50,207	—	7000両	7,784.000
	平戸	松浦肥前守	6万1700石	19.2%	66,727	123	5000両	8,561.800
	平戸新田	松浦大膳	1万石	—	—	—	2000両	—
	福江	五島大和守	1万2500石	30.9%	5,688	352	2000両	630.075
対馬	府中	宗対馬守	1万3402石	—	8,306	—	2000両	660.000
肥後	熊本	細川六丸	54万石	15.1%	45,636	8	2万両	3,699.940
	人吉	相良遠江守	2万2165石	25.1%	—	—	3000両	—
豊前	小倉	小笠原遠江守	15万石	30.5%	39,700	1,013	1万2000両	8,583.700
	小倉新田	小笠原近江守	1万石	7.7%	2,630	87	2000両	859.984
	中津	奥平大膳大夫	10万石	26.5%	38,110	780	1万両	8,226.205
豊後	杵築	松平市正	3万2000石	31.2%	10,000	—	3000両	1,683.186
	日出	木下主税	2万5000石	22.5%	17,000	—	3000両	1,202.452
	府内	松平対馬守	2万3690石	30.1%	11,440	—	3000両	1,402.778
	森	久留島信濃守	1万2500石	10.1%	9,349	—	2000両	801.855
	岡	中川内膳正	7万490石	31.6%	33,670	—	7000両	5,016.432
	臼杵	稲葉能登守	5万65石	29.4%	21,701	—	5000両	2,404.265
	佐伯	毛利周防守	2万石	14.3%	16,600	—	3000両	1,522.080
日向	延岡	牧野越中守	8万9691石	38.5%	17,666	—	7000両	4,640.000
	高鍋	秋月長門守	2万7000石	33.1%	—	—	3000両	—

菊池勇夫『近世の飢饉』および池内長良「幕府の享保飢饉における幕府領・私領への救済」より作成

ものぼるわけだ。とすれば、全国の餓死者数も数十万人はくだらないということになる。

下の表は、『福岡県史』が紹介する筑前国那珂郡《ちくぜんのくになか》春日《かすが》村（福岡県春日市）の長円寺《ちょうえんじ》過去帳による死亡者数の変化である。この村の通常の死亡者はひと月に三人程度。それが飢饉の始まった七月から増えはじめ、翌享保一八年一月には一挙に六〇人、二月には六九人と最高に達する。通常の二〇倍以上だ。麦などの収穫が始まる四月から六月にかけては減少するが、ふたたび端《は》境期《ざかいき》となる七月には二三人と増え、以後は減少して稲の収穫の始まる一〇月にほぼ平年並みの四人に戻って落ち着いた。このグラフの動きを見ていると飢餓のすさまじさが実感される。

長円寺過去帳による春日村の月別死亡者数

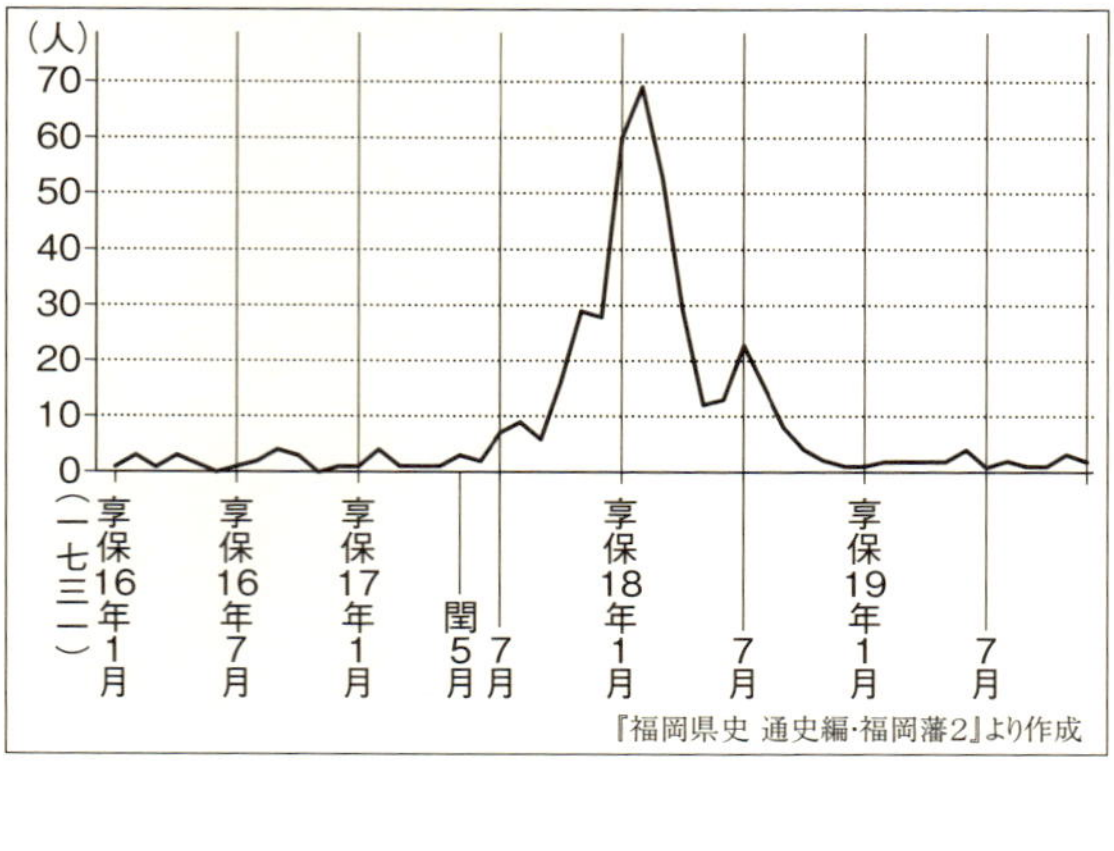

『福岡県史 通史編・福岡藩2』より作成

救済に乗り出す幕府

幕府領でも九州地方の被害がとくに大きかった。

七月、豊前《ぶぜん》・豊後《ぶんご》・日向《ひゅうが》・筑前《ちくぜん》を管轄する日田《ひた》代官増田《ますだ》太兵衛《たへえ》は作柄見分《さくがらけんぶん》役人の派遣を勘定奉行に要請するとともに、八月には代官所管内での夫食米《ぶじきまい》（食糧米）の貸与を始めた。九月、見分役人から損毛《そんもう》は平均八割にも及ぶとの報告を受けた江戸の勘定方では、代官所内部の夫食貸しだけでは対処できないと判断。一〇月、大坂御《おおさかお》蔵《くら》の痛米《いたみまい》（質の落ちた米）と買米《かいまい》（買い上げ米）とを合わせて一万六〇〇石《こく》を廻送《かいそう》した。日田代官所への廻米《かいまい》は、その後も含めて三万二〇九〇石にのぼった。中国・四国および畿内地方の代官所に対しても、同じように夫食米貸与が行なわれた。その総量は米一一万七八八石、銀一二四九貫《かん》一六〇匁《もんめ》、貸与人数は四三万二七〇四人に及んだ。

幕府のもとには私領の被害状況も逐一もたらされた。各藩の御救《おすくい》機能が十分に働いていないことも明らかであった。「公儀」としては、私領の御救にも乗り出さざるをえない。幕府が具体的にとったのは、つぎのような措置である。

ひとつは、年貢収入が半分以下に減少した大名や旗本《はたもと》に対して拝借金を貸与すること。これを受けた私領主は、大名四五、旗本二四、寺社一、計七〇を数え、総額は金三三万九一四〇両にのぼった（103ページの表）。個々の領主の拝借高は、知行高に応じて決められたようで、最高は和歌山・熊本・福岡・広島・萩・佐賀各藩の二万両、最低は旗本毛利《もうり》音之丞《おとのじょう》の七〇両であった。返済は、享保《きょうほう》一九年（一七三四）から五か年、無利息とされた。家臣への手当にも事欠いていた各藩では、ひと息ついたことだろう。

もうひとつは、食糧の不足する地域へ大坂から廻米を行なうこと。先の拝借金が私領主への直接的な救済措置であったのに対して、廻米は一般民衆に対する販売を目的にしたものであった。この廻米の原資として予定されたのは、①大坂御蔵囲米《かこいまい》から五万石、②江戸での買米三万石、③当年の幕府領年貢米から一〇万石、④各地の城詰米《じょうづめまい》から九万五〇〇〇石余、であった。このうち城詰米は、軍事兵粮米《ひょうろうまい》や非常用備蓄米として幕府直轄地や譜代《ふだい》藩などに置かれた特定の蔵に保管されたもので、延宝《えんぽう》四年（一六七六）には全国五九か所に計二四万石余が所在していた。享保の飢饉では、このうち美濃《みの》国大垣《おおがき》以西の三〇か所の城詰米が放出された。以上四種類で計二七万五〇八石余の予定量に対して、実際に廻送されたのは二六万二三二五石。ほぼ予定どおりが確保された。

廻送は各地からの希望額に応じて行なわれた。その状況を103ページの表にあわせて示している。これによれば、福岡藩は佐賀藩に次いで二番目に多く、享保一七年一二月二四日から翌年四月二六日まで二六回に分けて計二万三六二五石余の廻米を受領している。この間、通常一石あたり銀六〇匁ほどの米価が九〇匁から一一〇匁で推移した。かなりの高米価《こうべいか》だが、とにかく領内に米が流通するようになった。先に長円寺《ちょうえんじ》過去帳で見たように、これ以降死亡者数は減少する。遅ればせながら、幕府の廻米政策が効果を見せはじめたのだろう。

このように、私領主の存立と領民の生命とは、最終的に「公儀」によってなんとか保障された。これも吉宗《よしむね》政権期の「公儀」の姿である。

活発に行なわれた民間の施行

九州・四国・中国地方に比べて畿内の被害は、やや軽かった。それでも、拝借金を貸与された和《わ》歌山《かやま》藩・岸和田《きしわだ》藩の損毛率は五〇パーセントを超え、拝借金の見送られた明石《あかし》藩・小泉《こいずみ》藩・三田《さんだ》藩でも五〇パーセントを超えた。池内長良《いけうちながよし》の研究では、近畿地方全体で三八・三パーセントの損毛率と計算されている。しかも、飢饉の影響で、西日本から大坂への登米《のぼりまい》が大幅に減少した。享保《きょうほう》一七年（一七三二）一一月の大坂登米は、前年同時期の三七パーセントにとどまっている。このため、とくに都市部で米不足が深刻化した。以下、北原糸子《きたはらいとこ》の研究によりながら、大坂と京都の状況をみてみよう。

大坂から西日本への廻米《かいまい》が本格化した享保一七年一二月、幕府は畿内と西日本の幕府領に対して「飢人救合《うえびとすくいあわせ》」の高札《こうさつ》を立てるよう指示した。「米穀金銀の蓄えのある者は、身上《しんしょう》相応に飢人に合力《ごうりき》するか貸し渡し、蓄えがなくても平生のように暮らしている者は、夫《ぶ》食《じき》が足りない者と同じように食べ物を節約して、その余分を飢人に合力し、餓《が》死《し》者が出ないように介抱すべきだ」というのである。ただし、こうした合力は、この高札以前にも自主的に始められていた。たとえば博多《はかた》では、福岡藩の御救が見込めないなかで、富裕な町人数十人が一〇月二四日から施《せ》粥《がゆ》を実施している。

大坂では、享保一八年一月一九日に合力を奨励する町触《まちぶれ》が出され、以後急速に合力が広がった。大坂での特徴は二つある。

◉お救い小屋
天保の飢饉の際に、京都・三条河原に設けられたもの。寺社や有力町民の拠出により、周辺農村部から集まってきた飢人たちに施粥が行なわれた。（『荒歳流民救恤図《こうさいるみんきゅうじゅつず》』）

ひとつは、参加した町人の数がきわめて多いことだ。その数は一万一七七七人にのぼる。小口の供出者も少なくない。また、「一町切りに救い差し出す」町が三八三もあった。これは、町の家持《いえもち》層が米銀を出し合って町内の借家層を援助するもの。町内秩序を維持するために、「町の治者」(町の運営者)たちが行なった扶助活動といってよいだろう。

もうひとつは、特別に高額な者が目立つことだ。一〇〇両以上の者が六人、うち大和屋《やまとや》三郎《さぶろう》左衛《ざえ》門《もん》二一五三両、辰巳屋《たつみや》久左衛門《きゅうざえもん》一〇〇三両が群を抜いている。大坂商人一三〇人に米の買い占めを命じた買米《かいまい》御用商人のトップにいた人物である。享保一六年に幕府は低米価対策として大坂商人一三〇人に米の買い占めを命じたが、このときに大和屋は銀二〇〇〇貫目《かんめ》以上の利益を上げたという。金一両を銀六〇匁《もんめ》として換算すると、三万三三三三両余になる。そのため今回は、「世上《せじょう》」を恐れてわざわざ目立つような施行を行なったといううわさであった。大和屋の出金は、買米利益の約六・五パーセントにあたる。米売買で利益を上げた者は困窮者に施すべきだ、という空気が広がっていた。合力額のかなりの部分がこうした大商人の高額な供出金で占められていたことも、注意しておかなければならない。

報恩としての施行

こうした状況は京都でも同様であったが、規模は大坂ほど大きくない。参加した人数は四四〇〇人ほど、高額の者も三井《みつい》三郎助《さぶろうすけ》などによる三件が二〇両以上としてあげられるだけだ。

三井は越後屋《えちごや》の屋号で知られる豪商で、呉服商・両替商として財をなした。京都・江戸・大坂に本店を置くとともに、多くの家屋敷を所持していた。三井では、飢饉《ききん》時における町中への施行を「商売の冥加《みょうが》」と考えていた。冥加金といえば、商売の利益の一部を領主に上納する一種の営業税のことだが、もともと冥加という言葉は神仏の加護や恩恵に対するお礼を意味している。つまり、そこには報恩の意味が込められているのだ。

京都での施行の特徴は、寺院による困窮者への施行がさかんに行なわれたことだ。このうち真如《しんにょ》堂《どう》で行なわれた施行の銭三〇貫目《かんめ》はすべて三井の出資によるものであった。真如堂は三井家の菩提《ぼだい》寺《じ》。まさに報恩の行為そのものだ。ほかの寺院の施行でも、その原資となる米や銀は有志者の寄進であった。人びとの救済行為を寺院が媒介したということは重要だ。

飢饉時に寺院や僧侶が飢人《きにん》に施行することは、中世以来しきりに行なわれていた。寛正《かんしょう》二年（一四六一）の大飢饉では、時《じ》宗《しゅう》の僧願阿弥《がんあみ》が京都六角堂《ろっかくどう》に仮屋を設けて施行を行なった。この施行を支えたのは京中の土倉《どそう》や酒屋などの有徳人《うとくにん》（有得人とも。富裕者のこと）であった。こうした施行の伝統は、京都の人びとに記憶されていたに違いない。

黄檗宗《おうばくしゅう》の鉄眼道光《てつげんどうこう》は、鉄眼版大蔵経《だいぞうきょう》を刊行した人物として著名である。大蔵経は一切経《いっさいきょう》ともいい、漢訳された仏典を集大成

11

◉鉄眼道光
隠元の激励を受け、六九五六巻の「一切経」が約六万枚の板木に彫りつけられた。総費用は六万両にのぼったという。この木像は、板木の納められた萬福寺塔頭《たっちゅう》の宝蔵院《ほうぞういん》に祀《まつ》られている。

したもの。室町《むろまち》時代には、朝鮮半島との交易を通じて、高麗《こうらい》版大蔵経がしきりに輸入されていた。江戸時代になって最初に大蔵経を出版したのは、南光坊天海《なんこうぼうてんかい》である。徳川家康《とくがわいえやす》の全面的な支援を受けて行なったもので、天海版という。これは木活字《もっかつじ》による印刷で、刊行部数も少なく、しかも錯誤《さくご》の多いものであった。鉄眼版は、一枚の板木《はんぎ》に彫刻するいわゆる板木製版で、原本は隠元隆琦《いんげんりゅうき》が中国から持参した万暦本《ばんれきぼん》大蔵経であった。隠元は日本に黄檗禅を伝えた中国・明《みん》末の高僧。徳川幕府の支援を受けて、山城国宇治《やましろのくにうじ》に黄檗山萬福寺《まんぷくじ》を開いた。鉄眼版は、寛文《かんぶん》八年から天和《てんな》元年（一六六八～八一）までかけて、全六九五六巻が刊行された。この資金を得るために鉄眼は各地で講席を開き、参加者から寄進を集めた。寄進者には江戸の山崎半右衛門《やまざきはんえもん》や大坂の鴻池六右衛門《こうのいけろくえもん》などの豪商、出身地の熊本藩の藩主細川綱利《ほそかわつなとし》や豊後国《ぶんご》森《もり》藩の久留島通清《くるしまみちきよ》などの大名もいた。天海版を権力版とすれば、鉄眼版は民間版であった。鉄眼版は江戸時代を通じて版を重ね、列島各地に流布した。

　鉄眼が募金活動に精力を注いでいた延宝《えんぽう》期（一六七三～八一）は、大雨洪水が連続し、凶作や飢饉が続いていた。天和元年と二年も畿内や西日本では飢饉が広がっていた。大蔵経の出版に区切りをつけた鉄眼は、天和二年二月一三日から大坂の瑞龍寺《ずいりゅうじ》で飢人の施行に取り組む。長崎での黄檗僧の活動に倣ったもので、これには毎日数千人から二万人の飢人が集まった。この施行は、大蔵経刊行に寄進した商人たちの引き続いての援助で実現した。施行はひと月以上続いた。鉄眼はさらに米銀を募って京都にも施行を広げる計画であった。しかし、飢饉のなかで蔓延《まんえん》した疫病にかかり、三月二二日に死亡した。五三歳であった。鉄眼の施行も人びとの記憶に残っていた。

飢饉と民間社会

藩の社会と民間の義倉

非常用に米穀や金銭を貯蔵することは、古くから行なわれていた。江戸時代でも、幕府や藩の御蔵に囲米《かこいまい》をしたり、城詰米《じょうづめまい》の制度があったことは先にも触れた。とくに飢饉に備えて米穀を備蓄することを、義倉《ぎそう》とか社倉《しゃそう》とかいう。

義倉の制度は、律令《りつりょう》にも規定されていた。すべての公民から等級を設けて粟《あわ》を納入させるもので、国衙《こくが》が管理した。備荒用のため出挙《すいこ》（貸し出し）に使用することは禁止されたが、貯穀量も給与額も少なく、あまり効果はなかったといわれている。また、古代には米価調整のために米穀を蓄える常《じょう》平倉《へいそう》も設けられ、その貯穀が飢饉時に放出されることもあった。

江戸時代になると、中国・宋《そう》の朱子《しゅし》がとなえた社倉法が、儒者《じゅしゃ》の山崎闇斎《やまざきあんさい》によって紹介された。社倉法は、村里の有志が自主的に運営するもので、義倉および常平倉とあわせて三倉といわれた。原理的には、義倉が官の主導によるのに対して、社倉は民間の出資により民間が管理するものであったが、実際には区別は明確でなく、両者は混用された。社倉のもっとも早い例は、闇斎の影響を受けた会津《あいづ》藩の保科正之《ほしなまさゆき》が設けたものだが、その備蓄米は藩が準備したものであった。岡山藩でも池田光政《いけだみつまさ》の時代に津田重二郎永忠《つだじゅうじろうながただ》の管理のもとに社倉法が行なわれたが、原資は光政の娘の湯沐料《とうもくりょう》

（生活費として援助する資金）であり、それを利用して新田開発の資金などとした。いずれの場合も社倉といいながら、藩主導による官製の制度であった。

岡山藩では社倉法とは別に、畝麦《せむぎ》という制度もあった。承応《じょうおう》三年（一六五四）の洪水からの復興策のひとつとして池田光政によって行なわれたもので、村ごとに耕地一反《たん》につき二升《しょう》の麦を貯穀するよう命じられた。これを畝麦もしくは育麦《せむぎ》といい、貯蔵する倉を畝麦《せみ》倉・育麦倉《せみぐら》といった。畝麦倉は数か村に一か所設けられ、倉への麦の収納には大庄屋や代官が立ち会ったので、貢租に準じた強制的な貯穀であった。飢饉時には夫食《ぶじき》として使用され、平時は月一歩《ぶ》（一パーセント）の利付きで、凶年には無利息で貸し付けられた。管理や運用は村方に任されたが、基本的に藩主導の制度であった。

他方、一八世紀になると町方で民間主導の義倉が現われる。

含翠堂《がんすいどう》は、土橋友直《つちはしともなお》をはじめとした摂津国平野《せっつのくにひらの》郷《ごう》町（大阪市平野区）の有力町人が、享保《きょうほう》二年（一七一七）に自主的に組織した学習結社、いわゆる郷学《ごうがく》だ。含翠堂の活動の中心はいうまでもなく儒学《じゅがく》の学習活動だが、ほかに賑給《しんごう》活動も行なっていた。これは有志からの寄付金三〇両を施行料として運用し、飢饉時に困窮した郷民の救済にあてたものだ。実際に享保の飢饉のときには、この施行料が活用された。平野郷町では、

12

◉畝麦倉（岡山市）
粗壁《あらかべ》造りの土蔵で、庄屋の屋敷地の片隅などに設けられた。修理を加えて大切に使われ、現在も旧岡山藩領の各地に残されている。

元禄《げんろく》一三年（一七〇〇）に米価が高騰したとき、郷中から施米を集めて飢人に支給している。土橋友直ら「町の治者」たちは、こうした救済活動を制度化する必要を感じていたに違いない。それが含翠堂結成を機に、その活動のなかに組み込まれることになった。土橋友直は京都の古義堂《こぎどう》で伊藤仁斎《いとうじんさい》とその子の東涯《とうがい》に学んだ。施行はまさに「仁」の実践だ。学習と実践を結びつける、いかにも民間の郷学らしい姿だ。救済を恒常化する努力が民間で始まったことに注目しよう。

在町として発展していた備中《びっちゅう》国倉敷《くらしき》村（岡山県倉敷市）でも、明和《めいわ》六年（一七六九）に困窮者の救済を目的とした義倉が組織された。その約条によれば、供出は麦で行なわれ、これを義麦《ぎばく》といい、供出者を義衆《ぎしゅう》といった。当初の義衆は七四人、供出額は四石から三斗までの八等級に分かれていて、一年間の義麦の合計は五二石、麦一石あたり銀五〇匁《もんめ》換えで二貫《かん》六〇〇匁であった。義麦の供出は一〇年間続けられた。義衆は年一回修義会《しゅうぎかい》を開いたが、日常の義倉の管理は、村内の五つの寺院に任された。

義麦は飢饉時の施行米や捨子《すてご》養育料などに使われた。天明《てんめい》の飢饉のときには、銀二六貫六五〇匁が困窮者の夫食料《ぶじきりょう》に使われている。当時の倉敷村は世帯数一六三〇軒ほど、うち一四〇〇軒ほどが無高《むだか》層であった。ただし、通常は義衆に貸し付けられ、頼母子講《たのもしこう》のような機能も果たしており、のちに義衆への貸付高が増加した。義倉は「村の治者」による村民救済事業として始められたが、しだいに上層村民同士の相互扶助の側面が強まった。

宝暦の飢饉は人災か？

享保《きょうほう》と天明《てんめい》の大飢饉の間に挟まれてあまり有名ではないが、宝暦《ほうれき》の飢饉も東北地方では大きな被害をもたらしている。

宝暦五年（一七五五）は五月中旬から八月末まで雨が降りつづき、冷夏であった。初冬のような寒さで、八月に大霜が降り、稲作は皆無となった。津軽《つがる》地方では四月から八月まで東風（ヤマセ）が吹いたというから、オホーツク海の寒気によるヤマセ型の冷害であった。八戸《はちのへ》藩では、二万人に近い死者が出た。領内から八戸城下に飢人《きにん》が大量に流入した。城下の寺院で施粥《せがゆ》が行なわれたが、藩はほとんど無策であった。盛岡《もりおか》藩でも同じような惨状で、餓死者は五万人にのぼった。

この両藩に共通しているのは、端境期《はざかいき》になる七月頃に、前年の年貢米を江戸や大坂などに売り尽くしてしまったことだ。冷夏が続いていた七月には、凶作は十分に予測された。にもかかわらず、藩や米商人たちは高値につられて備蓄米まで領外に移出してしまった。これが飢饉の被害を拡大した。だから、飢饉史研究をリードする菊池勇夫《きくちいさお》は、明らかな人災だと評価している。仙台藩でも同様で、無計画な江戸廻米《かいまい》が行なわれたために、領内の餓死者は二万人に及んだ。

それに対して仙台藩の支藩である一関《いちのせき》藩では、備蓄米が確保され、藩によって適宜《てきぎ》に飢人に施されたため、餓死者は少なかった。また、弘前《ひろさき》藩でも藩が津留《つどめ》をして領内の余分な穀物を買い上げ、困窮者に安価で提供したため、やはり餓死者は少なかった。東北地方全体で餓死者は一〇数万人といわれるが、藩の対策によって被害状況にばらつきがあったのが宝暦の飢饉の特徴であった。

一関藩に建部清庵《たけべせいあん》という藩医がいた。名は由正《よしまさ》、字《あざな》は元策《げんさく》、医学知識の基本は漢方であったが、蘭方《らんぽう》外科医術に関心をもち、杉田玄白《すぎたげんぱく》とも交流があった。玄白の養嗣子《ようしし》となった伯元《はくげん》は清庵の五男である。一関藩では宝暦の飢饉の被害は少なかったが、他領から多くの飢人が領内に流れ込んできた。その悲惨《ひさん》な姿を見て、清庵は心を痛めていた。あるとき、友人の家で中国・明《みん》の愈汝《ゆじょ》為《い》が著わした救荒書『荒政要覧《こうせいようらん》』を見た清庵は、日本の実情にあった救荒書を著わそうと決意する。それが『民間備荒録《みんかんびこうろく》』である。自序の日付は宝暦五年一〇月となっているので、飢饉の最中に書き継がれたのだろう。完成後、一関藩に上呈され、地方《じかた》役人を通じて民間に広められた。確認されるもっとも古い刊本は明和《めいわ》八年（一七七一）版で、以後版を重ねて江戸時代を代表する救荒書となった。

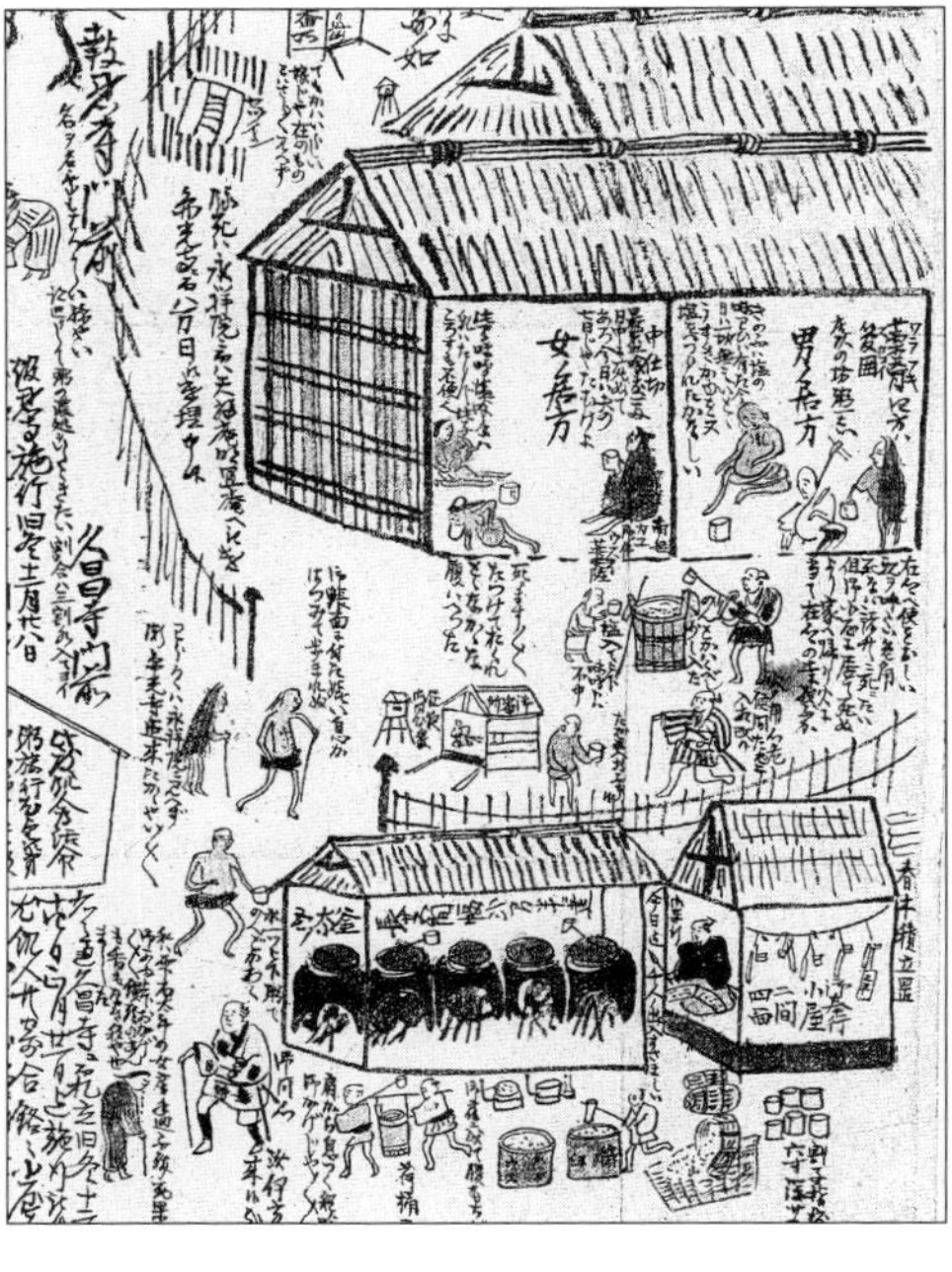
13

◉飢饉お救い小屋の図
宝暦五年の飢饉の際に、盛岡城下の寺院の門前に設けられたお救い小屋。「こいもうすいもかゆのおもかけ」「南無カユ陀仏ウスイ菩薩」と、粥の薄さを嘆く人びとが描かれている。（『自然未聞記《じねんみもんき》』）

飢饉で高まる「村の治者」への期待

『民間備荒録《みんかんびこうろく》』は上下二巻からなる。

上巻は、「備荒樹芸之法《びこうじゅげいのほう》」に始まり、農家の益にもなり、飢饉《ききん》には食の足しにもなるものとして、棗《なつめ》・栗・柿・桑《くわ》・油菜《あぶらな》の栽培を勧める。ここでの記述はおもに宮崎安貞《みやざきやすさだ》の『農業全書《のうぎょうぜんしょ》』によっている。『農業全書』は元禄《げんろく》一〇年（一六九七）に刊行された江戸時代を代表する農書《のうしょ》。列島各地で広く読まれ、老農たちはこれを参考にみずからの体験を加えて地域にあわせた農書を著わした。五穀を中心に商品作物についても幅広く取り上げており、建部清庵《たけべせいあん》もやはりこれを参考にした。次いで「備荒儲蓄之法《びこうちょちくのほう》」では、村ごとに柿・棗・桑・栗を植え、その収益で麦・粟《あわ》・稗《ひえ》を購入して備蓄することを勧める。

下巻の中心は「食草木葉法《くさのはをくいよう》」だ。飢饉のときに食すべき自生の草木を列挙し、その食用法を解説している。典拠となったのは、『荒政要覧《こうせいようらん》』をはじめ、李時珍《りじちん》の『本草綱目《ほんぞうこうもく》』、朱橚《しゅしょう》の『救《きゅう》荒本草《こうほんぞう》』、馮応京《まおうきょう》の『月令広義《げつれいこうぎ》』、王磐《おうばん》の『救荒野譜《きゅうこうやふ》』など、いずれも中国・明《みん》代の中国書籍であり、長崎を通じて輸入され、列島各地に普及していた。貝原益軒《かいばらえきけん》の『大和本草《やまとほんぞう》』や寺島良安《てらじまりょうあん》の『和漢三才図会《わかんさんさいずえ》』など日本の実学書も参考にした。しかし、たとえば「葛粉《くずこ》、民間云《い》う、くぞふじのねのこ也《なり》」というよう

14

◉建部清庵
一関藩医の家に生まれ、仙台や江戸で医学を学び、帰郷して藩医を継いだ。漢方医であったが、蘭方医の杉田玄白《すぎたげんぱく》とも交流した。

に、草木名には地元での呼称（清庵はこれを「方言」と書いている）を付けており、土地の古老から聞き取った体験談を付記しているところもある。書物から得られた知識を実際に確かめながら記しているのだ。学問と民間知との融合である。

「風犬咬傷治方《やまいいぬかみきずなおしよう》」「蛇咬傷治方《へびかみきずなおしよう》」「解毒法《どくけしのほう》」などを記しているのも興味深い。「風犬」は狂犬のこと。飢饉時に狂犬病が流行することは、享保《きょうほう》の飢饉でも経験された。鍼《はり》や施薬のほか、人尿《じんにょう》による洗浄や人糞《じんぷん》の灸《きゅう》をはじめ民間療法のようなことも記されている。そして最後は「祈禱《きとう》」で締めくくられる。「至誠天地を動かし、鬼神を感ぜしむ」として、人事を尽くしたあとには「天」を祈れと説く。「人事」をとことん尽くしたあとに「天命」を慫慂《しょうよう》と受け入れるというのは、当時の「村の治者」である老農たちに共通する信条であった。清庵も老農の心性を共有していた。

『民間備荒録』について注目しておきたいことを二つあげる。

ひとつは、清庵がこの書を著わした動機を「吾人《ごじん》平日農夫の力にて、安楽に歳月を送りし恩の万分の一も報いなんは、せめて此《こ》の時なるべし」と述べていること。日々安楽に暮らせるのは百姓の

15

◉『民間備荒録』に描かれた飢人たち
飢饉に備える方法や、飢饉の際に食用とすべき救荒植物などを記した書が多く出されたが、『民間備荒録』はそのさきがけで、版を重ねた。

力であり、その恩に万分の一でも報いるのは、まさにこの時である。清庵にとって飢人《きにん》を救うことは、百姓への報恩と意識されていた。施行を報恩と意識するのと同じだ。

もうひとつは、救荒や備荒は「邑長保正《むらのおさほのかみ》」つまり庄屋・村役人の役目だとし、彼らにこそ読ませるためにこの書を著わしたこと。末尾で清庵は、中国・元《げん》の張養浩《ちょうようこう》の『牧民忠告《ぼくみんちゅうこく》』を引きながら、「大なれば天下、小なれば一村を治《おさむ》るに、其《そ》の理何ぞたがう事あらんや。一村の長となり、一村の民の飢寒を救う事も、常々かくのごとく心を尽《つく》しなば、其の術のなき事やあるべき」と述べている。天下であれ一村であれ、それを治める道理に違いはない。一村の長として一村の民を救うことを、つねに心をかけるべきだというのだ。飢饉を経験し、知識人は「村の治者」への期待をますます高めた。

天明の飢饉における東北地方の惨状

天明《てんめい》二年(一七八二)、盛岡《もりおか》藩などで冷害による凶作の気配が広がりはじめていた。翌天明三年は浅間山《あさまやま》の大噴火があり、火山灰が空を覆って寒冷な気候に拍車をかけた。東北地方では穀物がほとんど実らず、同年七月頃から、各地で米の安売りを求める強訴《ごうそ》や打ちこわしが起こりはじめる。八月に入って各藩は、穀物の領外移出を禁止する津留《つどめ》を命じるが、時すでに遅く領内に穀物はほとんど残っていなかった。宝暦《ほうれき》の飢饉の再現であった。村方からの流浪人《るろうにん》が都市に入り込むようになる。藩はやむなく町場での施行《せぎょう》を始めるが、領主にも余力はほとんどなかった。村々からは、年貢免除や夫食米《ぶじきまい》支給などの御救《おすくい》要求が藩に出される。藩は幕府に窮状を訴え、援助を求めた。

幕府は正確な被害状況の提出を求めた。それによると、天明三年は弘前《ひろさき》藩は皆無作《かいむさく》、八戸《はちのへ》藩は九六パーセント、盛岡藩は六七パーセント、仙台《せんだい》藩は九六パーセント、中村《なかむら》藩（相馬《そうま》藩）は八九パーセントの損毛《そんもう》、などであった。これに対して幕府は、信濃国《しなののくに》小諸《こもろ》藩・上野国《こうずけ》小幡《おばた》藩・弘前藩・会津《あいづ》藩・三春《みはる》藩・中村藩に拝借金を下賜《かし》しただけであった。基準は不明だが、弘前藩へは金一万両、中村藩へは金五〇〇〇両が下された。これにより弘前藩では施行が続けられ、城下町に設けられた施行小屋は天明五年四月まで継続された。しかし、被害の拡大防止には焼け石に水であった。弘前藩内の餓死者数は八万から一〇万人にのぼったとみられている。

東北地方の惨状は、さまざまに伝えられた。天明五年に津軽地方を旅した菅江真澄《すがえますみ》は、崩れた農家と累々《るいるい》とした白骨の山を見る。通りかかった土地の人は、生きた馬を殺して食べた様子や人肉を食べた人もあったことを話して聞かせる。その人は藁《わら》を搗《つ》いて餅《もち》にしたり、葛蕨《くずわらび》の根を掘って食べたりして命をつないだと言い、「仏教でいう悪鬼・悪神の羅刹《らせつ》や阿修羅《あしゅら》が住む国というのは、さながらこんな様子だろうか」と嘆く。それは真澄自身の感慨でもあったろう。

松平定信《まつだいらさだのぶ》は『宇下人言《うげのひとごと》』で、天明六年に諸国人別改《しょこくにんべつあらた》めをしたとき、安永《あんえい》九年（一七八〇）と比べて七年間で一四〇万人減少

16

◉菅江真澄
三河国《みかわのくに》出身の博物学者。天明《てんめい》期以降に東北地方や蝦夷地《えぞち》を遊歴し、各地の生活風俗を記録し、『菅江真澄遊覧記《すがえますみゆうらんき》』にまとめた。

していたと述べている。享保《きょうほう》の飢饉と比べてみると、幕府の「公儀」としての救済機能はほとんど発揮されなかった。わずかに実施された藩の御救策《おすくい》も、領民の生命維持を保障するものではまったくなかった。

「いのち」を守る郡中議定

食糧不足が深刻になりつつあった天明《てんめい》三年（一七八三）一一月、出羽国村山《でわのくにむらやま》地方（山形市周辺）では幕府領・私領あわせて一一〇数か村の代表が集会して穀留《こくどめ》などの郡中議定《ぐんちゅうぎじょう》を行なった。村山郡から仙台藩領など他地域に通じる街道の八か所に口留番所《くちどめばんしょ》を設け、米穀はもちろん粟《あわ》・稗《ひえ》・蕎麦《そば》・大麦・小麦・麩《ふ》殻《がら》・飴《あめ》・おこし・饂《う》飩《どん》・素麵《そうめん》・菓子の類《たぐい》まで、食料になるようなものはいっさい持ち出し禁止としたのだ。

宝暦《ほうれき》の飢饉のときに、弘前《ひろさき》藩や一関《いちのせき》藩が領内の食糧を確保するために津留《つどめ》を行なったことは先にも触れた。領主による御救機能の一環であった。これに対して村山地方は、幕府領や私領が混在するいわゆる非領国地帯であったために、地域としての統一的な対応は困難であった。しかし、安永《あんえい》期（一七七二～八一）からは幕府領・私領を超えて村々の代表が集会し、地域の共通課題について郡中議定を作成して結束を図るようになっていた。天明の飢饉のときには、その機能が発動されたのだ。穀留の郡中議定は、以後天明の飢饉を通じて毎年繰り返された。

こうした議定を行なったとしても飢饉の猛威を防ぐことはできなかっただろうが、被害を緩和するための効果はそれなりにあったと思われる。近世史家の平川新《ひらかわあらた》はこれを「生活・生命すら保障されえないという危機的状況のなかから立ち上がってきた生存共同体」と評価した。納得できる指摘だ。この郡中議定の評価に関しては、つぎの二つのことに注意しておきたい。

ひとつは、郡中議定の成立と運用に、幕府代官が深く関与していたことである。当初郡内の私領の村々では、穀類を自領内のみで融通しようとする動きがあったが、これを幕府領・私領を問わず郡中として融通するよう指導したのは幕府代官であった。つまり、郡中議定の担い手は幕府領の郡中惣代《そうだい》や私領の大庄屋たちであったのだが、彼らの集会は幕府領・私領を含めた地域秩序を安定させるという「公儀」の機能を代行するものでもあったのだ。しかし他方では、その「公儀」の公共機能が、領主間の調整ではなく幕府領・私領を超えた村々の自主的結合に依拠するかたちでしか実現しなかったのも事実である。地域住民の生存や「百姓成立《なりたち》」は、郡中の指導者たちにとっても「公儀」にとっても、共通の課題であった。だから、代官の関与をもって

出羽国村山地方

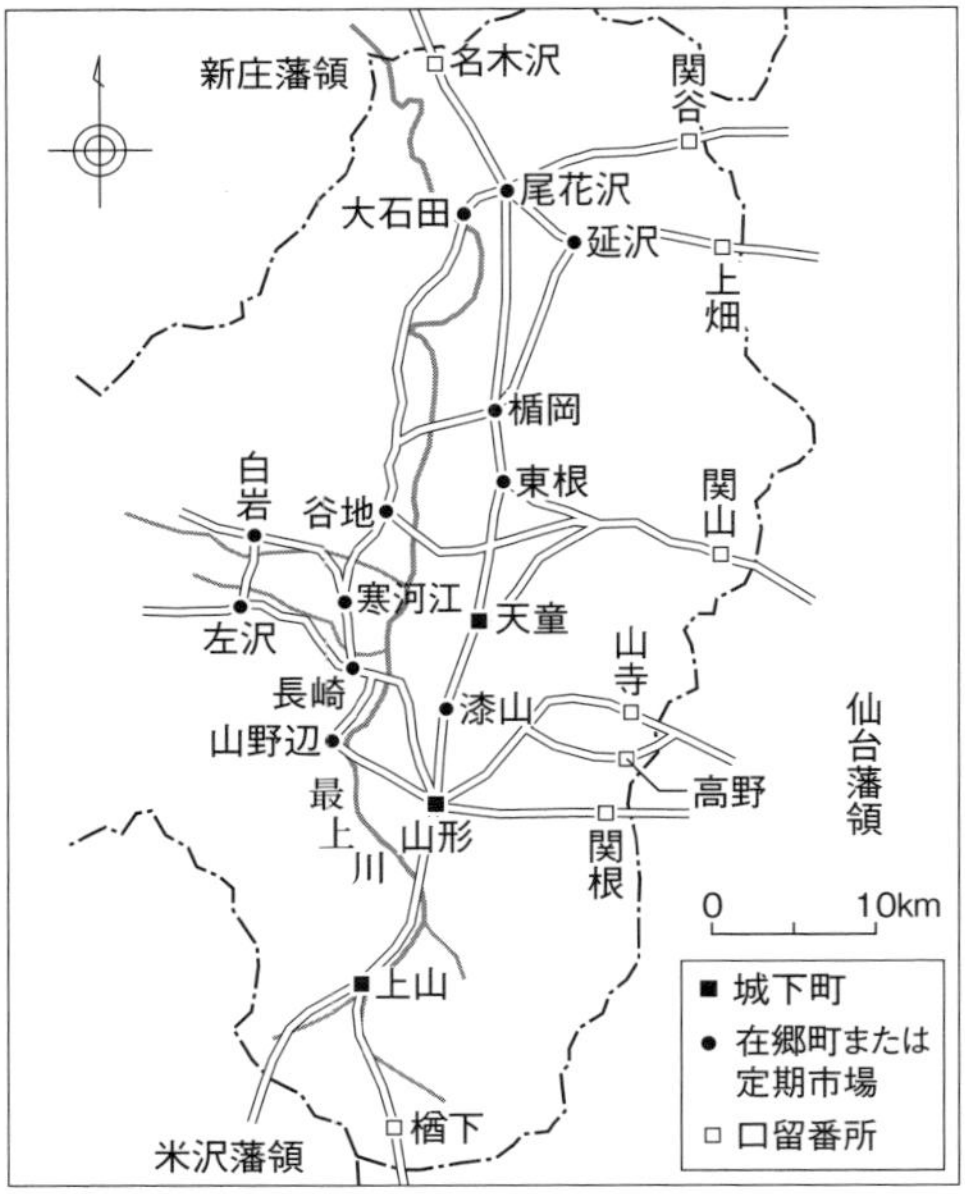

この組織をたんなる支配の補完物と評価するのは適切でない。むしろ、こうした経験を繰り返すなかで、郡中の指導者たちが「地域の治者」へと成長していくことに注目すべきだろう。彼らのことを平川新は「地域リーダー」と呼んでいる。

もうひとつは、郡中議定が内と外に対してもった矛盾と対抗である。議定では郡中への穀留を実施する一方で、自村内に穀物を留め置くことは禁じた。村留《むらどめ》を禁じて郡留《ぐんどめ》を強調するのは、郡規模での流通と交流に深いかかわりをもつ豪農商の利害に合致し、村を生活基盤として村内への穀物の確保を願う中下層の村民との間に矛盾を抱えることでもあった。その意味では、郡中への穀留は、豪農商の地域支配に依拠するかたちで村人の生存を図ろうとする「村の治者」たちの選択であったともいえる。また、郡中での穀留は、他地域とりわけ都市への廻米《かいまい》を要求する都市下層民と対立するものでもあった。つまり地域の自立が地域間利害の対立を生じ、全国規模での利害調整を「公儀」に迫る状況が生まれるということである。それは「治」の重層の問題であるとともに、人びとの国家意識の問題でもあったのだが、この時点では列島各地の人びとは、藩や郡中という地域を単位とした公共機能を強化するかたちで、生存を維持しようとしていたと考えてよいだろう。

打ちこわしが施行を引き出す

天明《てんめい》の飢饉《ききん》は、西日本でも深刻であった。美作国《みまさかのくに》では、天明元年・二年（一七八一・八二）と長雨などの気候不順が続き、稲も木綿も不作であった。勝南《しょうなん》郡岩見田《いわみだ》村（岡山県美作市）の赤堀氏が著わした「日記帳」によれば、東部の在町である美作倉敷《くらしき》（同市林野《はやしの》）では、平年なら一石《こく》につき銀四〇匁《もんめ》代の米価が、天明二年の末には七〇匁代に高騰した。翌天明三年は春になっても気温が上がらず、五月には「大氷」（雹《ひょう》）が降り、煙草《たばこ》や木綿にも被害が出た。五月二六日、津山《つやま》城下町で四軒の商家が打ちこわされた。米の売り惜しみが原因のようだ。首謀者一〇人あまりが捕らえられたが、四軒のうち二軒の商人も籠舎《ろうしゃ》（投獄）となったという。この後、町内の富裕者が米を供出して、困窮者への施行が行なわれた。

六月五日、美作倉敷では米商人を打ちこわすとの立札《たてふだ》が立てられた。代官が出張して米商人が五〇日の閉門に処されたため、何事も起こらなかった。しかし、凶作は避けられず、年末には米価は九五匁にまでなった。明けて天明四年正月、米価は一〇〇匁を超え、食に困って欠落《かけおち》する者が増加した。倉敷村に近い岩見田村でも、飢えた流浪人《るろうにん》が一日に八〇人も入り込むようになった。赤堀家では粥《かゆ》を炊いて振る舞ったが、米も麦も尽きて、稗《ひえ》を炊いて施行《せぎょう》した。

天明四年・五年も作柄は芳しくなかった。各地で穀物の安売りを求める騒動や打ちこわしが起きた。以後、打ちこわしと交錯しながら領主や民間の施行が展開する。

天明六年は、五月頃から雨が降りつづき、時ならぬ冷気に作物も熟さ

17

◉飢饉の記録
夫の死骸《しがい》に群がる犬たちを、なすすべもなく見つめる妻。宮城県登米《とよま》地方の惨状。（『天明飢死図集《てんめいきしずしゅう》』）

なかった。おまけに、七月には大雨によって江戸をはじめ関東各地で大洪水になった。八月から年末にかけて、諸国ともに飢饉の様相が深まった。天明四年の飢饉のとき、江戸では米穀売買勝手令を出して周辺地域からの穀物の流入と自由な商売を許可した。これにより、深刻な食糧不足はかろうじて回避された。天明六年も幕府は九月に米穀売買勝手令を出した。しかし今回は、周辺の関東農村も飢饉に陥っていた。翌天明七年一月、幕府は大坂で米一万石を買い付け、江戸へ廻送した。このため、大坂で投機的な買米《かいまい》が起こり米価が急騰する。他方、江戸では廻米の効果もなく、米価の高騰はおさまらなかった。五月二〇日、ついに江戸で大規模な打ちこわしが発生する。

打ちこわしに前後して市中の各地で施行が行なわれた。施行には、「町中」による相互扶助的なものから豪商の高額な寄付金による恩恵的なものまで、さまざまなタイプがあった。ただし、多くの場合は、施行者が居住する町と打ちこわしが起こった地区とはほとんど重なっていた。江戸での三井《みつい》家の救済事業を分析した北原糸子《きたはらいとこ》は、打ちこわし以前は出入りの職人や所持する町屋の借家人に対して行なわれていた施行が、打ちこわし後には居住する町内や周辺の町への施行に拡大していることを明らかにしている。その後も施行対象地区は周辺の町々へじわじわと拡大していった。打ちこわしが、富裕者や篤志家の救済活動を引き出したことは間違いない。

大坂では、江戸に先立つ五月一二日に町続きの農村部から騒動が起こった。この動きは大坂町中の周辺部を巻き込んで広がり、さらに中心部の打ちこわしへと発展した。騒動のなかでは、各所で米の安売りを強要する押買《おしがい》も行なわれた。一二日の夜には、町ごとに困窮者を取り調べ、町内として手当《てあて》するようにという町触《まちぶれ》が出される。これをうけて、翌日から各町での救済が始まる。おおかたの町では、町がまとめて米を買い、これを町内の困窮者に安値で販売した。購入金と売上代との差額（間銀《あいぎん》）は町内の家持《いえもち》が軒割りで負担した。「町の治者」による救済といってよい。一六日になると「身元宜《みもとよろ》しき者」による施行を促す町触が出され、一八日には惣会所《そうかいしよ》で行なう施行への寄付を呼びかける町触が出される。惣会所による施行は、二二日と二八日の二回にわたって行なわれた。江戸時代の大坂は、北組《きたぐみ》・南組《みなみぐみ》・天満組《てんまぐみ》という三つの町組《まちぐみ》に分けられ、これを三郷《さんごう》といった。惣会所は大坂三郷の町政機関。大坂町奉行所と惣会所とによる組織的な施行が、打ちこわしの混乱を比較的早期に沈静化したようだ。

江戸町会所では、打ちこわし後の寛政《かんせい》三年（一七九一）に、町奉行所の指導のもとに「七分積金《しちぶつみきん》」制が始められる。これは、町政運営の費用である町入用《ちょうにゅうよう》を節約し、その七割を積み立てて非常時の窮民救済や日常の救恤《きゅうじゅつ》にあてようという制度であった。日常的な町運営に義倉《ぎそう》の機能を組み込んだものといえるだろう。「公儀」の救済機能を町政機構が代行する制度ともいえるし、救済機能を制度的に組み込まなければ町運営自体が成り立たない状況になったともいえる。民衆の動きに押されるかたちで、「公儀」と「町の治者」たちとが折り合って生まれたひとつのシステムであった。

コラム2

閘門式運河

閘門式《こうもんしき》運河は、図のように、前後に設けられた二つの樋門《ひもん》を交互に開閉させて水量を調節し、船舶の通行を確保する水路のこと。もっとも有名なのは一九一四年に建設されたパナマ運河だが、それより二〇〇年前、享保《きょうほう》一六年（一七三一）に井沢弥惣兵衛《いざわやそべえ》が手がけた見沼《みぬま》通船（さいたま市）も、この方式をとっていた。

これより五〇年以上前に、いまの岡山県内で二つの閘門式運河がつくられていた。ひとつは、備中《びっちゅう》松山藩水谷《みずのや》氏が高梁《たかはし》川と玉島湊《たましまみなと》とを結ぶ高瀬《たかせ》通《どお》し（運河）に設けたもので、延宝《えんぽう》二年（一六七四）に完成した。もうひとつは、岡山藩の津田永忠《つだながただ》が延宝七年に吉井《よしい》川と旭《あさひ》川とを結ぶ運河・倉安《くらやす》川に建設したもの。沖新田《おきしんでん》の用水路としても利用された。重二郎が開発した幸島《こうじま》新田や沖新田では、二つの樋門を操作して潮留め堤での排水が調節されている。これも閘門の原理に通じるものだ。

こうした技術の成立や伝播《でんぱ》について明らかにすることが、今後の課題である。

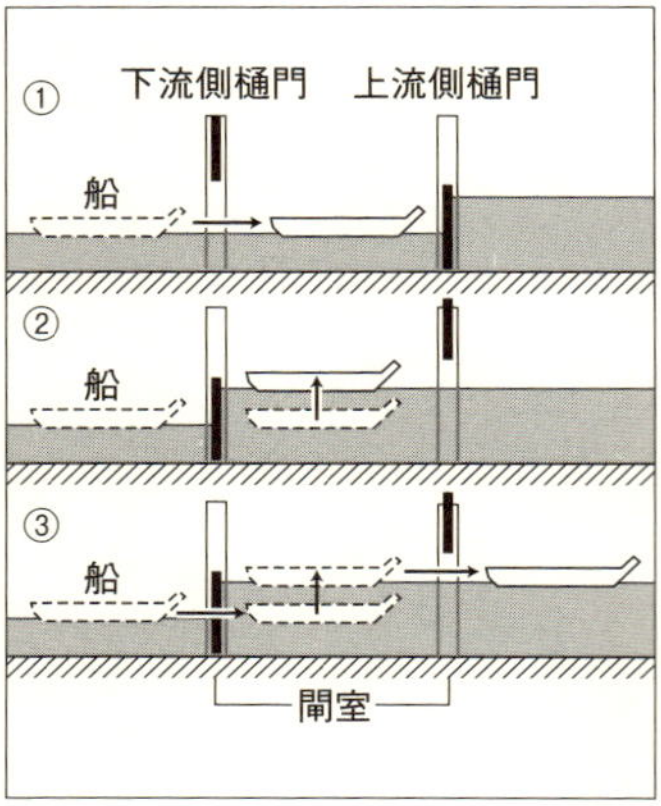

◉閘門の仕組み
上流へと船を遡行させる設備として、現在でも世界各地にみられる。原理は単純だが、高度な石組み技術が必要だった。

第三章 田沼時代と国益

1

開発と「公儀」の行方

再開される御手伝普請

前章の終わりから時間を五〇年ほど戻して吉宗《よしむね》政権の末期に返ってみよう。話題も、地域開発をめぐる幕府と藩の問題に戻したい。

享保《きょうほう》の飢饉《ききん》は、列島社会に大きな衝撃を与えた。幕府は各地の復興のために多くの財源を投入せざるをえなかったし、年貢増徴のための諸政策も一時頓挫《とんざ》した。各地の治水事業を「公儀」が行なう国役普請《くにやくふしん》制度も停止となった。しかし、洪水は各地で絶え間なく起こり、幕府も私領主も個別の対応に追われる。

寛保《かんぽう》二年（一七四二）七月二七日から八月一日にかけて強烈な台風が日本列島を襲う。京都では三条大橋《さんじょうおおはし》が流れ落ち、伏見《ふしみ》・淀《よど》は洪水になった。関東や信州の河川もつぎつぎに氾濫《はんらん》。江戸では隅田川《すみだがわ》の堤が切れて本所《ほんじょ》・深川《ふかがわ》が水浸しになり、『武江年表《ぶこうねんぴょう》』は溺死者《できししゃ》が二〇〇〇人と記す。一〇月六日幕府は、熊本藩細川《ほそかわ》家・萩《はぎ》藩毛利《もうり》家・岡山藩池田《いけだ》家・津《つ》藩藤堂《とうどう》家をはじめ西日本の一一家の大名に関東川筋の御手伝普請《おてつだいぶしん》を命じる。享保期（一七一六〜三六）には「公儀」の御普請に大名家を動員することは見送られていたが、今回はその助力に頼らざるをえなかった。

延享《えんきょう》四年（一七四七）一一月には、高知藩山内《やまうち》家・鳥取藩池田家をはじめ六家の大名に、東海道

◉火を噴く浅間山
天明《てんめい》三年（一七八三）七月の噴火の様子。周辺への直接被害だけでなく、上空を漂った火山灰が、北半球の気温低下をもたらした。（『夜分大焼之図《やぶんおおやけのず》』）　前ページ図版

筋および甲斐《かい》にある諸河川を御手伝として普請することが課された。このうち鳥取藩は甲斐の釜無《かまなし》川《がわ》・笛吹川《ふえふきがわ》の修復、および信濃境《しなのさかい》までの道橋修理を命じられている。藩が負担した費用は総計五万両。そのほとんどは、鴻池家《こうのいけ》など大坂の商人たちからの借入金である。御手伝普請の費用をまかなうために、領内外の豪商から借金するという事情は、どの藩でも同じであった。

多くの犠牲者を生んだ宝暦治水

美濃《みの》地域も洪水多発地帯であったが、宝《ほう》暦《れき》三年（一七五三）八月の大洪水はこの地域に大きな被害をもたらした。幕府はこの被害の修復とあわせて、かねてからの懸案であった木曾《きそ》川《がわ》・長良川《ながらがわ》・揖斐川《いびがわ》のいわゆる木曾三川の分流工事を実行することにした。そして、この一連の工事を鹿児島藩島津《しまづ》家に御手伝普請《おてつだいぶしん》として命じた。幕府勘定奉行一色周防守政流《いっしきすおうのかみまさひろ》が総責任者になり、勘定方や美濃郡代などから多数の幕府方役人がかかわっている。他方、鹿児島藩側からは総

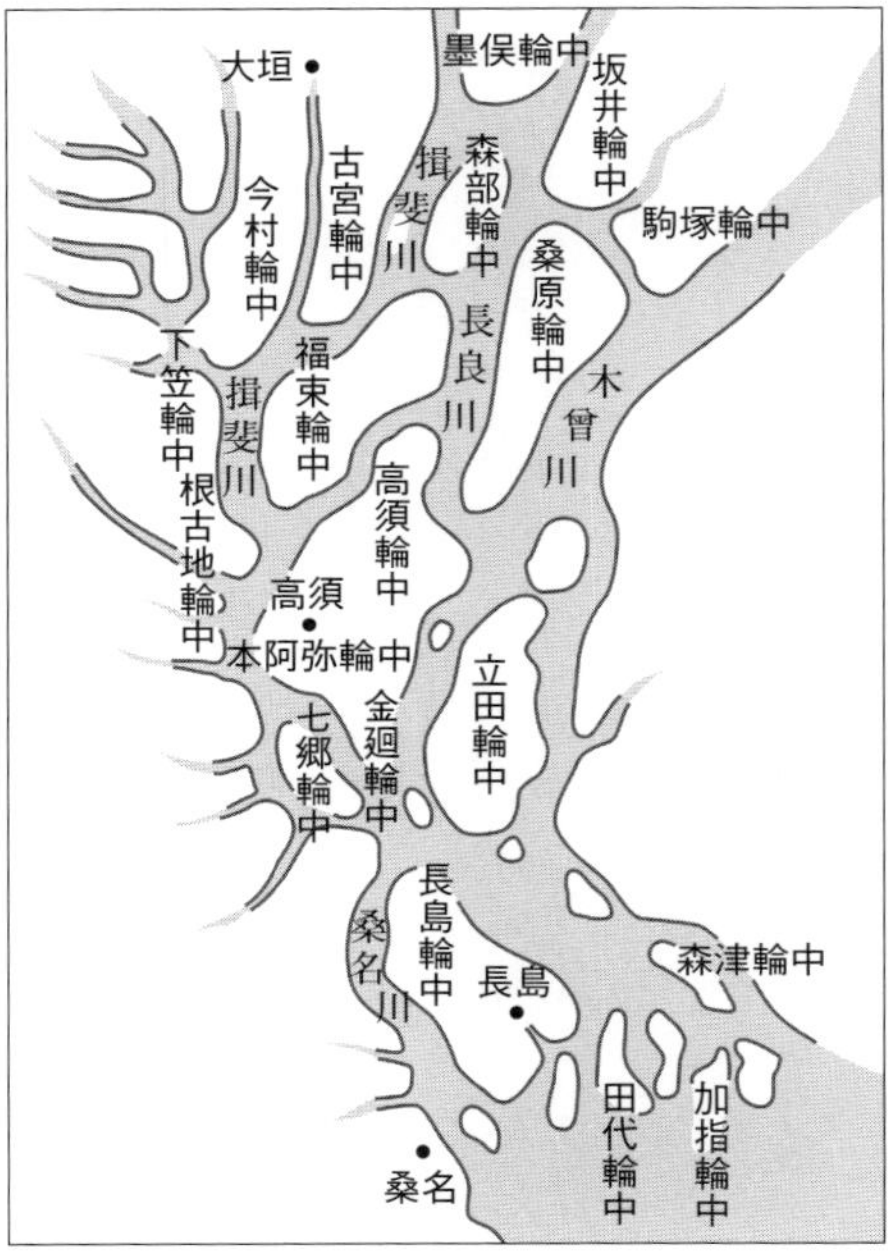

●木曾三川の輪中地帯
濃尾《のうび》平野を貫流する三大河川が網の目のように合流する。流れの抵抗を下げるために丸形に堤を築いて輪中を形成し、土地を確保している様子がわかる。このあと、輪中の間に堤を築いて分流させる工事を行なう。

奉行家老平田靭負《ひらたゆきえ》をはじめ、家士《かし》から歩行《かち》（徒）・足軽《あしがる》まで総勢九四七人が派遣される。現地で雇われた人夫を加えると鹿児島勢は二〇〇〇人に及んだ。対象となる流域は三川の河口から上流約六〇キロメートル、関係する村々は美濃・尾張《おわり》・伊勢《いせ》三国の一九三か村を数えた。

工事は宝暦四年に始められ、翌年までかかっている。工事内容は二つに分かれていて、最初に洪水で被害を受けた堤などを修復する工事が行なわれた。この工事は地元の村々が請け負うかたちのものが多く、周辺の村人が普請人足に雇われている。人足賃は、自村の現場で働くときは一人につき一日銀一匁《もんめ》七分《ふん》、他村へ出る場合は銀二匁が支給された。元禄期《げんろくき》（一六八八～一七〇四）では、銀一匁だったので、百姓側に有利な条件である。幕府はこれを「村方助成御救《むらかたじょせいおすくい》」のためと称している。鹿児島藩は、治水工事の面だけでなく、民政面でも「公儀」の御救《おすくい》機能の肩代わりをさせられた格好だ。しかも夏の増水期を迎える前に修復を終えるように、工事を急ぐ必要もあった。遠く鹿児島から来た藩士たちは現地の事情に疎《うと》い。文化や習慣の違いによる軋轢《あつれき》もあっただろう。村方や百姓とのトラブルが絶えなかった。それでも、二月から始められた修復工事は、五月中には終了した。

もうひとつの三川分流工事は、このあたりの洪水の根本原因を取り除こうとするものである。その原因というのは、三川のうち木曾川に土砂の堆積《たいせき》が激しく、河床が上昇していたことであった。このため三川が合流するあたりではほかの川よりも水かさが高くなり、とりわけ揖斐川の水行を妨げた。これを解決するため、川の中などに導流堤を設けて三つの川を分流させる計画が立てられたのだ。これは、享保《きょうほう》末年に一時美濃郡代を兼帯した井沢弥惣兵衛《いざわやそべえ》が考え出したものといわれている。

分流工事は減水期を迎える九月に始められた。技術的にも高度なため、工事はおもに町人請負のかたちで進められている。この場合も、鹿児島藩士たちは町人や職人たちとの交渉や対応に不慣れで、おまけに難工事であったため計画の変更や工期の延長が続いた。その結果、工事費がかさみ、当初予定していた一〇万両をはるかに超えて総計四〇万両にものぼった。結局鹿児島藩は、その大部分を借金してまかなわなければならず、それが負債となって以後長く藩を苦しめることになる。

足かけ二年の工事期間中に、八八人の犠牲者が出た。内訳は、自殺した者五四人、病死などが三四人である。犠牲者のうち鹿児島藩士は八四人、うち自刃《じじん》したものが五二人であった。ほかに例を見ない異常な数字だ。自刃した者の個々の事情はよくわからないが、幕府方役人や村方・百姓、町人・職人との軋轢が原因で、みずから責任をとったといわれる。

宝暦五年五月二四日、工事がすべて終了し幕府から帰国が許された。翌日、総奉行の平田靱負は、はるか鹿児島の地を望んで自刃して果てた。多額の費用を費やしたことと、多数の犠牲者を出したことの責任をとったと伝えられている。多くの鹿児島藩士に、「公儀」の権能を分担しているという自覚は乏しかっただろう。彼らは、自藩への帰属意識や藩主への忠義心から責任をとったに違いない。「公儀」の事業を藩が御手伝として行なうことの矛盾がもっとも深刻に現われた事件であった。

2

◉平田靱負
外様《とざま》の大藩・鹿児島藩の弱体化もねらった幕府の指名といわれる。靱負は遠い無縁の地で九四七名の藩士たちを率い、工事を完了させた。

再編された国役普請も始まる

宝暦《ほうれき》治水の異様な実態は、幕府の治水政策になんらかの影響を与えたに違いない。宝暦七年・八年（一七五七・五八）と諸国で大洪水が続いた。「公儀」による御普請を要請する声が各地から幕府に寄せられた。宝暦八年一二月、やむなく幕府は翌年より国役《くにやく》普請を再開すると触れた。再開は、ちょうど田沼《たぬま》時代が始まる時期にあたっている。

領民と私領主の強い要求に押されるかたちで、国役普請が復活された。しかし、幕府の財政難も深刻の度を増していた。そこで幕府は、国役普請に御手伝普請を組み込むことで、財政負担を軽減しようと図った。こうしたやり方であれば、単独で御手伝普請を命じる場合の矛盾も緩和できるだろう。この新しい方式は、明和《めいわ》期（一七六四〜七二）以降明確にとられるようになる。個々の場合で具体的な経過や様相は異なるが、笠谷《かさや》和比古《かずひこ》の研究によれば、おおまかには、つぎのようなかたちをとっていた。

第一に、治水工事全体は幕府の一元的な管理のもとに遂行され、総費用も幕府によって立て替え払いされる。この面では、「公儀」による御普請と意識される。

第二に、総費用のうち八割強は助役《じょやく》を命じられた大名が負担する。これが御手伝普請にあたる。

第三に、残りの費用の一〇分の九が国役割りされ、村々から徴収される。これが国役普請に該当する。残りの一〇分の一、全体の約二パーセントにあたるが、これが最終的な幕府負担になった。

まさに、「公儀」の御普請のうちに御手伝普請と国役普請とが完全に縒《よ》り込まれることになったのだ。これによって、享保《きょうほう》の国役普請制度と比べても幕府の負担は大幅に軽減される。幕府の財政負担を軽減しつつ「公儀」の権能を維持する方式だといってよい。ただし、この方式でも当座の費用は幕府が立て替えなければならない。そのため、御手伝をする大名や国役を負担する村方の疲弊が進むと、立替金の回収が滞るようになった。文政《ぶんせい》七年（一八二四）、一万石以上の大名による国役普請願いが停止されることによりこの制度は事実上終焉《しゅうえん》したが、天保《てんぽう》一三年（一八四二）時点でも、幕府立替金の未償還額は金二一万三六〇〇両余あった。

国役普請制度の終焉が、幕府の「公儀」機能の後退を示すひとつの象徴的な出来事であることは間違いないだろう。

一〇〇年かかった児島湾の新田開発

享保《きょうほう》の改革《かいかく》で始められた「公儀新田《こうぎしんでん》」開発政策も、思うような成果をあげることができなかった。岡山地域を例にして、その行方《ゆくえ》を追ってみよう。

享保五年（一七二〇）備中《びっちゅう》国都宇《つう》郡早島《はやしま》村（岡山県早島町）に住む浪人《ろうにん》の梶坂佐四郎《かじさかさしろう》が、児島《こじま》湾北西部の干潟《ひがた》の新田開発を幕府に願い出た。干潟の形成が進んでいた児島湾では、江戸時代初めからの開発によってすでに多くの新田が造成されていた。佐四郎はさらにその沖手《おきて》の開発を行なおうとしたのだ。彼は岡山藩の重臣津田永忠《つだながただ》の子で、父が計画しながら実現できなかった事業を、藩を離れた浪人として実現しようとしたものらしい。湾の北西部は、妹尾《せのお》・早島《はやしま》・帯江《おびえ》の旗本《はたもと》戸川《とがわ》三家および箕島《みしま》の旗本花房《はなぶさ》家の知行所が連なっており、これら備中側との調整が不可欠であった。幕府への出願にあたって佐四郎は、できあがった新田のうち、陸側半分は備中分、沖側半分は備前児島《びぜんこじま》分、という約束を双方の村方から取り付けていたという。

ところが幕府の指示は、当該地は備中国の地先《ちさき》だから備中新田として開発せよ、というものであった。帰国した佐四郎は、備中方の役人および村方と協議して、備中分地先の開発に取りかかった。これに備前児島方は猛烈に反発する。しかも、備中方でも妹尾村の漁民たちが漁場が奪われると反対にまわった。佐四郎のもくろみは暗礁《あんしょう》に乗り上げた。

享保《きょうほう》九年（一七二四）、幕府勘定奉行駒木根《こまきね》肥《ひ》後守《ごのかみ》政方《まさかた》は岡山藩江戸留守居《るすい》を呼び出し、開発の中止を伝えた。と同時に、今後開発する場合は「公儀新田」に仰せ付けるはずであるから、自分の新田にはならないと心得るようにと釘《くぎ》をさしている。享保七年に出された「公儀新田」令の適用を宣言したわけだ。その後、幕府は何度か開発を進めようとする。しかし、そのたびに妹尾村や備前児島方の反対でうまくいかなかった。

寛延《かんえん》二年（一七四九）、勘定奉行神尾《かんお》若狭守《わかさのかみ》春央《はるひで》の指示を受けた倉敷《くらしき》代官千種清右衛門《ちぐさせいえもん》が開発に乗り出す。彼は畿内代官と堤奉行も兼ねており、土木事業に精通していた。千種は手始めに備中と備前との国境《くにざかい》を確定しようと、国境線に沿って葉竹《はたけ》を立てるよう備中方に命じた。この葉竹を備前児島方が抜き取ったことから紛争になり、幕府評定所《ひょうじょうしょ》で国境争論として裁かれることになった。妹尾が中心となった備中方は湾内のほぼ中央にある水尾《みお》（水流のある深い所）を国境と主張し、備前方は一七世紀に備中方が新田を築きだす以前の海岸線を主張した。境線は陸手に引かれるもので、湾内は一円備前の海だというのである。裁判中の論点は多岐《たき》にわたり、双方の主張も審理を通じて微妙に変化するのだが、翌年に幕府が下した裁許は、当時の海岸線、つまり備中方新田の堤際《つつみぎわ》を国境とするものであった。できるかぎり現状と矛盾しないようにしつつ、双方の主張の間をとるという判断であった。

宝暦《ほうれき》五年（一七五五）、備中側は国境問題をふたたび幕府に提訴する。今回は前回の裁判を途中で降りた早島・帯江・箕島が中心になった。しかし、幕府の判定は変わらなかった。ただし宝暦八年の裁許状には、「海は備前海だが、備中の地先の地で開発を行なう場合は、公儀新田として行なう」との文言が付け加えられた。この間、幕府勘定所は「公儀新田」の適用範囲について詳細な検討を行なっており、たとえ私領一円の内であっても「他領他村境へ片寄《かたよ》り候《そうろう》地先」は「公儀新田」の対象にすると決めていた。これを適用して享保九年の指示を再確認したわけだ。

しかし、この論理はやはり現実とは矛盾するものであった。

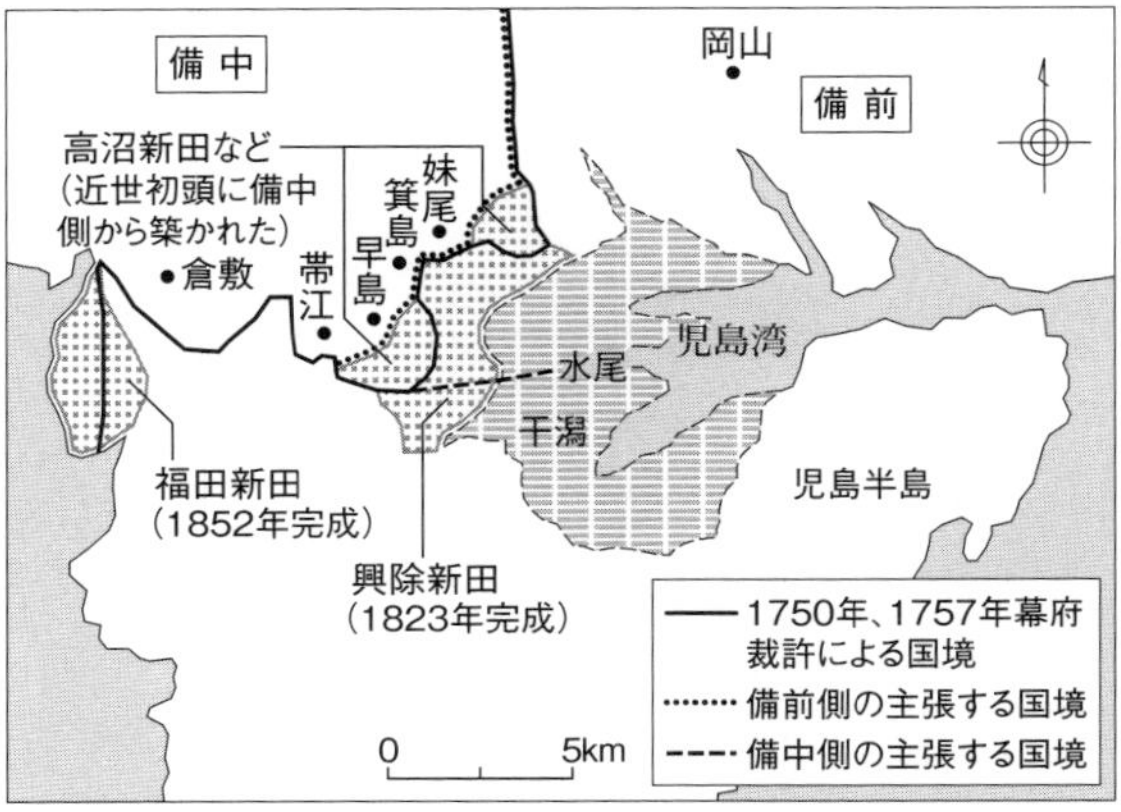

●児島湾周辺の地図
児島湾に広がる干潟の開発をめぐって、隣接する備前国と備中国が国境を争う。備中側は干潟を走る水尾を国境線と主張した。

もしこのとおり「公儀新田」が開発されれば、備前国内に幕府領が生まれることになる。しかし、備前一国は朱印状《しゅいんじょう》によって池田《いけだ》家が将軍から拝領したものである。しかも、他方で幕府は治水問題では「一国一円」の自己責任を要請していた。岡山藩は「一国一円」の論理を盾にとって、「公儀新田」に徹底抗戦する。

空洞化される「公儀新田」の理念

結局幕府はこの壁を突破できなかった。

寛政《かんせい》期（一七八九～一八〇一）に両者の妥協がなされる。備中地先《びっちゅうちさき》の「公儀《こうぎ》新田《しんでん》」を岡山藩が御手《おて》伝《だい》として開発し、完成した新田は岡山藩領とする、かわりに備中国内にある同藩領のうちから同量を上知《あげち》する、というのだ。実際の替え地は岡山藩備中領分の新田のうちから出されるのだが、それはただちに岡山藩の預かりとなり、該当分の年貢を幕府に納入するだけになる。新田分は居住する百姓がいない「無百姓」とされ、幕府の実質的な支配が及ぶことはまったくなかった。新田は文政《ぶんせい》六年（一八二三）に完成、興除新田《こうじょしんでん》と名付けられる。児島《こじま》湾での「公儀新田」が問題となって、約一〇〇年がたっていた。結果は、幕府に若干の年貢収入をもたらしただけで、「公儀新田」とは名目のみであった。同じようなことは、金沢《かなざわ》藩でも起きている。

能登国《のとのくに》羽《は》咋《くい》郡邑知《おうち》潟《がた》（石川県羽咋市）は周辺一五か村入会《いりあい》の潟であったが、このうちの千路《ちじ》村一か村が金沢藩預かりの幕府領であった。この千路村が地先《ちさき》の潟の「公儀新開」を願い出た。幕府代官の後押しがあったに違いない。ほかの一四か村はただちにこれに反対。幕府と金沢藩を巻き込んで激しいやりとりが繰り返された。結局、千路村を他所に移転させて邑知潟を私領一円の沼にするとともに、その開発権を金沢藩が三〇〇〇石《こく》で買い取った。さらに、「公儀新田」分の年貢と同程度の一〇五〇石分の代金を毎年幕府に納めることで決着した。天明《てんめい》五年（一七八五）のことである。金沢藩の一円支配権は強化された。幕府には一定の年貢代金がもたらされたのみであった。私領主の知行高に含まれていない高外地《たかがいち》は「公儀」の土地であるという論理に基づいて構想された「公儀新田」も、結果的には幕府の権力強化につながらなかった。幕府財政再建という本音の目的だけが貫かれ、全国土の統治権や領有権にかかわる「公儀」の理念は打ち捨てられた。もちろん、このように幕府を追い込んだのは、大名の領地一円支配の強い欲求と地元百姓の抵抗である。「公儀」の理念がないがしろにされ、幕府財政の増強のみがめざされれば、それは私欲の追求となんら変わるところがない。しだいに「公儀」の退嬰《たいえい》が感じられるようになったに違いない。

　他方、幕府が直接に行なった「公儀新田」開発も、多難であ

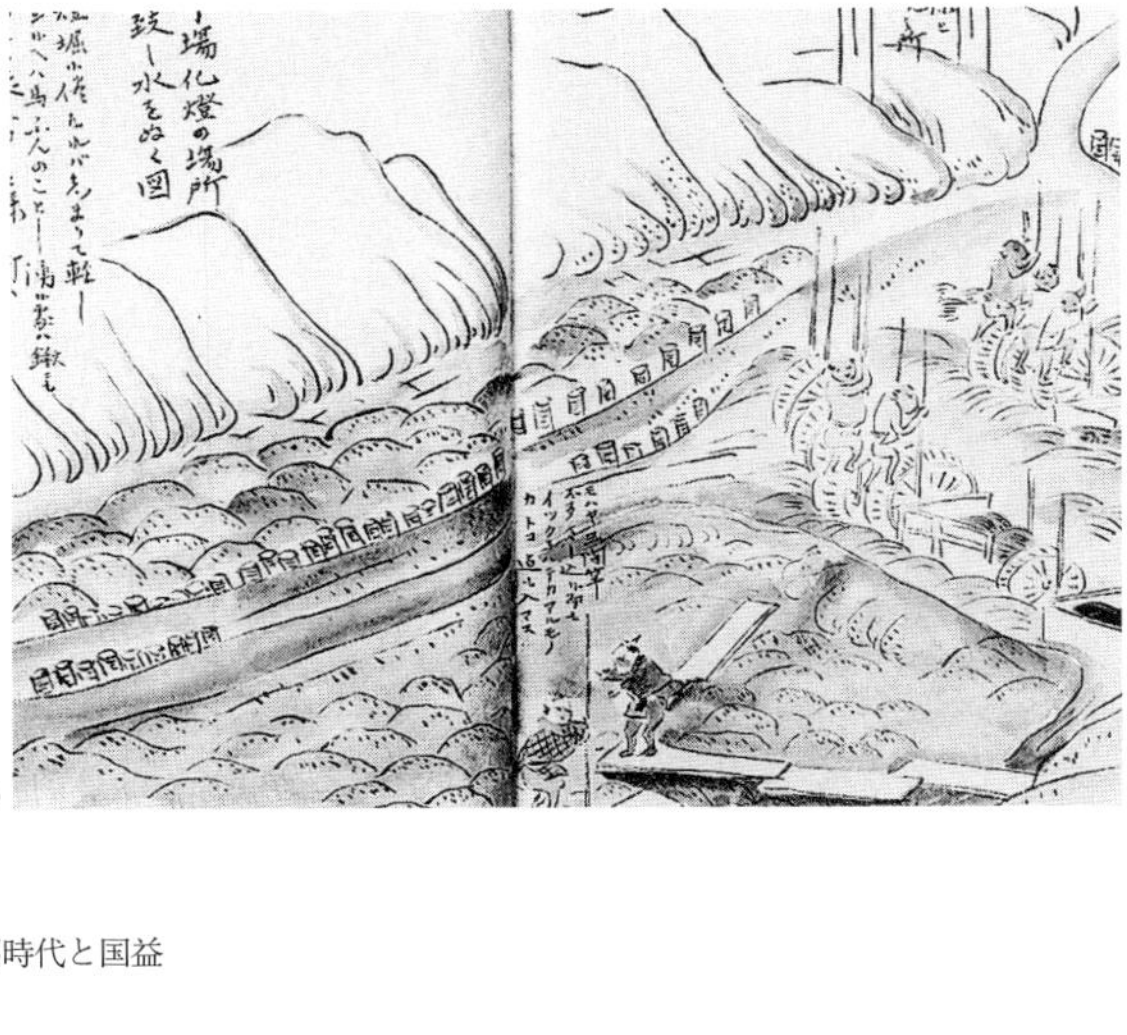

3

●印旛沼干拓の絵図
「踏車《ふみぐるま》」を使って水をかき出す様子が描かれている。江戸時代になると、農機具や土木機材の改良が飛躍的に進んだ。（『印旛《いんば》沼《ぬま》開鑿《かいさく》保定《ほてい》記《き》』）

った。田沼《たぬま》時代に行なわれたものとしては、手賀沼《てがぬま》と印旛沼《いんばぬま》（いずれも千葉県北部地域）の開発が有名だ。手賀沼の開発は、天明五年に享保《きょうほう》期の計画をそのまま受け継いで大工事が起こされ、翌年にいったん完成した。印旛沼については、享保九年（一七二四）に下総《しもうさ》国千葉郡平戸《ひらと》村（千葉県八千代《やちよ》市）の染谷源右衛門《そめやげんえもん》の出願で開発が始まったが完成に至らず、それを幕府が受け継いだ。工事の中心は、沼と利根川《とねがわ》との境を堤で締め切り、沼と検見川《けみがわ》との間に排水路を掘削し、水を江戸湾に落とそうというものであった。計画を実施したのは幕府代官の宮村孫左衛門《みやむらまござえもん》。出自不明の人物で、出羽《でわ》国村山地方や甲斐《かい》・駿河《するが》国などの代官を転々としたのち、下総国の代官となった。幕府政治史を研究する藤田覚《ふじたさとる》は「山師」（投機的な野心家）と評している。こうした人物に依拠していたのが、田沼政権の活力でもあり弱点でもあった。ともあれ、工事は同じく天明五年に本格的に着手され、一年半ほどで三九〇〇町歩の開発計画のうち三分の二ほどの造成が終了した。ところが、天明六年七月に、慶長《けいちょう》以来最大といわれた寛保《かんぽう》二年（一七四二）をさらに上まわる大洪水が関東一円を襲った。これによって、手賀沼でも印旛沼でも、工事は水泡と帰した。天明三年に起きた浅間山《あさまやま》大噴火によって、関東一円に降り積もった土砂が堆積《たいせき》し河床が高くなって、洪水が起こりやすくなっていたのだ。陸地に堆積した土砂も土石流となって一挙に流れ出た。自然の脅威に「公儀」はなすすべもなかった。

天明浅間山大噴火のすさまじさ

天明《てんめい》三年（一七八三）の春は寒かった。霖雨《りんう》が続き、晴天はまれであった。四月九日、浅間山《あさまやま》が噴火した。ふもとの村々では地震のように大地が揺れた。大変動の始まりである。その後一か月半ほどは平穏だったが、五月二六日ふたたび噴火。黒煙を三日間噴き上げ、地響きもやむときがなかった。六月一七日に三たび噴火、以後断続的に噴火が繰り返されるようになる。ときどき噴き上げる炎のなかで稲妻が走る。七月に入っても状況は変わらず、噴火はしだいに勢いを増した。

七月六日、この日は晴れであったが、昼ごろから爆発が続き、夕方から夜にかけてさらに激しくなった。火炎はいく筋も噴き上がり、火石《かせき》が飛ぶ。山麓《さんろく》の村人は避難を始めた。降灰は関東一円に及んでいる。七日は北斜面で火砕流《かさいりゅう》が発生、夜半から噴火はますます激しくなり、八日の明け方にかけて活動は最高潮に達した。西のほうは明るく、東南のほうは闇夜《やみよ》のようであった。中山道《なかせんどう》の軽井沢《かるいざわ》や沓《くつ》掛《かけ》の宿場に火石が降り、多くの家屋が焼失。昼前、北麓で発生した火砕流は上野国吾妻《こうずけのくにあがつま》郡鎌原《かんばら》村（群馬県嬬恋《つまごい》村）を直撃、瞬時に村を呑《の》み込んだ。犠牲者は四七七人。小高い観音堂《かんのんどう》で祈《き》禱《とう》していた老人や女性・子どもなど九三人が助かった。さらに流れ下った火砕流は吾妻川に達し泥流となった。土砂が降り積もっていた吾妻山では山津波が起こり、これによって

4

◉吾妻川を流れ下る火砕流
浅間山北麓の火砕流は、鎌原村を呑み込んだあと吾妻川を下って利根川へ流れ込み、河口の銚子《ちょうし》に達した。（『浅間《あさま》焼《やけ》吾妻川《あがつまがわ》利根《とね》川泥押《がわどろおし》絵《え》図《ず》』）

上野国群馬《ぐんま》郡南牧《なんもく》村・北牧《きたもく》村・川島《かわしま》村（群馬県渋川《しぶかわ》市）が壊滅し、男女二四八〇人、牛馬一七〇疋《ひき》が死亡した。山津波は村々を押し潰《つぶ》して大量の土砂を利根川《とねがわ》まで流し込み、大洪水が発生。前橋周辺だけでも一五〇〇人ほどが亡くなっている。九日以降、噴火はようやく沈静に向かった。

七月一一日頃から村人たちは、復興に立ち上がる。行動は、村役人たちが集まって被害状況を領主に報告することから始まった。これをうけて代官や役人の見分《けんぶん》が行なわれる。被害の大きかった吾妻郡の幕府領では、勘定吟味役《ぎんみやく》の根岸九郎左衛門《ねぎしくろうざえもん》がじきじきに廻村《かいそん》して、飢人《きにん》を救助するために男一人一日米二合・女一合を六〇日分代金で支給した。あわせて、農具代も下付された。できるかぎり自力で灰を取り除き、農地を回復させるためである。なお、根岸九郎左衛門は名を鎮衛《やすもり》といい、のちに江戸町奉行として活躍した。随筆集『耳嚢《みみぶくろ》』一〇巻を書いたことでも知られ、宮部みゆきの時代小説では「根岸の殿様」として登場する。

被害地のうちには、数万石以下の譜代《ふだい》大名や旗本《はたもと》の領地も少なくなかった。これらのなかには、川越《かわごえ》藩のように被害の激し

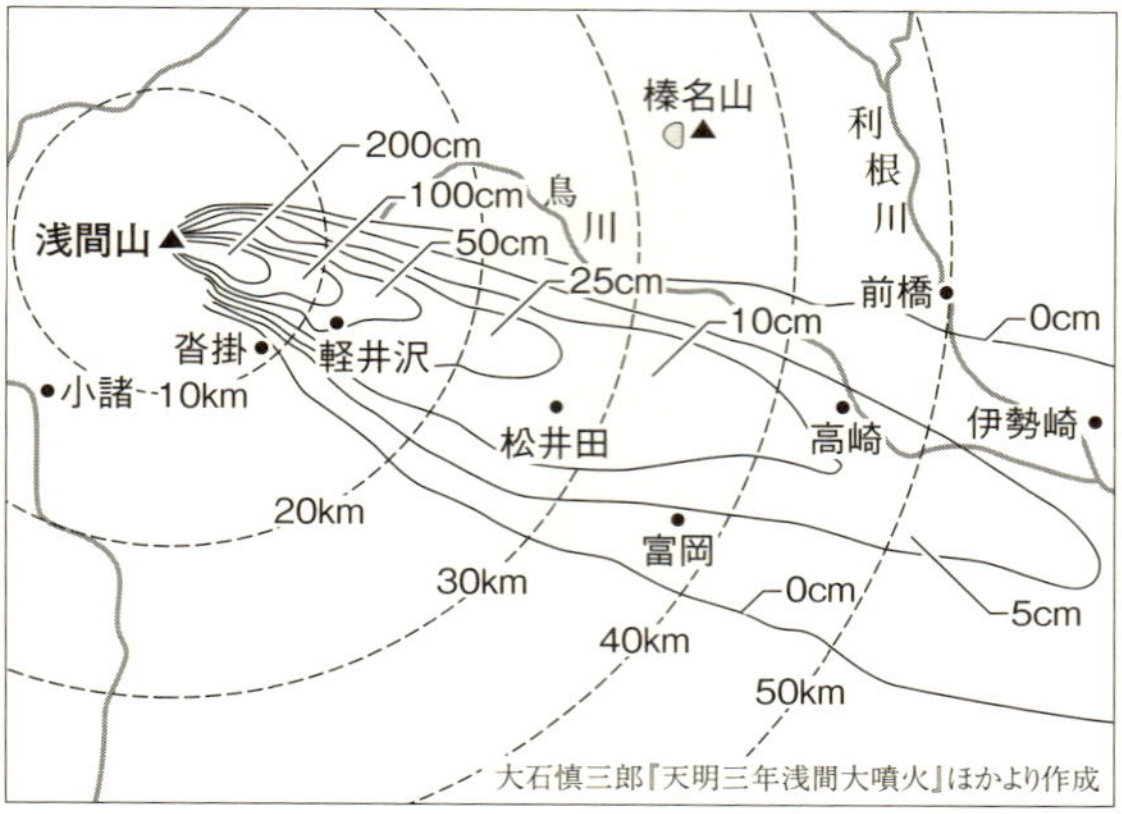

大石慎三郎『天明三年浅間大噴火』ほかより作成

◉浅間山大噴火による噴出物の流出範囲と堆積量
浅間山の東側には大量の灰が降った。成層圏に達した灰が地球を覆い、その後、世界中に異常気象をもたらせたと考えられている。

かった村に農具代・種籾《たねもみ》代・建築資材などを下賜する場合もあったが、多くは当座の夫食米《ぶじきまい》を提供するにとどまった。私領の村人が、巡回する幕府役人に救済を直訴する様子もみられたが、幕府は私領の救済は私領主の責任という立場を崩さなかった。ただし、大規模な復興事業は「公儀」の力によらざるをえない。そのことは根岸たちも承知していた。

一〇月に入って、被災地復興のための「公儀」御普請が始まる。工事は利根川などの治水や泥流に埋まった田畑の再開発が中心で、対象地は上野国七郡の七〇三か村に及んだ。工事は地元の村の請け負いを原則とし、七、八歳の子どもにも人足賃を支払っている。夫食（食糧）給付と同じ意味をもった救済策でもあった。御普請の費用は金五五万両にのぼった。幕府は熊本藩細川《ほそかわ》家に御《お》手伝普《てつだいぶ》請《しん》を命じる。ただし、熊本藩は実際の工事を分担することはなく、工事費用の半分近くにあたる金二二万両を供出した。多額の出費であった。九年後の寛政《かんせい》四年（一七九二）一月に島原《しまばら》の雲仙普賢岳《うんぜんふげんだけ》が大噴火し、さらに四月には強い地震が島原を襲う。これによって島原城下の背後にある前山《まえやま》（眉《まゆ》山《やま》）が崩壊、大量の土砂が有明海《ありあけかい》に流入して大津波を起こした。この津波は島原城下を呑み込んだだけではなく、天草《あまくさ》諸島や対岸の熊本などにも押し寄せた。いわゆる「島原大変《しまばらたいへん》肥《ひ》後《ご》迷惑《めいわく》」だ。熊本藩領では大きな被害が出て、この年の損毛高は、知行高五四万石に対して約三七万石にのぼった。熊本藩では浅間山噴火の御手伝普請で困窮していることを理由に幕府に拝借金を願い出たが、金三万両を一〇年賦で貸与されたにすぎなかった。この落差が当時の「公儀」の姿を示していた。

鎌原村を復興させた「村の治者」たち

一村壊滅の被害を受けた鎌原《かんばら》村の復興については、根岸鎮衛《ねぎしやすもり》も『耳嚢《みみぶくろ》』に「蒲《かん》（鎌）原村《ばらむら》異変《いへん》の節、奇特《きとく》の取《と》り計《はか》らい致《いた》し候者《そうろうもの》の事《こと》」と題して見聞を記録している。

鎌原村で生き残った人びとには、生きる頼りとなるものは何もなかった。そこで、吾妻《あがつま》郡大笹《おおざさ》村（群馬県嬬恋《つまごい》村）長左衛門《ちょうざえもん》・干俣《ほしまた》村（同）小兵衛《こへえ》・大戸《おおど》村（同県東吾妻《ひがしあがつま》町）安左衛門《やすざえもん》の三人は、早速村人を自宅に引き取ってはぐくみ、噴火が静まってからは村の跡地に小屋掛けをし、麦・粟《あわ》・稗《ひえ》などを提供して命を助けた。日ごろの村での生活では、家筋や素性によって上下をあれこれ言い立てることも多いが、「かかる大変に逢《あい》ては生き残りし九十三人は誠に骨肉の一族とおもうべし」と三人は村人を諭《さと》し、小屋での生活に「親族の約諾《やくだく》」を結ばせた。避難生活の鉄則ともいうべき的確な指導だ。

さらに三人は、夫を失った女性に妻を流された男性を取り合わせ、子を失った老人には親のない子を養わせて、家族の再建を図った。人為的な措置ではあったが、家族や「家」を基礎にしてしか村の再建はありえないという考えは、当時の村落生活の実態からすれば当然のものだ。根岸も「誠に変に逢いての取《と》り計《はか》らいは面白《おもしろ》き事也《ことなり》」と記している。災難にあったときの対

5

◉現在の鎌原観音堂（群馬県嬬恋村）
一九七九年に周辺を発掘したところ、石段下から重なるように埋もれた二体の人骨が発見された。火砕流から逃れる途中に命尽きたのだろう。

応としてはじつに興味深いとその知恵に感心したのだ。

被災をまぬがれた耕地も、再編された「家」に均等に配分された。くわえて長左衛門は他村から農家を移住させて荒れ地を開発させる計画を立て、幕府も支援を約束するが、これはあまりうまくいかなかった。再建直後に三四家であった「家」は、噴火後五〇年近くたった天保《てんぽう》二年（一八三一）にも三九家にとどまっていた。遅々とした歩みであった。生活のために村を去った者も少なくなかっただろう。しかし、かつての故郷を取り戻したいという思いが絶えることはなかった。平成一六年（二〇〇四）の新潟県中越地震後の、旧山古志《やまこし》村の姿が重なって目に浮かぶ。

根岸によれば、小兵衛は、「我等《われら》の村方は同郡の内ながら隔《へだた》り居《お》り候故《そうろうゆえ》、此《こ》の度《たび》の愁《うれい》をまぬがれぬ。しかし右難儀の内へ加わり候と思はば、我身上《しんしょう》を捨てて難儀の者を救い然《しか》るべし」と述べたという。同じ郡内でありながら少し離れていたために、災難をまぬがれた。同じ難にあったと思えば、自分の財産をなげうってでも困った人を救うべきだというのだ。まさに、「相身互《あいみたが》い」の互助の精神である。「仁」や「慈悲」といいかえてもよい。地域の人びとも、この小兵衛の心意気に共感した。彼の名前と印があれば誰もが米の安売りに応じたという。小兵衛はとりたてて裕福な者でもなかった。彼に直接会った印象を、根岸は「はたらき有《あ》るべき発明者とも見えず。誠に実体なる老人に見え侍《はべ》りき」と記している。特別に才気走っているわけではない、ふつうの実直な老人だというのだ。彼らが「村の治者」たちだ。最後はこうした「村の治者」が復興を支える。民間力が育っていた。

「国益」をめぐるせめぎ合い

「国益」とは何か?

ここでも吉宗《よしむね》政権の末期から話を始めよう。

享保《きょうほう》の飢饉《ききん》からしばらくして、幕府はふたたび年貢増徴策を強めた。元文《げんぶん》二年(一七三七)、勝手掛老中《かってがかりろうじゅう》に松平乗邑《まつだいらのりさと》、勘定奉行に神尾春央《かんおはるひで》が任じられた。神尾は、「胡麻《ごま》の油と百姓は絞れば絞るほど出るものだ」という言葉で有名だ。神尾は諸国の代官に命じて、有畝《ありせ》(実際の耕地の広さ)に応じた課税、作柄に応じた免《めん》(年貢率)の引き上げ、課税漏れの切添田畑《きりぞえでんぱた》(田畑周辺の空地を開いた耕作地)の摘発、などによる増徴を進めた。また、木綿や藺草《いぐさ》を作付けした田畑には、稲の上々毛《じょうじょうげ》(最高の等級)並みの年貢を賦課するよう指示した。さらに延享《えんきょう》元年(一七四四)には、みずから畿内・中国筋の幕府領を巡検して増徴策の徹底を図り、美作《みまさか》や備中《びっちゅう》では幕府領の庄屋を呼び集めて、「不心得《ふこころえ》者《もの》は厳罰に処す」と演説した。この結果、同年の幕府の年貢収納高は一八〇万石あまりに達した。これは幕末期までを通しての最高額であった。

こうした年貢増徴策は、当然のように百姓たちの反発を招いた。各地で抵抗が起こり、延享二年四月には二万人あまりが京都の公家や朝廷に嘆願するという事件まで起こっている。同年九月に吉宗が引退して家重《いえしげ》が将軍になると、松平乗邑は罷免され、神尾の権限も縮小された。年貢増徴によって財政改善を図る方向は限界に達した。以後、幕府領の年貢収納高はじりじりと減少する。新しい収入増加策が必要であった。しかし、新規の負担増には百姓や町人たちによる抵抗が予想される。そのため幕府でも藩でも、百姓や町人を巻き込みながら、しかも収入を増加させるような方策が工夫された。新しい産業を興《おこ》し、そこから収入を得ようという殖産興業策が注目されるようになる。

一八世紀の後半にあたる宝暦《ほうれき》から天明《てんめい》期になると、この殖産興業に関して為政者や知識人の間で「国益」ということが議論されるようになる。海保青陵《かいほせいりょう》や本多利明《ほんだとしあき》といった経世家が、交易を通じた利益の追求をめざす重商《じゅうしょう》主義といわれるような主張を行なった。

「国益」という場合、それが実現される単位（「国」）が複数存在し、その間に「国」際関係が成立していることが前提になる。その単位としては二通りの考えがあった。ひとつは、幕府が代表する徳川《とくがわ》日本とするものであり、もうひとつは「藩国家」ともいわれるようになる大名領国を問題とするものであった。同じ重商主義の主張でも、海保青陵は藩営専売の推進を中

6

◉**北前船やニシン漁でにぎわう江差**
「江差の五月は江戸にもない」とうたわれたほど、江差はニシン漁で栄えた。アイヌの人びとに交じって、和人の出稼ぎ者も多くいた。（『江《え》差松前屏風《さしまつまえびょうぶ》』のうちの「江差図」）

心に後者の「国益」を説いたし、本多利明は海外貿易の拡大や蝦夷地《えぞち》開発をはじめとした海外進出を説いて前者の「国益」を主張した。

この二つの「国益」論の間には矛盾と相克が存在したことは、これまで開発や災害復興を通じてみてきた「公儀」をめぐる幕府と藩の関係のうちからも、容易に類推できるだろう。「国益」をめぐり領主と生産者が対立する状況も予想できる。また、経済学的な意味での「移出入の収支バランス」が成立する社会的経済的条件を「藩国家」は備えていたが、一方的な管理貿易が行なわれていた徳川日本のレベルではそれを欠いていた、という経済史家の藤田《ふじた》貞一郎《ていいちろう》の意見もある。幕府の「国益」政策が、ともすれば幕府財政の増強のみをめざす結果に終わりがちであったのも、そのこととかかわっているだろう。

徳川日本の「国益」と長崎貿易との関係は、早くは新井《あらい》白石《はくせき》が論じていた。白石は、長崎から「我《わ》が国《くに》の宝貨」が海外に流出することに、強い危機感をもっていた。このまま流出が続けば、取り返しのつかないことになる。日本が外国から輸入しなければならないのは、薬種《やくしゅ》ぐらいだ。しかも、この薬種も古くから日本に自生するものは少なくないし、たとえいまは自生しないものでも、種子を外国から輸入して植え育てればよい。このように白石は考えていた。

白石の「国益」論を受け止め、それを殖産興業策として展開したのが徳川吉宗である。その中心は、白石も説いていた薬種の国産化計画であった。

吉宗による薬種国産化計画

徳川吉宗《とくがわよしむね》は和歌山《わかやま》藩主時代から、薬種や医学書に強い関心をもっていた。社会的にも、元禄《げんろく》期ごろから養生や医療に対する関心が高まる。このことはのちに改めて述べる。都市での疫病《えきびょう》の流行も目立っていた。薬種を普及させることによって民間の医療環境を改善することは、君主の行なうべき「仁政《じんせい》」のひとつだ。そうした考えに基づいて、吉宗は「国益」としての薬種国産化論を受け入れたのだろう。

輸入される薬種はとにかく高価だ。なかでもとくに珍重されたのは人《にん》参《じん》で、それには朝鮮から輸入される朝鮮人参と中国から輸入される唐《とう》人参とがあったが、万病に効くと評価が高かったのは朝鮮人参である。吉宗は、この朝鮮人参の種を対馬《つしま》の宗《そう》氏を通じて入手し、江戸小石川《こいしかわ》や日《にっ》光今市《こういまいち》の薬園などで栽培を試みた。いわゆる朝鮮種人参の栽培である。

しかし、それは試行錯誤の連続で、なかなか成果があがらなかった。それでも、本草学者《ほんぞうがくしゃ》や江戸の園芸業者の努力によってしだいに技術が向上し、元文《げんぶん》三年（一七三八）には全国の栽培希望者に朝鮮人参の種を下付して、栽培を奨励するまでになった。吉宗が朝鮮種の導入を試みてから約二〇年、ようやく国産化の目処《めど》が立った。さらに延享《えんきょう》三年（一七四六）には、朝鮮人参の種でつくった「大《おお》人参・折《おれ》人参・髭《ひげ》人参」が一般に販

◉小石川植物園の日本庭園
東京帝国大学設立の際にその附属植物園となった「小石川薬園」。綱《つな》吉《よし》の白山御殿《はくさんごてん》であった時代の面影をいまに残す。

売されることになった。

吉宗は、朝鮮人参以外にも国産薬種の開発を進めようとした。そのためにまず、将軍に就任した翌年の享保《きょうほう》二年（一七一七）に、幕府の小石川薬園を拡張している。幕府の薬園は当初は江戸城内にあった。小石川に移されたのは綱吉《つなよし》時代の貞享《じょうきょう》元年（一六八四）で、吉宗はその規模を二倍以上の四八〇〇坪に増やしたのだ。享保六年には、さらに一〇倍に近い四万四八〇〇坪に拡張する。

薬園の拡大にあわせて吉宗は、全国に採薬使《さいやくし》を派遣した。国内に自生する薬種を発見・採集し、薬種の国産化を進めるためであった。この採薬使に取り立てられたのが、丹羽正伯《にわしょうはく》である。正伯は伊勢国松坂《いせのくにまつざか》出身の医者で、京都に出て稲生若水《いのうじゃくすい》から本草学を学んだ。享保五年、幕府の命によって箱根で薬草採集を行なったのが最初で、以後列島各地をめぐって貴重な薬草の採集を行なった。享保七年、幕府は下総《しもうさ》国千葉郡小金牧滝台野《こがねまきたきだいの》（千葉県船橋市）に一五万坪の薬園用地を確保し、その管理を正伯に任せた。彼はここで和漢の薬草・薬木を栽培し、国産薬種の開発に努めている。正伯のほかには、本草学者の野呂元丈《のろげんじょう》や阿部将翁《あべしょうおう》なども採薬使として活動した。

田沼時代における専売制と株仲間

徳川吉宗《とくがわよしむね》の国産政策は、田沼意次《たぬまおきつぐ》にそのまま引き継がれた。

朝鮮人参《ちょうせんにんじん》の国産化では、享保《きょうほう》期からそれにかかわっていた町医者の田村藍水《たむららんすい》を宝暦《ほうれき》一三年（一七六三）に幕臣に取り立て、朝鮮人参御用を命じた。藍水は阿部将翁《あべしょうおう》に本草学《ほんぞうがく》を学び、『人参譜《にんじんふ》』や『参《さん》製秘録《せいひろく》』などを著わしていた。弟子の平賀源内《ひらがげんない》とともに物産会を開き、博物学者としても知られる。幕府は藍水を責任者にして人参製法所を設け、朝鮮種人参の製造を本格的に行なわせた。

藍水が国産化に努めたものとしては、砂糖の原料となる甘蔗《かんしょ》（サトウキビ）もあげられる。砂糖も長崎で大量に輸入されていたもので、金銀の流出防止のために国産化が急がれていた。これもやはり吉宗が苗を琉球《りゅうきゅう》から取り寄せて栽培を試みており、藍水は『甘蔗製造伝《かんしょせいぞうでん》』を著わして、技術の体系化と普及に努めた。やがて文化期《ぶんか》（一八一〇年代）になると讃岐国《さぬきのくに》や阿波国《あわ》が甘蔗の特産地となり、品質のよい白砂糖（和三盆《わさんぼん》）を生産するようになる。

ところで、田沼時代の殖産興業策の特徴は、専売制と結びつけられたことである。たとえば朝鮮人参についていえば、江戸神田《かんだ》に人参座が設けられ、人参製法所で栽培された朝鮮種人参を独占的に販売させている。藍水は各地の希望者に種を頒布して栽培の普及を図ったが、その種でつくられた人参についても一手に買い上げて人参座から販売することとされた。

専売制の目的は二つあった。ひとつは、重要な産物の集荷や販売を統制することによって、供給や価格の安定を図ること、

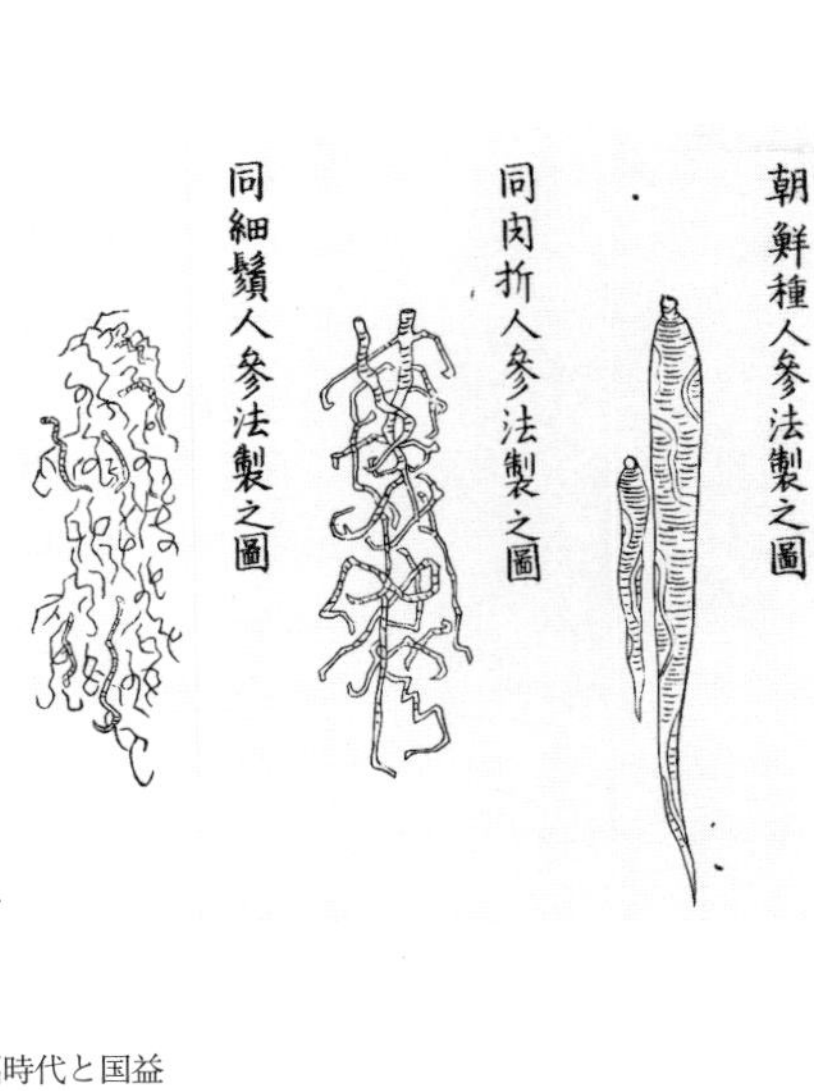

●『朝鮮人参耕作記』
砂糖と朝鮮人参の輸入額は、国内の金銀不足が懸念されるほど、大きかった。国産化を急ぐため、さまざまな製造法が紹介された。

もうひとつは専売を行なう座や会所から運上金《うんじょうきん》を上納させることで、幕府財政の増加を図ることであった。人参のほかに田沼時代に幕府が実施した専売制としては、銅・鉄・真鍮《しんちゅう》・朱・竜脳《りゅうのう》（芳香剤の一種）・明礬《みょうばん》・石灰《せっかい》などがある。とくに長崎貿易の重要な輸出品であった銅については、明和《めいわ》三年（一七六六）大坂に銅座が設立され、独占的な集荷が行われた。元禄《げんろく》期から銅の代物として輸出されるようになっていた俵物《たわらもの》は、中国で人気の食材である煎海鼠《いりこ》と干鮑《ほしあわび》を俵に詰めたもので、のちに鱶鰭《ふかひれ》が加わって三品になった。宝暦・明和期から幕府は全国に俵物の増産を命じていたが、天明《てんめい》五年（一七八五）には長崎に俵物役所を設立し、献上品以外の俵物を独占集荷することとした。これも一種の専売制であった。俵物の比重が高まると、幕府は俵物をはじめとした海産物の宝庫である蝦夷地《えぞち》への関心を強める。

株仲間《かぶなかま》の公認も、田沼時代に幕府が積極的に推進

8

◉大坂・安治川口のにぎわい
立ち並ぶ屋号を記した蔵には、諸国から集められた物産が収まっている。新綿を積んだ菱垣廻船が、江戸到着を競って出航するさまを描く。（『菱垣新綿番船川口出航之図《ひがきしんめんばんせんかわぐちしゅっこうのず》』）

した政策であった。その目的も、流通の統制と運上金の増収であった。株仲間というのは、特定の商品にかかわる業者に株を与えることで仲間として固定した同業組合のこと。幕府は株仲間を公認することにより、その仲間以外の者による取り引きを禁止するとともに、仲間から一定の運上金や冥加金《みようがきん》の上納を義務づけた。

「天下の台所」といわれた大坂には、天明期《てんめい》（一七八一～八九）に一二七種の株仲間が存在したが、その多くは田沼時代の明和・安永期に成立したものである。この株仲間は製造を主としたものと流通を主としたものに分けられる。前者では鋳物《いもの》・切石《きりいし》・生蠟《なまろう》・白革《しろかわ》・木器《もつき》・塗物《ぬりもの》・白粉《しろこ》・菜種絞《なたねしぼり》油《あぶら》・綿実絞油《わたみしぼりあぶら》などが扱われており、後者では茶屋・風呂屋・煮売屋《にうりや》・旅籠屋《はたごや》・木賃宿《きちんやど》・髪結床《かみゆいどこ》・質屋・古手屋《ふるてや》・書物屋・薬種屋・小間物屋・荒物屋などがあった。当初は、約条などで株数を固定する株仲間はほとんどなく、大坂町中以外の在郷商人を含むものも少なからずあったが、しだいに株が固定されて特権化し、自由な生産や流通を妨げたり、新興商人の発展を抑えたりするようになった。そうなると、一部商人と権力とのつながりばかりが目につくようになる。

御用金と貸金会所構想

田沼《たぬま》時代の「公儀」を特徴づける経済政策に、御用金《ごようきん》政策がある。御用金というのは、江戸や大坂の商人さらには全国の百姓から強制的に金銀を借り上げ、それを政策的に運用して、一定期間ののちに償還するというものであった。いまでいえば、政府や自治体が行なう国債や地方債のようなものだが、強制借り上げである点が江戸時代的だ。のちにはたんなる幕府財政の補塡《ほてん》策にすぎなくなるが、当初は「公儀」の公共的な政策を推進するための財政政策であった。賀川隆行《かがわたかゆき》の研究によれば、その内容はつぎのようであった。

御用金政策の最初は、宝暦《ほうれき》一一年（一七六一）に行なわれた買米《かいまい》を目的とした大坂での御用金である。米価を引き上げるための買米は、享保《きょうほう》期以来たびたび命じられてきた。そのことはのちにも触れる。今回は強制的に借り上げた御用金によって買米を行なおうとしたのだ。御用金を命じられた大坂の有力商人は二〇五人、目標金額は計一七〇万三〇〇〇両であった。御用金は大坂の各町に月〇・一パーセントの利付きで貸し渡され、町ではその三分の二で米切手《こめきって》（手形）を買い、残りの三分の一を月一・五パーセント以内の利息で大名や町人などに貸し付けることになっていた。しかし、御用金は思うように集まらなかった。それでも、二か月ほどで約五六万両が集まった。ところが、短期間に五六万両もの資金が市場から引き上げられたために金融逼迫《ひっぱく》が発生し、逆に大名貸《だいみょうがし》や大坂町中での貸付が滞ることになった。そのため二か月後に御用金令は撤回されてしまった。

二度目は天明《てんめい》五年（一七八五）のことで、今度は財政難に苦しむ藩への融資を御用金で行なおうというものであった。従来

9

◉田沼意次
小姓から老中まで出世した田沼は悪徳政治家のようにいわれるが、最近の研究では、革新的な政策を実行した点が評価されている。

から困窮した私領主が幕府に拝借金の下賜を願い出ることはよくあった。飢饉《ききん》時の拝借金については先にも触れたが、御手伝普請《おてつだいぶしん》と引き替えに拝借金が認められることもあった。しかし、幕府も財政難が進むと拝借金の要請においそれとは応じられない。藩では、いきおい民間の豪農商からの借金がかさむことになる。しかし、天明期は災害や飢饉の繰り返しで、大名貸は返済が滞り、どこでも焦げついていた。そのため商人たちはしだいに大名貸を渋るようになっていた。この状況を打開しようというのが、今回の御用金の目的であった。

この御用金による融資の特徴は、もしも返済が滞った場合には、藩の田畑を幕府が預かり、代官が責任をもって年貢を徴収して返済にあてるという点にある。つまり幕府が債務保証をしようというのだが、そのかわり年利七パーセントのうち一パーセントは幕府へ上納させるという定めであった。しかも今回の御用金は大坂の町中だけでなく、周辺の在郷商人にも賦課するもので、対象は六〇〇から七〇〇軒、目標額は六〇〇万両に達する予定であった。

この仕法の影響は重大である。これだけ巨額の御用金が大名金融に流れ込むと、藩と商人との貸借関係の多くが御用金に切り替わらざるをえなくなる。いいかえれば、藩と商人との金融関係が幕府の統制下に入るということだ。しかも計画どおりにいけば、幕府は六万両の上納金を毎年得ることができる。まさに一挙両得だ。当然商人たちは反対した。三井《みつい》や鴻池《こうのいけ》などの豪商は、御用金の延納願いを出して抵抗した。

翌天明六年になると、幕府はさらに思いきった策に出る。御用金の賦課を全国に拡大したのだ。

具体的には、寺社・山伏《やまぶし》は本山《ほんざん》など格上《かくうえ》は一か所が一五両、それ以下は相応の金高を、百姓は持高《もちだか》一〇〇石《こく》につき銀二五匁《もんめ》、町人は家屋敷間口《まぐち》一間《けん》につき銀三匁を、それぞれ五年間出させ、この資金で大坂に貸金会所をつくり、やはり年利七パーセントで大名貸をする。この場合も債務保証は幕府が行ない、藩からの返済金は手数料を除いて出資者に返済することになっていた。まさに「公儀」の国役《くにやく》として民間から資金を調達し、幕府が金融業をやろうというのだ。藤田覚《ふじたさとる》は、これを「幕府銀行設立構想」と呼んだ。しかし、国役を万能薬とするような幕府の姿勢には、「治」に対する抑制を欠いた「公儀」の退嬰《たいえい》が感じられる。この貸付金はわずかに実施されたが、二か月後に田沼意次《おきつぐ》が失脚したため不評のうちにとりやめになった。

藩の自立をめざす「国益」政策

田沼《たぬま》時代にあたる宝暦《ほうれき》から天明《てんめい》期（一七五一～八九）には、各地の藩でもさかんに藩政改革が行なわれた。それらに共通しているのは、一方での徹底した倹約と緊縮政策、他方での国産奨励と専売政策であった。国産政策のいくつかをみておこう。

松江《まつえ》藩では、延享《えんきょう》四年から宝暦二年（一七四七～五二）にかけて藩主松平宗衍《まつだいらむねのぶ》による藩政改革が実施され、そのなかで櫨《はぜ》の栽培奨励と蠟《ろう》の専売が行なわれた。この仕組みでは、村ごとに櫨の栽培が割り当てられ、収穫された木実《このみ》は半分は上納、半分は買い上げとされ、すべて藩の木実方役所に集められて加工された。この製品の一部は領内で消費されたが、多くは大坂に藩の手船《てぶね》（藩所有船）で移送され販売された。原料の生産から販売までを藩の統制のもとに行なう典型的な藩営専売で、藩財政を潤す一定の利益を上げた。

東北地方の米沢《よねざわ》藩でも上杉治憲《うえすぎはるのり》（鷹山《ようざん》）による藩政改革のなかで、漆《うるし》・桑《くわ》・楮《こうぞ》の一〇〇万本植立計画や藩営の縮織《ちぢみおり》役場の設置などの国産政策が実施されている。このうち縮織は、従来は越後縮《えちごちぢみ》の原料として移出されていた領内の青苧《あおそ》を使い、越後の小《お》千《ぢ》谷縮《やちぢみ》の技術を導入して藩営の織場で製作されたものである。また、漆は木実を強制的に買い上げ、これを藩営の製蠟所で灯火用の蠟に加工して販売した。この米沢蠟は、従来はおもに江戸に出荷されていたが、江戸に西日本の蠟製品が出まわるようになったために、天明期には製品の八割が山形や米沢など地元で販売されるようになった。全国的な国産事業の展開が、はからずも地域市場の開拓につながったことが注目される。

九州の佐賀《さが》藩では、特産品の国産化ではなく、領内で使用されるあらゆる産品の国産化がめざされた。上方《かみがた》の高価な商品を購入するために大坂借銀がかさみ、そのために藩財政が危機に陥った。これを改めるために、弓矢・刀剣・鉄砲などの武器類、鋤《すき》・鍬《くわ》・鎌などの農具、紙・鍋・釜・木器・陶器などの生活器具など、あらゆるものを国産化しようというのだ。国産奨

10

◉上杉治憲（鷹山）
日向《ひゅうが》国高鍋《たかなべ》藩秋月《あきづき》家に生まれたが、上杉家の養子となった。細井平洲《ほそいへいしゅう》を招いて藩校興譲館《こうじょうかん》を建て、改革に成果をあげて「名君」と呼ばれた。

励とともに、他領からの商品の移入は禁止され、領内では国産品の使用が強制された。さらに、大坂の市場や商人への依存度を減らすために、従来はほとんど大坂に移出されていた年貢米も、できるかぎり地元や藩内で販売するように切り替えられた。こうした国産化政策は、まさに藩アウタルキー（自給自足体制）の確立をめざすものであり、「藩国家」の自立をめざすものといってよいだろう。

四国の徳島《とくしま》藩では、「国産第一の品」といわれた藍《あい》の専売に向けた試みが享保《きょうほう》期以来さまざまに行なわれていた。しかし、収奪だけを目的とした専売策は藍葉生産者や在方商人の反対が強く、また、最大の販売先である大坂市場の相場が大坂の藍問屋や仲買に支配されていることもあって、十分な成果をあげることができなかった。藩では、大坂積みは「国益」にならないという意見が広がった。そこで、明和《めいわ》期（一七六四〜七二）の藩政改革では、大坂藍問屋や仲買への藍玉《あいだま》の出荷を禁止するとともに、今後は大坂および畿内に対する取り引きは藍場役所の管理下に徳島城下で行なうという思いきった仕法が採用され

11

12

◉蠟《ろう》の製造（右）と藍染めの様子（左）
漆や櫨の木実の脂肪分を固めたものが、蠟《ろう》となる。灯火用のほか整髪料にも利用された。藍染めの染料は、発酵させたタデの葉をつき固めた「藍玉」の状態で取り引きされた。（右／『日本《にほん》山海名物図会《さんかいめいぶつずえ》』、左／『近世職人尽絵詞《きんせいしょくにんづくしえことば》』）

る。これは地方役人《じかた》の献策を取り入れたもので、藍葉生産農民や藍玉の製造・販売に携わる在方藍師《ざいかたあいし》にも支持される政策であった。民間の力に依拠するかたちで、藩の「国益」を守ろうとしたのだ。

この仕法は、大坂の藍商人に大きな打撃を与えた。そのため、彼らは徳島藩の仕法の撤回を大坂町奉行所に訴え出る。この事件は江戸にも伝えられ、老中首座《ろうじゅうしゅざ》で勝手掛《かってがかり》をつとめた松平武元《まつだいらたけちか》も、徳島藩に仕法反対の意向を示す。この結果、大坂町奉行所は仕法を「新儀《しんぎ》」として、徳島藩に中止を命じた。藩ではやむなく大坂積みを再開することになり、大坂商人からの自立をめざしたもくろみは修正を余儀なくされた。しかし、徳島城下での仕法替えによる取り引きも継続されたため、藍相場に対する大坂商人の支配力は後退した。

「国益」をめぐる「公儀」と藩、中央と地方とのせめぎ合いは、厳しさを増すことになった。そのなかで地方市場が全国市場から自立し、地域経済圏の形成が進むことに注意しておこう。

民間力抜きに「国益」は語れない

この時期、「国益」を議論したのは幕府や藩だけではなかった。地域の民間人の間でも「国益」論が受け止められるようになる。

田中丘隅《たなかきゅうぐ》が住んだ川崎宿の近くの大師河原村《だいしがわら》（神奈川県川崎市）に、池上太郎左衛門《いけがみたろうざえもん》（幸豊《ゆきとよ》）という名主《なぬし》がいた。大師河原村は幕府領で、川崎宿の定助郷村《じょうすけごうむら》。彼も成島道筑《なるしまどうちく》に師事したというから、丘隅と同じような境遇・経歴の人と考えてよいだろう。

池上家では以前から海辺を自力で開発し、これを「義田《ぎでん》」と称して村人に割り与えていた。享保《きょうほう》の新田開発令以降、幕府は新田として開かれる場所を求めていた。それを知った太郎左衛門は、この事業を拡張した新田開発を村で起こそうと計画した。ただし、代官見立《だいかんみたて》や町人請負《ちょうにんうけおい》になった場合は、完成した新田を村の自由な裁量のもとに置くことは難しい。当初は、他村の地先《ちさき》を含めた大規模な開発構想もあったが、地主権をめぐる折り合いがつかなかった。村の裁量権を確保するために、開発は最後まで自村の村請《むらうけ》として完遂されなければならない。太郎左衛門は、みずからの責任で資金を調達し、村人を人夫に雇って工事を進めた。宝暦《ほうれき》九年（一七五九）、池上新田が完成。反《たん》別《べつ》一四町《ちょう》二一歩《ぶ》（約一四ヘクタール）、高《たか》二三石《こく》二斗《と》六升《しょう》四合《ごう》、規模は小さいが村の発展には貴重な財産であった。

この開発を太郎左衛門は、「専《もっぱ》ら己《おのれ》を利せん」とするものではなく、「国益の術」だと述べている。「国益」という考えは、幕府の意向にそいながら、開発を正当化するのに必要な論理であった。しかし、開発による「作得《さくとく》」を「村利《そんり》」とする立場は明確だった。実施にあたって代官や町人の介入が慎重に回避されたように、

13

◉砂糖の製造
甘蔗（サトウキビ）を叩《たた》いて搾った汁を煮詰めてつくる。奄美大島《あまみおおしま》で生産される黒砂糖で、鹿児島藩は大きな利益を得た。白砂糖は、黒砂糖を精製加工したもの。（『日本山海名物図会』）

「村利」の立場は「公儀」とは一線を画したものであった。

海辺の新田は塩気が強く、稲作には不向きだ。そのため瀬戸内海沿岸の新田地では木綿の栽培が盛んで、それが備前《びぜん》や備中《びっちゅう》を木綿の生産地に押し上げていくのだが、太郎左衛門が注目したのは甘蔗《かんしょ》（サトウキビ）であった。これを教えたのは新田開発にも協力した幕府代官の川崎平右衛門《かわさきへいえもん》であったが、さらに博物学者の田村藍水《たむららんすい》が砂糖の製法を伝授した。砂糖の国産化が田沼《たぬま》時代の殖産政策のひとつであったことは、先に触れた。宝暦一一年、太郎左衛門は幕府から甘蔗の根株《ねかぶ》二五、茎《くき》一〇〇〇本を下付され、甘蔗栽培と砂糖の生産に取りかかる。安永《あんえい》元年から三年（一七七二～七四）までの生産高は、白砂糖一九〇斤《きん》、黒砂糖五二〇斤であった。一斤は六〇〇グラムにあたるから、あわせて四二六キログラム。ただし、その後の生産は必ずしも順調ではなかった。

太郎左衛門は、「砂糖も御新田も二つとも御国益にまかりなり申す」と述べている。田沼時代の「国益」論は、民間に確かな受け皿を見いだしたといえるだろう。太郎左衛門は、幕府の命を受けて関東地方へ甘蔗栽培を普及する役をつとめている。その意味では、幕府の「国益」政策のお先棒を担いだといえなくもない。しかし、太郎左衛門の立場はあくまでも「村の治者」のものであった。その目的は「村益《そんえき》」であり「民富《みんぷ》」であった。両者の関係はいずれ矛盾を表面化させることになるだろうが、いまは、一八世紀の「公儀」も「国益」も、民間を巻き込み民間力に依拠せざるをえないものであったことを確認しておこう。

コラム3　大田南畝が遺したもの

大田《おおた》南畝《なんぽ》は通称直次郎、れっきとした幕臣である。しかし一般には、狂詩文集『寝惚先生文集《ねぼけせんせいぶんしゅう》』の作者としてや、四方赤良《よものあから》を名のった狂歌の活動のほうが有名だ。機知に富んだ諧謔《かいぎゃく》で文壇の寵児《ちょうじ》であった。

しかし、松平定信《まつだいらさだのぶ》の寛政《かんせい》の改革《かいかく》で言論抑圧が強まると文筆から手を引き、学問吟味（役職登用試験）に合格して支配勘定に取り立てられる。定信が、庶民教化のために全国から孝子伝を集めて編纂《へんさん》した『孝義録《こうぎろく》』の文章を書いたのは南畝だ。狂歌から教化へ、まさに一八〇度の転身というべきか。

のちに帳面方《ちょうめんがた》として、江戸城竹橋《たけばし》門内にあった勘定所の書類蔵の調査と整理を命じられた。その際、筆まめな南畝は興味深い書類を筆写・抄録して、『竹橋余筆《ちっきょうよひつ》』など二四巻を編んだ。そこには江戸幕府財政史の研究に欠かすことのできない貴重な史料が多く含まれている。しかも、原本は失われて残っていないのである。

文学者からは評判のよくない南畝の「転向」も、歴史学者にはありがたい贈り物を遺《のこ》すことになった。

◉**南畝**（**谷文晁《たにぶんちょう》筆**）　寛政の改革が始まったときには、「世の中に蚊ほどうるさきものはなし　文武《ぶんぶ》というて寝てもいられず」と皮肉った。

全集 日本の歴史

第11巻 徳川社会のゆらぎ

月報11（2008年10月）

小学館

東京都千代田区一ツ橋 2-3-1

今月の逸品

元祖癒《いや》し系キャラクター

木喰《もくじき》「自身像」

（日本民藝館蔵）

昨秋から今夏にかけて、「木喰展—庶民の信仰・微笑仏《みしょうぶつ》」が全国六会場を巡回した。「皆さん。最近、笑ってますか」という秀逸なキャッチコピーのポスター。私は最終会場、横浜そごう美術館で、公開対談を行なった。

対談の相手は、日本民藝館のベテラン学芸員、尾久彰三《おぎゅうしんぞう》氏。演題は「柳宗《やなぎむね》悦《よし》が発見した木喰」。はたしてどれぐらい来場者があるか心配したが、押すな押すなの大盛況。デパートの開店と同時に整理券を求める人が殺到したそうで、講演も大いに盛り上がった。

この「自身像」は木喰（一七一八〜一八一〇）の故郷、山梨県の丸畑《まるばたけ》村（現・南巨摩《みなみこま》郡身延《みのぶ》町古関《ふるせき》）の四国堂《しこくどう》に安置されていたもの。縁あって、日本民藝館の創立者・柳宗悦（一八八九〜一九六一）のもとへ。会場でこの像を見ながら、それにしても柳はいちばんいいものを手に入れているなあ……と、あらためて、ちょっと嫉妬した。

柳が木喰に瞠目《どうもく》するのは、大正一三年（一九二四）のこと。朝鮮の陶磁器を見るために、山梨の所蔵家を訪ねたとき、たまたま、主目的ではなかった木喰の「地《じ》蔵《ぞう》菩《ぼ》薩《さつ》像《ぞう》」に出会うのだ。その体験を、「私は即座に心を奪われました。その口元に漂ふ微笑は私を限りなく引きつけました」と記している。それからわずか数年のうち、柳は全国の「民藝」ネットワークを駆使して、木喰仏の調査を敢行。その成果を、美しい書物に著わしたのだった。

今回の展覧会を契機に、木喰ならではの「癒し系キャラ」のファンはさらに増えるだろう。そういえば、七、八年ほど前、大阪のデパート展で、パンチパーマのおじさんが、「ええお顔やなあ……」とつぶやきながら、賽銭《さいせん》を上げていた。これぞ木喰の面目躍如。

山下裕二（明治学院大学教授・日本美術史）

今月の

質問　子ども時代から続けていることは？

第11巻「徳川社会のゆらぎ」

倉地克直

（岡山大学教授）

　山岳部とかワンダーフォーゲル部に在籍して訓練を受けたわけではないので、僕がするのは本格的な登山ではなく、トレッキングです。いちばん最初に登ったのは、小学校四年生のとき、近所のお兄さんが連れていってくれた三国山《みくにやま》。僕の故郷にある、三河《みかわ》・尾《お》張《わり》・美濃《みの》の三国をまたぐ山です。

　そのとき父が、山へ行くのならと、国土地理院発行の地図とケースを買ってくれまして、それを首から提《さ》げ、半ズボンで帽子をかぶっている写真が、今でも残っています。当時の僕にとって、山登りというのはきちんと装備をする、どこか誇らしい趣味という感じでしたね。

　その後も中学二年生のときに学校で富士登山をしたり、キャンプに行ったりはしましたが、それほど山を意識していませんでした。それが、大学院時代にワンゲル出身の友人に山へ連れていってもらったとき、急に昔の思いが戻ってきたんです。だから、本格的に山を歩きはじめたのは二五、六歳になってからです。

　ちょうどそのころ、父が手足からだんだん体が動かなくなる神経性の病気になりました。それまで知らなかったのですが、父は四〇代後半ぐらいから職場の同僚たちと山登りを始めていて、毎年北アルプスに行っていたというんです。父は僕が二八歳のときに亡くなりますが、「父のかわりに一生山登りを続けなくてはならない」と、父と約束したような気になりました。

　ですから、妻を選ぶ基準というのも、とにかく山登りの好きな人。僕をふたたび山に目覚めさせてくれた友人が、そんな気持ちを知って、「よし、俺が見つくろってきてやる！」と……

「山登り。妻もそれで選びましたし……」

（笑）。おかげで結婚して子どもができてからも、家族で山登りを続けることができました。

僕はいろいろな山に挑戦するのではなく、気に入った山に何度も行くんです。低い山にあるブナ林や雑木林を歩くのは気分がいい。やはり、日常とは違う世界に浸りたいですから。

トレーニングなどしていないので体力はありませんから、僕も妻も無理はしません。ふつうのコースタイムが四時間ならば、それを七時間ぐらいかけて、ゆっくりしたペースで歩く。僕らの生活のサイクルのなかに登山があればいい。そんな感じですね。

風に地球の呼吸を感じる

今から二〇数年前の秋、京都に行ったときに時間ができたので、大学院時代によく行った比良《ひら》山系の武奈ヶ岳《ぶながたけ》に登りました。どうも風邪をひいたらしくて熱があったのですが、歩き慣れたコースを朝早くから登って、下山したのは午後二時頃でした。

湖西《こせい》線の比良駅で、つぎの電車まで時間があったので、琵琶《びわ》湖の湖畔に行き、ほてった体を冷たいビールで冷やしながら、来し方をいろいろ考えていました。人間はいつかは死ぬのだけれど、それはこの湖も山も同様で、いつかはなくなる。すべて、永遠不滅というものはないのだなあ……と。

ふと、空を見上げたら、雲がさーっと流れて風が吹いていました。ああ、それでも地球があるかぎりはこの風は吹いているんだと思ったとき、「風は地球の呼吸なのだ」ということが体感としてわかった。そして、自分の体も、生きるということも、風と一緒にすれば気持ちが楽になるのではないかと、熱っぽい頭で考えました。

アニメ映画『風の谷のナウシカ』や『千の風になって』という歌が日本人に受けるのも、風に対して日本人が特別の意識をもっているからなのだと思います。そして、このことが山岳信仰や、日本人の原初的な人間観・自然観とつながっているのだと、実感できたのです。

あのときの体験が、自分のものの考え方や歴史研究の視点で、大きな転機になりました。環境や自然、景観の問題でも、理屈や頭ではなく自分なりの実感としてわかるし、これからもそうありたいと思っています。

山歩き以外のリフレッシュは、映画を観ることでしょうか。ハリウッド系大作には興味がなくて、月に何本かアート系作品を観ています。じつは、僕が近世史研究の世界に入ったきっかけも映画なんです。

高校三年の夏、東京の大学に来ていた先輩の下宿に一週間泊めてもらい、文芸座や並木座をはしごして朝から晩まで映画を観たことがあります。オールナイトで五味川純平《ごみかわじゅんぺい》原作の『人間の條件』を観て、仲代達矢《なかだいたつや》扮する梶という主人公はひじょうにまじめで誠実な人間なのに、なぜこんなかたちで命を落とさなくてはならないのか？　一所懸命生きても報われない日本の近代とはなんだろう？　その答えを出すには、明治維新以前のことから勉強しなくてはならないと思って、近世史を始めたわけで、いつも考えているのは日本の近代です。それが僕の研究の原点ですね。

今月のおすすめ博物館

奈良国立博物館

仏教信仰が生んだ芸術に触れる

明治二八年、奈良公園の一角に創立された博物館で、明治期の洋風建築を代表する煉瓦《れんが》造りの本館は、重要文化財に指定されている。仏教に関連した古美術品や考古遺品などの保存・研究・展示を行ない、国宝や重要文化財を含む約一二〇〇件を収蔵。本館での飛鳥《あすか》時代から鎌倉時代に至る仏像と、西新館での絵画・書跡など分野別の平常展のほか、東新館では春季特別展や秋の正倉院《しょうそういん》展などを開催している。

奈良県奈良市登大路町《のぼりおおじちよう》50　奈良公園内
☎ 0742-22-7771
近畿《きんき》日本鉄道奈良線近鉄奈良駅から徒歩

大阪歴史博物館

商都大阪の古代から近現代を体感

大阪市立博物館を前身として、平成一三年、飛鳥時代の難波宮《なにわのみや》遺構の一角に創設。考古資料センターの機能を兼ね、地下では難波宮の遺構の見学ガイドツアーを実施している。四フロアに分かれた常設展示室は、古代・中近世・近現代の大阪の歴史展示と考古学の体験空間からなる。朱塗りの円柱が立ち並ぶ難波宮の大極殿《だいごくでん》の原寸大復元や、二〇分の一の模型で再現された活気あふれる浪花《なにわ》の町などを見学できる。

大阪府大阪市中央区大手前《おおてまえ》4-1-32
☎ 06-6946-5728
地下鉄谷町《たにまち》線・中央線谷町四丁目駅から徒歩

国立民族学博物館

世界の民族文化の多様性を知る

「みんぱく」の愛称で親しまれる、文化人類学や民族学を中心とした研究施設。本館の常設展示場には、地域展示と通文化展示があり、世界の文化の多様性と共通性を紹介している。地域展示は、オセアニア・アメリカ・ヨーロッパ・アフリカ・日本を含むアジアを五地域に分け、衣食住などの生活用品を中心に展示する。一方、通文化展示は、音楽や言語など特定のテーマを通して、世界の民族文化を眺められる。

大阪府吹田《すいた》市千里万博公園《せんりばんぱくこうえん》10-1
☎ 06-6876-2151
大阪モノレール万博記念公園駅から徒歩

今月の 歴史博物館・資料館ガイド

【奈良県】

◆**大塔《おおとう》郷土館**
五條《ごじょう》市大塔町阪本《さかもと》283・1
☎0747・35・0085
＊JR和歌山《わかやま》線五条駅からバス
旧大塔村を中心に郷土の歴史や民俗資料を展示する「歴史の蔵」と茅葺《かやぶき》民家を再現した施設からなる。茶粥《ちゃがゆ》や、めはりずしなどの郷土料理が、囲炉裏《いろり》を囲んで味わえる。

◆**香芝《かしば》市二上山《にじょうさん》博物館**
香芝市藤山《ふじやま》1・17・17
☎0745・77・1700
＊近畿日本鉄道大阪線近鉄下田《しもだ》駅から徒歩
「二上山と三つの石」をテーマに旧石器時代を紹介する博物館。サヌカイト、凝灰岩《ぎょうかいがん》、金剛砂《こんごうしゃ》の三種の火成岩を中心に、ジオラマや香芝市内の遺跡の出土品などを展示。

◆**葛城《かつらぎ》市相撲《すもう》館「けはや座」**
葛城市當麻《たいま》83・1
☎0745・48・4611
＊近畿日本鉄道南大阪線当麻寺駅から徒歩
相撲の開祖「當麻蹶《け》速《はや》」を記念して、平成二年に開館。相撲資料の展示や立体映画「けはや物語」が見られる。土俵などの設備も整い、相撲教室なども開催される。

◆**唐古《からこ》・鍵《かぎ》考古学ミュージアム**
磯城《しき》郡田原本町《たわらもとちょう》阪手《さかて》233・1　田原本《たわらもと》青垣《あおがき》生涯学習センター内
☎0744・34・7100
＊近畿日本鉄道橿原《かしはら》線田原本駅から徒歩
弥生《やよい》時代の遺跡で、国史跡の唐古・鍵遺跡の出土品を展示。「唐古・鍵の弥生世界」「田原本のあゆみ」から構成される。

◆**五條文化博物館**
五條市北山町《きたやまちょう》930・2
☎0747・24・2011
＊JR和歌山線五条駅からタクシー
五條の歴史を紹介する総合博物館。五條・吉《よし》野川《のがわ》などの迫力ある3D立体映像を上映する「疑似体験映像室」や五條の町並みや暮らしを特殊映像で見せる「マジックファンタビュー」など工夫があり、楽しめる。

◆**天理《てんり》市立黒塚《くろづか》古墳《こふん》展示館**
天理市柳本町《やなぎもとちょう》1118・2
☎0743・67・3210
＊JR桜井《さくらい》線柳本駅から徒歩
古墳時代初期の前方後円墳・黒塚古墳の考古学資料を保管する施設。古墳の石室を原寸大で再現し、三角縁神獣鏡《さんかくぶちしんじゅうきょう》や画文帯《がもんたい》神獣鏡など出土品のレプリカを展示している。

◆**天理大学附属天理参考館**
天理市守目堂町《もりめどうちょう》250
☎0743・63・8414
＊JR桜井線ほか天理駅からタクシー
世界各地の民俗資料や考古美術資料を数多く所蔵する施設。アイヌやバリ、ボルネオなど世界の生活文化と日本やオリエントなどの世界の古美術をテーマに展示している。

◆**奈良県立橿原考古学研究所附属博物館**
橿原市畝傍町《うねびちょう》50・2
☎0744・24・1185
＊近畿日本鉄道橿原線畝傍《うねび》御陵前《ごりょうまえ》駅から徒歩
常設展「大和の考古学」や春秋二回の特別展などで、奈良県内の多くの遺跡の出土品を展示し、奈良県の歴史を紹介する。

◆**奈良県立万葉文化館**
高市《たかいち》郡明日香《あすか》村飛鳥《あすか》10
☎0744・54・1850
＊近畿日本鉄道橿原線ほか橿原神宮前駅からバス
日本最古の歌集『万葉集』を中心に、古代文化に関する総合施設。『万葉集』で詠まれた和歌を題材にした日本画や人形・映像で上演される「万葉劇場」などが見られる。

◆奈良県立民俗博物館
大和郡山《やまとこおりやま》市矢田町《やたちょう》545
☎0743・53・3171
＊近畿日本鉄道橿原線近鉄郡山駅からバス
大和民俗公園内に位置し、奈良盆地の稲作・大和高原の茶業・吉野《よしの》山地の林業などに使われた民具などを収集・展示。園内には江戸時代の民家一五棟も移築されている。

◆奈良公園シルクロード交流館
奈良市雑司町《ぞうしちょう》469
☎0742・27・2438
＊近畿日本鉄道奈良線近鉄奈良駅から徒歩
ユーラシア大陸を横断する東西交流路「シルクロード」の文化を紹介。彩文土器や絹織物の展示をはじめ、パルミラ遺跡の復元や地中海古代交易船の模型などが見られる。

◆奈良文化財研究所飛鳥資料館
高市郡明日香村奥山《おくやま》601
☎0744・54・3561
＊近畿日本鉄道橿原線ほか橿原神宮前駅からバス
藤原京《ふじわらきょう》などの復元模型や、特別史跡の高松《たかまつ》塚《づか》古墳をはじめ、飛鳥地方で発掘された貴重な出土品を展示し、飛鳥時代の歴史や文化をわかりやすく紹介する博物館。

◆森と水の源流館
吉野郡川上《かわかみ》村宮《みや》の平《たいら》
☎0746・52・0888
＊近畿日本鉄道吉野線大和上市《やまとかみいち》駅からバス
吉野川・紀《き》の川《かわ》の源流にあたる川上村の施設で、源流の森を再現した「源流の森シアター」など三つの展示コーナーで、自然や環境、人々の暮らしについて学べる。

◆柳沢《やなぎさわ》文庫
大和郡山市城内町《じょうないちょう》2・18
☎0743・58・2171
＊近畿日本鉄道橿原線近鉄郡山駅から徒歩
昭和三五年、郡山城内に設立された地方史誌専門図書館。大和国郡山藩主柳沢家に伝わる古文書など歴史資料を多数所蔵し、郷土の歴史や文化の学習拠点となっている。

【大阪府】

◆池《いけ》田市立歴史民俗資料館
池田市五月丘《さつきがおか》1・10・12
☎072・751・3019
＊阪急電鉄宝塚《たからづか》本線池田駅から徒歩
北摂《ほくせつ》で栄えた池田市の歴史を、考古・歴史・民俗・美術工芸資料で紹介する施設。池田茶臼山《ちゃうすやま》古墳や池田城跡からの出土資料、酒蔵関係資料などをおもに所蔵。

◆池田文庫
池田市栄本町《さかえほんまち》12・1
☎072・751・3185
＊阪急電鉄宝塚本線池田駅から徒歩
宝塚歌劇や歌舞伎、阪急電鉄関連を中心に、図書や雑誌、ポスターなど貴重な資料を多数収蔵。年二回企画展も開催される。

◆インスタントラーメン発明記念館
池田市満寿美町《ますみちょう》8・25
☎072・752・3484
＊阪急電鉄宝塚本線池田駅から徒歩
平成一一年に開館。世界初のインスタントラーメン誕生の様子や、世界各地のインスタントラーメンなどを紹介する。

◆江崎《えざき》記念館
大阪市西淀川《にしよどがわ》区歌島《うたじま》4・6・5
☎06・6477・8352
＊JR東海道本線ほか塚本《つかもと》駅から徒歩
昭和四七年、江崎グリコが創業五〇年を記念して設立した資料館。グリコ製品やその歩みに関する資料、創業者江崎利一《りいち》ゆかりの品などを展示している。見学は要予約。

◆大阪企業家ミュージアム
大阪市中央区本町《ほんまち》1・4・5　大阪産業創造館B1
☎06・4964・7601
＊地下鉄堺筋《さかいすじ》線ほか堺筋本町駅から徒歩
近代以降、大阪を舞台に活躍した松下幸之《まつしたこうの》助《すけ》や小林一三《こばやしいちぞう》、安藤百福《あんどうももふく》など、企業家一〇五名の功績をパネルやゆかりの品、リーフレットなどで紹介するミュージアム。

◆大阪城天守閣
大阪市中央区大阪城1・1
☎06・6941・3044
＊JR大阪環状線大阪城公園駅から徒歩
平成九年に大改修を終えた大阪城天守閣。豊臣秀吉《とよとみひでよし》の生涯やゆかりの品、戦国時代の資料などを紹介。『大坂夏の陣図屏風《びょうぶ》』のミニチュアやパノラマビジョンも見られる。

今月の 歴史博物館・資料館ガイド

◆大阪市立海洋博物館なにわの海の時空館
大阪市住之江《すみのえ》区南港北《なんこうきた》2
☎06・4703・2900
＊地下鉄中央線ほかコスモスクエア駅から徒歩
ガラスを用いたドーム型の建物が特徴の施設。江戸時代の菱垣《ひがき》廻船の実物大展示などを通して、大阪の海の交流史を紹介する。

◆大阪市立自然史博物館
大阪市東《ひがし》住吉《すみよし》区長居《ながい》公園1・23
☎06・6697・6221
＊地下鉄御堂《みどうすじ》筋線ほか長居駅から徒歩
人間を取り巻く自然の成り立ちや変遷、歴史を紹介。「地球と生命の歴史」などの常設展示室のほか、観察会や講演会を開催する。

◆大阪府立近《ちか》つ飛鳥《あすか》博物館
南《みなみかわち》河内郡河南町《かなんちょう》大字東《ひがしやま》山299
☎0721・93・8321
＊近畿日本鉄道長野線喜志《きし》駅からバス
『古事記《こじき》』に記された「近つ飛鳥」という地名は、現在の羽曳野《はびきの》市飛鳥を中心とした地域を指す。この地域の古墳や出土品などを紹介。古代国家の形成過程を探る。

◆堺《さかい》 HAMONOミュージアム
堺市堺区材木町《ざいもくちょうにし》西1・1・30
☎072・227・1001（堺刃物商工業協同組合連合会）
＊阪堺《はんかい》電気軌道阪堺線妙《みょうこくじ》国寺前《まえ》駅から徒歩
六〇〇年の伝統を受け継ぐ堺刃物を紹介する伝統産業会館。さまざまな分野で活用される堺刃物の展示や、刀付けの実演・体験コーナーで職人の伝統の技に触れられる。

◆自転車博物館サイクルセンター
堺市堺区大仙中町《だいせんなかまち》18・2
☎072・243・3196
＊JR阪和《はんわ》線百舌鳥《もず》駅から徒歩
堺の刃物鍛冶・鉄砲鍛冶の技術が生かされた自転車製造は、堺の地場産業のひとつ。自転車の発展の歴史や自転車の仕組みを最古の自転車など約五〇台の実物展示で紹介。

◆司馬遼太郎《しばりょうたろう》記念館
東大阪市下小阪《しもこさか》3・11・18
☎06・6726・3860
＊近畿日本鉄道奈良線八戸ノ里《やえのさと》駅から徒歩
作家・司馬遼太郎の自宅を保存した記念館で、約二万冊の書籍を収めた大書架や自筆の原稿・絵、書斎などが見学できる。

◆吹田《すいた》市立博物館
吹田市岸部北《きしべきた》4・10・1
☎06・6338・5500
＊JR東海道本線ほか岸部《きしべ》駅から徒歩
旧石器時代から現代に至る吹田の歴史を時代の流れに沿って紹介する第一展示室と、須恵器《すえき》や瓦を紹介する第二展示室からなる。

◆住まいのミュージアム・大阪くらしの今昔館
大阪市北区天神橋《てんじんばし》6・4・20
☎06・6242・1170
＊地下鉄谷町《たにまち》線・堺筋線ほか天神橋筋六丁目駅から徒歩
「住まいの歴史と文化」をテーマにした施設。実物大で再現した江戸時代の町並み・模型・資料などの展示で、江戸時代から昭和にかけての暮らしと住まいの変遷を紹介。

◆日本民家集落博物館
豊中《とよなか》市服部緑地《はっとりりょくち》1・2
☎06・6862・3137
＊北大阪急行電鉄緑地公園駅から徒歩
日本各地の代表的な民家を移築・復元した日本初の野外博物館。岐阜県の「飛騨《ひだ》白川《しらかわ》の民家」や岩手県の「南部の曲屋《まがりや》」などが見られるほか、関連民具も展示される。

◆松下《まつした》電器歴史館
門真《かどま》市大字門真1006
☎06・6906・0106
＊京阪電鉄京阪本線西三荘《にしさんそう》駅から徒歩
創業者・松下幸之助《こうのすけ》の歩みや理念を映像や写真などで紹介。ラジオ・白熱電球・白黒テレビなどの懐かしい家電製品を展示する。

◆まほうびん記念館
大阪市北区天満《てんま》1・20・5　象印《ぞうじるし》マホービン株式会社　本社1階
☎06・6356・2340
＊地下鉄谷町《たにまち》線ほか南森町《みなみもりまち》駅から徒歩
象印マホービンの社史を交えながら、真空の力によって保温・保冷する魔法瓶《びん》の技術やサーモテクノロジーの進化の歴史などを紹介する。見学は事前予約制。

次回配本 二〇〇八年一月二五日頃発売予定

第12巻 開国への道

江戸時代（一九世紀）

平川 新
（東北大学教授）

迫りくる異国と活性化する世論政治

欧米列強との衝突や交流、庶民による政治への参画など、開国に至る内外の状況を、新たな視点から描く。

●日本は、鎖国体制下の国家として、ただ閉じこもっていたのではなく、むしろ列強に伍して領土分割競争に積極的に参入していた。「環太平洋の時代」の世界史的大変動に関与し、国防体制を固めつつ、北方の境界を画定していったのである（はじめにより）。

●開国前の関東には、万を超える庶民剣士が存在していた。浪士組や新選組《しんせんぐみ》の過半は百姓身分であり、幕末の過激な事件にも多くの庶民が参加していた。知られざる歴史の底流を明らかにする（第六章より）。

『日ロ交渉のため箱館《はこだて》に上陸したリコルドー行に、漂流民の善六《ぜんろく》が通訳として同行していた（右端）。彼は漂流から19年後、母国の地を踏むことになった。（『北夷談《ほくいだん》』附図、函館市中央図書館蔵）

【目次の一部】

●編集後記　11巻をお届けします。各巻のタイトルは執筆の先生と相談しながら決めますが、最後まで悩んだのが11巻で、全体のバランスも考えて決定しました。世間に気遣いながら、苦悩する公儀、倉地先生。内容そのもののやりとりでしたが、採用されなかった先生の案は原稿に十全に生かされました。ゆらぎのない徳川社会論、集大成のお原稿です。（芳）

第四章
「いのち」の環境

1

武士の「家」

徳川日本のさまざまな家族

これまでは、一八世紀の徳川《とくがわ》日本人の生活を、少し距離を置いて政治や社会の側からみてきたが、ここではもう少し近づいて家族や「家」という面からみてみよう。「はじめに」で述べた徳川日本人の名刺の話を思い出していただきたい。ここまで述べてきたのは、徳川日本人の「いのち」を支える関係のうち「公儀」や領主、村や町などの身分団体にかかわることであった。これから述べてみたいのは、いちばん身近な「家」にかかわることである。

いうまでもなく、人はひとりでは生きることができない。なんらかの集団のなかで、なんらかの関係を結ぶことで生きている。その最小の集団といえるものが、家族だ。ただし、家族のあり方は民族や文化によって異なるし、歴史的にも一様ではない。規模も構成もさまざまだ。種《しゅ》の再生産のために男女の結合は不可欠だが、ひと組みの男女関係が固定され、恒常的に同居して生計をともにするようになるのは、それほど古いことではない。古代や中世の列島社会では、独立した家族を営むことのできない男女も多くいた。

家族関係が恒常化したとしても、それがただちに生産や生活の単位である世帯として自立するわ

◉酒田の本間《ほんま》家に伝わる享保雛《ひな》人形は、江戸時代の初めごろに現在の「親王飾り」に近い形となる。享保《きょうほう》期（一七一六〜三六）には大型化、華美な装飾が施されるようになるが、吉宗《よしむね》の奢侈《しゃし》禁止令により禁じられた。前ページ図版

けではない。小さな家族が大きな世帯のなかに包摂《ほうせつ》され、埋没《まいぼつ》している事例は歴史的に少なくない。この複合的な世帯は、血縁的な関係で構成されている場合もあれば、非血縁的なものを包摂している場合もある。いずれの場合も、世帯のなかの中心的な家族と周縁的な家族とは、支配と従属の関係にある場合が多い。むしろ、周縁的であったり従属的であったりする人たちは、安定的な家族を継続して営むことが少ないと考えたほうがよい。

このように家族と世帯とは必ずしも一致しないのだが、江戸時代では両者のズレはそれほど大きくない。以下、家族の形態をつぎの五つに区分して述べていきたい。

基本にあるのは、ひと組みの夫婦とその子どもからなる家族で、いわゆる核家族である。この核家族に祖父母がいる場合、いわゆる三世代同居型を直系家族と呼ぶ。この二つをあわせて、単婚小家族といわれることもある。これに対して、核家族や直系家族に傍系の親族や非血縁的な集団がついた形を、複合家族とか合同家族という。この場合は内部に小家族を含むので人数も多くなるため、複合大家族とも

2

◉家族で田を打つ様子
田植えの前に鍬《くわ》で土を打ち起こす。右には頰《ほお》かむりの夫、左に妻、ほかの三人は子ども。上方の男の子は夫婦の会話に加わっているようで、もう一人前だ。（『農業図絵《のうぎょうずえ》』）

いわれる。含まれる者が血縁的であるか非血縁的であるかによって家族の性格は異なるが、以下では単婚小家族との対比を中心に論じるので、どちらかといえば血縁的な複合家族が問題となる。

他方、核家族のうち夫婦のいずれかを欠くもの、つまり父子や母子のみの家族を単親家族と呼ぶ。祖父母の一方と孫のみという家族や子どものみの家族もこれに含める。夫婦を中心とした家族労働に頼っていた当時の社会では、こうした家族は不安定な存在であった。最後に、ひとりだけの単独世帯を、単身家族と呼ぶことにしよう。

「家」とは何か?

家族や世帯とは別に、「家《いえ》」といういい方もある。江戸時代で「家」といえば、家名・家業・家産および先祖祭祀《さいし》が代々にわたって継承される単位を指している。徳川《とくがわ》社会では、武士も農民も商人も、この「家」を単位に集団が組織されていた。大名や旗本《はたもと》・御家人《ごけにん》は「家」を単位に将軍に仕えたし、家臣は「家」を単位に藩主などと主従の関係を結んだ。百姓は、「家」を単位に年貢を納め、宗門人別改帳《しゅうもんにんべつあらためちょう》（宗門改帳）に登録され、村の諸役をつとめた。町人の場合も同じだ。この「家」の責任者を仮に家長と呼ぶとすると、家長には家内の者を統括し保護する義務があった。それが「家」を「おさめる」ということであり、そして、家長の最大のつとめは、「家」をつぎの世代に確実に引き渡すことであった。

家族や世帯と「家」とは、ぴったり一致するわけではないが、徳川社会はこの三者がおおむね一致するというイメージをもってよいと考える。細かなことはおいおい述べていこう。

ところで、「家」を結びはじめたのは、武士の社会が早い。鎌倉《かまくら》時代に御家人たちが「家」結合を強めた。庶民の間では、一五世紀に惣村《そうそん》が広がると、その構成単位として「家」が結ばれるようになった。そして、太閤検地《たいこうけんち》と兵農分離を経て、「家」が社会秩序の編成単位となった。ただし、「家」が社会の単位になったといっても、ただちに個々の「家」が安定的に再生産され相続されたわけではない。「家」が「家」となるのは、何世代かにわたって相続された結果のことである。この点に誤解があってはならない。「家」は初発から「家」なのではなく、結果として「家」になるのだ。小農民の経営が不安定であったことは、これまでも繰り返し述べたところだ。武士でも、下層のものは同じように代々続くわけではない。いずれの場合も、一八世紀になってようやく広範な相続が確認できるようになる。それが、たんなる量的拡大ではない質的充実の一歩なのだ。そのことを、具体的にみてみよう。

武士の格式と相続のあり方

まず武士の場合である。

江戸時代の武士の人口（家族を含めた人数）は、総人口の六〜七パーセントと考えられている。享保《きょうほう》六年（一七二一）の幕府による最初の全国人口調査によれば、武士を除いた人口が約二七〇〇万人とあるので、武士人口は約二〇〇万人と推定される。宝永《ほうえい》四年（一七〇七）に岡山藩が行なった全領的な人口調査の結果は下の表のとおりだ。ここで家中として把握された人数は、全体の二・六パーセントを占めるにすぎない。ただし、在中や町中として集計されたうちには、村や町の宗門改帳《しゅうもんあらためちょう》に登録されたまま足軽《あしがる》・中間《ちゅうげん》・小者《こもの》や奉公人として家中《かちゅう》で生活する者がおり、それを加えた実際の家中人口は二万二六二八人になる。これは、総人口の五・九パーセントにあたるから、先の全国の比率に近くなる。広い意味で武家社会で生活する者は、全人口の六パーセントほどと考えておいてよいだろう。

ところで、ひとくちに武士といっても、そのあり方は一様ではない。将軍や大名から足軽・中間・小者まで、その存在形態は限りなく多様であった。以下、藩社会を例にしながら、その内部をかいま見てみよう。

多くの藩を横断的に検討した磯田道史《いそだみちふみ》の研究によれば、大名の家中は一般に、士《さむらい》（侍）・徒《かち》（歩行）・足軽に三区分できるという。先に述べた岡山藩の宝永四年の人口調査を、この区分に当てはめると下の下段の表のようになる。士格・徒格・足軽格の三区分で人数はほぼ同じくらいである。

家中の中核は士格の「家」であり、全体の一九・二パーセン

岡山藩総人口 宝永4年(1707)

	人数(人)	構成比(%)	男(人)	男女比(%)	女(人)	男女比(%)
家　中	10,027	2.6	5,137	51.2	4,890	48.8
在　中	334,668	87.7	175,246	52.4	159,422	47.6
町　中	28,298	7.4	14,299	50.5	13,999	49.5
寺　社	7,932	2.0	4,598	58.0	3,334	42.0
その他	603	0.2	352	58.2	251	41.6
全　体	381,528		199,632	52.3	181,896	47.7

池田家文庫『惣人数之書付』より作成

岡山藩家中の家数・人数 宝永4年(1707)

	家数(家)		人数(人)		1家平均	男(人)	女(人)	男／女
士格(家老・番頭から中小姓)	758	19.2%	3,026	34.2%	4人	1,505	1,521	0.989
徒格(士鉄砲から徒)	762	19.3%	2,700	30.5%	3.5人	1,364	1,336	1.021
足軽格(足軽から小人)	2,436	61.6%	3,130	35.3%	1.3人	2,682	448	5.987
全　体	3,956		8,856		2.2人	5,551	3,305	1.680

*男／女は女性人数に対する男性人数の割合を示す　池田家文庫『御家中男女有人改寄帳』より作成

トを占める。士格の者は給知《きゆうち》を与えられる知行取《ちぎようどり》で、代々の家督相続が認められた家臣であった。次いで徒格の「家」が一九・三パーセントとほぼ同数ある。徒格は、知行取はわずかで大部分は何俵《ぴよう》何人扶持《ぶち》という禄米取《ろくまいどり》であった。徒格の「家《いえ》」では、一割程度は一代限りのものがあったが、大部分は家督相続を認められており、城下町に屋敷地を与えられて家族を営んでいた。

これに対して足軽以下層では、「家」として相続を認められたものは一割に満たず、大部分は一代限りで、みずからの人別も村や町に残したままであった。一家あたりの平均人数が示すように、彼らが城下町において夫婦で世帯を形成することはほとんどなかった。単身で組屋敷《くみやしき》に居住するか、近接の村から通《かよ》いで役をつとめていたようだ。

同じく藩の家臣といっても士格や徒格と足軽以下層とでは、相当に性格が異なるといわざるをえないだろう。名実ともに武士身分としてくれるのは士格と徒格の「家」であり、足軽以下層の多くは「家」を結ぶこともなく、いまだ片足を村や町の民間社会に残したままであった。純粋に武士身分といえる士格と徒格の家数は一五二〇、家族を含めた人数は五七二六人、藩全体の人口に占める割合は、わずかに一・五パーセントにすぎない。

武士のライフコース

もう一度、表を見てみよう。岡山藩の場合、本来の武士身分である士《さむらい》格と徒格《かち》の「家《いえ》」の平均家族数は、四人から三人ときわめて少ない。ほとんどが当主夫婦と子どもが一人か二人という、いわゆる核家族であったと思われる。たしかに、息子に家督を譲ったあとの老夫婦が扶持《ふち》を与えられて別の世帯を構える場合もあり、それが実際には同居していても別の世帯と見なされることもあっただろうが、実態としても三世代が同居する直系家族は少なかった。

磯田道史《いそだみちふみ》は、陸奥国《むつのくに》福島藩五万石の知行取《ちぎようどり》家臣（士格）六〇家の家族構成も紹介している（下の表）。時期は寛文《かんぶん》一二年（一六七二）。この場合も家族数の平均は三・五人で、岡山藩と変わらない。召使い（奉公人）の数は平均六・八人、当然知行高が多いほうが召し抱える人数も多い。家族構成は、直系家族一二、核家族三〇、単親家族一〇、単身家族八、である。直系家族は二〇パーセントでそれなりの比重を占めているようにもみえるが、内実は母のみの同居六、姉・弟・甥《おい》の同居六で、当主の両親がそろって同居するものは一例もない。当主夫婦中心の小家族と考えて間違いはないだろう。むしろ、知行取の「家」であるにもかかわらず単身者が一三パーセントもいることが注目される。単身の「家」は、存続の危機を抱えているといわざるをえない。

武家の場合、主家への軍役《ぐんやく》奉仕が求められるため、当主は男子が基本であった。しかし、子ども数が二人程度では実子に男子を得ることは容易でない。いきおい養子による相続に頼らざるをえなくなる。士格や徒格の相続は、実子七割、養子三割というのが、おおかたの見方だ。養子の場合、

福島藩家中の家臣家族数・奉公人数

知行高	家数	平均家族数	平均奉公人数
1100石	1家	4人	不明
600石	1家	3人	24人
300～400石	9家	4.4人	12.9人
200～280石	18家	4人	9.2人
100～170石	19家	3.2人	4.3人
59～91石	12家	2.7人	2.5人
	計60家	3.5人（一家平均）	6.8人（一家平均）

磯田道史『近世大名家臣団の社会構造』より作成

表向きとは違って後家や家付きの娘が実際に家督相続している事例を、女性史研究者の柳谷慶子《やなぎたにけいこ》が明らかにしている。性別より血筋を重視するものだが、「家」の側からすれば適合的な選択といえる。いずれにしても養子制度が「家」の存続を可能にしていたことは間違いない。

結婚の場合も養子縁組みの場合も、同じ程度の家格同士で結ぶのが一般的であった。岡山藩ほどの大藩になると家数も多いので、同じ程度の「家」を藩内で探すのは比較的容易だ。子ども数二人であれば、嫁取りにしろ婿《むこ》養子にしろ、なんとか相手が割り当たる勘定である。しかし、藩の規模が小さくなると家数も限られるため、藩内で同じ程度の家格の「家」を探すのが困難になる。他藩に相手を求めるか、家格の幅を広げて対象を求めざるをえない。結果的に流動性が高まることになるだろう。それでも、士格や徒格の場合は、結婚や養子による階層移動はそれほど激しくなかった、と磯田道史はいう。妥当な見解と考えられる。

子ども二人という数字は結婚年齢にもかかわっている。武家というと早婚と思われがちだが、必ずしもそうではない。伊予《いよ》国宇和島《うわじま》藩と丹波《たんば》国篠山《ささやま》藩の事例が次ページの上の表である。階層区分は、知行取・上士《じょうし》を士格、切米取《きりまいどり》・中士《ちゅうし》を徒格と考えておこう。宇和島藩の士格で女子の初婚年齢は一六歳と低いが、篠山藩では一九歳前後である。男子は士格

3

◉武家の婚姻
「家」同士の結婚として家格が意識され、縁組み相手が選ばれた。親族らが同席し、祝われる。（鈴《すず》木《き》春信《はるのぶ》『婚姻之図《こんいんのず》　祝言《しゅうげん》』）

で二三歳代、徒格では三〇歳前後と高くなる。この程度の初婚年齢だと子ども数が少なくなるのも納得できる。結婚年齢や家族数は、基本的に家族を維持する経済力に規定される。経済的に余裕がなければ、結婚年齢を上げ、家族数を少なくするという戦略しかとりえなかっただろう。

下段の表は、宇和島藩士の平均的なライフコースを示したものだ。元服《げんぷく》（前髪執《まえがみとり》）は士格も徒格も一四歳代で、成人するまでの差はほとんどないが、それからの人生は大いに異なる。徒格では初婚年齢が八歳も高いのに、死亡年齢は九歳も低い。三一歳で結婚してから死亡までが二四年。老後のほとんどない人生といってよい。士格の場合、結婚して数年で家督を相続し、しばらくしてつぎの世代の跡継ぎが誕生する。世代の継承はスムーズだ。家督を子どもに譲ってから一〇年ほどは、老後を過ごす余裕がある。徒格の場合は、家督を相続しても一〇年以上にわたって独身であり、跡継ぎが誕生するまでに一〇数年もかかる。先にみた単身世帯はこうした「家」だろう。このままでは、この「家」が存続できる保証はまったくない。中下層武士の「家」の存続は、じつに綱渡りのようであった。

武士の平均初婚年齢

対象	宇和島藩士		篠山藩士	
集計期間	1798〜1846（寛政10〜弘化3年）		1830〜71（文政13〜明治4年）	
階層区分	知行取	切米取	上士	中士
男子	23.0歳	31.0歳	23.8歳	28.0歳
女子	16.0歳	ー	18.4歳	19.2歳

宇和島藩士のライフコース

	知行取	切米取	全体平均
御目見	8.4歳	12.0歳	10.1歳
袖留	12.6歳	12.5歳	12.5歳
前髪執	14.3歳	14.7歳	14.5歳
家督	26.0歳	20.1歳	22.2歳
初婚	23.0歳	31.0歳	28.3歳
初子届	27.3歳	33.2歳	30.9歳
末子届	44.4歳	45.8歳	45.3歳
死亡	63.7歳	54.8歳	57.8歳

上下とも磯田道史『近世大名家臣団の社会構造』より作成

武家の出産事情

中下層武家の具体的な生活を示す福岡藩士の日記を、女性史研究者の横田武子《よこたたけこ》が紹介している。この「家」は六人扶持《ふち》二五石《こく》取りで、下級の士《さむらい》格である。その日記から、婚姻・相続・出産に関する事柄を三代にわたってみておこう（次ページの表）。

まず、正徳《しょうとく》四年（一七一四）生まれの当主は、享保《きょうほう》一八年（一七三三）に二〇歳で家督を相続した。彼は長男で、兄弟はほかに四人。弟二人は他家の養子となり、妹二人は家中に嫁いだ。二九歳の寛《かん》保《ぽう》二年（一七四二）に嫁を迎えた。残念ながら妻の年齢はわからない。家督相続と結婚の順序や年齢は、先の宇和島《うわじま》藩士の下層の事例に近い。

翌年長女が誕生し、その三年後には長男が誕生した。ここまでは順調だった。その二年後から七年間に、妻は六回妊娠する。うち五回は「平産」とあって母体に問題はなかったが、子の出生はなかった。最後の妊娠は流産に終わり、その六か月後に妻自身が死亡した。この妻は一三年間の結婚生活で八回妊娠している。一般に頻産《ひんざん》の場合は胎児の成育が十分でないといわれるから、子の出生がない例が多いのは、その結果だろうか。しかも母体にも相当の負担がかかったに違いない。

翌宝暦《ほうれき》五年（一七五五）、当主は四二歳で後妻を迎える。後妻は二〇歳下の二二歳であった。この後妻も二五歳から四六歳までの二二年間に一〇回妊娠する。しかし、子が出生して無事に成長したのは三二歳のときに産んだ当主にとっての次女のみであった。ほかは流産が二回、「平産」とのみあるものが七回であった。こうした事態を横田は、子ども数を制限するために意図的な操作が行なわれたのではないかと推測してる。実際に武士の間でも堕胎《だたい》や間引《まび》きが行なわれていたことは、沢山《さわやま》美果子《みかこ》の研究が明らかにした陸奥国一関《むつのくにいちのせき》藩の例などからも知られる。ただ、この家の場合その確証はない。一般に当時、出生した子どもが無事成人する割合は、半分程度と考えられている。遮二無《しゃにむ》二《に》後継者を得ようとした結果としての頻産であったとも思われる。この当主は寛政《かんせい》五年（一七九三）に八〇歳で死亡、後妻はさらに長命で文政《ぶんせい》一二年（一八二九）に九六歳で亡くなった。

ある福岡藩士一族3代の略歴（享保18～天保10年）

年代	夫年齢	妻年齢	事柄
1733	20		1代目、家督を嗣ぐ
1742	29	不詳	結婚
1743	30		長女出生
1746	33		長男出生
1748	35		平産
1749	36		平産
1751	38		平産
1752	39		平産
1753	40		平産
1754	41	死去	流産。その後、妻死去
1755	42	22	再婚
1758	45	25	平産
1760	47	27	平産
1761	48	28	平産
1762	49	29	長女死去。20歳
1763	50	30	平産
1765	52	32	次女出生
1769	56	36	平産
1770	57	37	平産
1773	60	40	流産
1775	62	42	流産
1779	66	46	平産
1783	21	19	次女、婿養子を2代目に迎える
1785	23	21	安産、長男（3代目）出生
1788	26	24	産有り
1792	30	28	平産
1793	31	29	先代当主死去。80歳
1795	33	31	長女出生
1802	40	38	次女出生
1812	50	48	2代目当主死去
1814	30		3代目当主結婚
1815	31		離婚
1816	32		再婚し、すぐ離婚
1817	33	24	再々婚
1820	36	27	男子出生。その後死去
1821	37	28	長男出生
1824	40	31	長女出生
1826	42	33	次女出生
1829	45	36	出産。出生なし。祖母死去。96歳
1830	46	37	出産。出生なし
1832	48	39	次男出生
1835	51	42	出産。出生なし
1837	53	44	出産。出生なし
1839	55	46	出産。出生なし

横田武子「福岡藩における産子養育制度」より作成

宝暦一二年、長女が二〇歳で亡くなる。その後長男は叔父《おじ》の家に養子に出され、この家は次女が婿《むこ》養子を迎えて相続した。後妻への配慮が働いたのだろう。養子縁組みは天明《てんめい》三年（一七八三）、次女一九歳、婿二一歳であった。この次女は二一歳から三八歳までに五回出産し、一男二女が成長した。二代目となった婿は、文化《ぶんか》九年（一八一二）に五〇歳で亡くなった。家督は長男が相続する。

三代目は文化一一年、三〇歳で嫁を迎える。しかし、「不熟《ふじゆく》（家になじまない）」を理由に妻は翌年に離縁されている。さらに翌年に二人目の妻を迎えるが、これも半年ほどで離縁となる。この時点では母も祖母も健在であった。二人の姑《しゆうとめ》との折り合いが悪かったのだろうか。文化一四年、三三歳で三人目の妻を迎える。二四歳であった。この妻は家内との折り合いがよかったのか、結婚生活は持続され、二七歳から四六歳までの二〇年間に一〇回妊娠し、二男二女の子どもを出産した。ほかの六回のうち一回は男子が出生したが、一か月ほどで死亡。残りの五回も子の出生はなかった。

この「家」は士格のなかでは下層だが、徒格《かち》を含めた武士層のなかでは、中ぐらいの存在と考えていい。その「家」の結婚・相続・出産の状況は、予想以上に厳しい。三代のうち二回は嫡男の実子相続、一回は婿養子である。実子相続の場合は、いずれも父の死亡に伴うもので、そのとき新しい当主（子）は未婚であった。初婚年齢は、養子の場合は一九歳だが、嫁取りの場合は三〇歳前後である。子ども数は二人から四人、妊娠回数に比べて成人する子どもの数は半数以下であった。武士の「家」の存続も、それほど容易ではなかった。夫も妻も必死だ。これが、一般的な武士の家族のすがたであった。

百姓から武士への道

ひとくちに武士といっても、士《さむらい》格や徒格《かち》と足軽《あしがる》以下層とでは、その性格や実態が相当異なっていた。足軽以下層は、片足を村や町の社会に残したままであった。その様子を、身分変更や相続に注目しながらみておこう。具体的に取り上げるのは、かつて朝尾《あさお》直弘《なおひろ》も注目した岡山藩の森下《もりした》家の例である。

森下家は、もと備前国《びぜんのくに》上道郡《じようどう》国富村《くにとみ》森下分《もりしたぶん》(岡山市)の百姓であった。国富村森下分は、京都や大坂から下ってきた西国街道《さいごく》が岡山城下町に入る東の境に接する町続きの村である。こうした城下周辺の村々は藩の中間《ちゆうげん》・小者《こもの》や武家奉公人の供給源であり、住み込みや通いで多くの百姓が武家社会に出入りしていた。岡山城下町の西北にあたる津島《つしま》村新野《にいの》では、江戸時代後期に五〇戸のうち二九戸から三八人の者が武家奉公などに出ていたことが、磯田《いそだ》道史《みちふみ》の研究によって知られている。森下家でも、享保《きようほう》七年(一七二二)、惣右衛門《そうえもん》が「小人《こびと》(小者)」として藩に仕えることになった。時に二九歳。江戸屋敷詰《づめ》を命じられた。先にみたように、足軽以下層が世帯をもつことはまれであった。ましてや江戸詰である。単身であった可能性が高い。

その後、江戸詰を二六年つとめ、延享《えんきよう》四年(一七四七)に一八俵《ぴよう》三人扶持《ぶち》を与えられた。五四歳でようやく武士の末端である足軽に名を連ねることになった。さらに、宝暦《ほうれき》二年(一七五二)に三俵加増、「歩行格《かちかく》」を仰せ付けられ、翌年藩主から黒印《こくいん》の宛行状《あてがいじよう》を与えられた。精勤な働きぶりが認められたのだろう。足軽から徒格へ五年で昇進、晴れて正式の武士身分となったわけである。

宝暦九年、跡取りとなる倅《せがれ》がいないので、備中《びっちゅう》国小田《おだ》郡尾坂《おさか》村（岡山県笠岡《かさおか》市）百姓紋七郎《もんしちろう》倅藤内《とうない》を養子にしたいと願い出て、許された。尾坂村は岡山藩の支藩である鴨方《かもがた》藩領の村で、藤内は当時一八歳。惣右衛門と藤内の親の紋七郎とは、江戸屋敷での交流のなかで知り合ったのだろう。惣右衛門が引き続き単身だったのか、それとも江戸藩邸の長屋で夫婦生活を送るようになっていたのかはわからない。いずれにしても実の息子はなかった。ところが、徒格になることではじめて家督としての「家」を相続させることが可能となった。つまり足軽では一代限りで家督相続が認められていなかったわけで、ここにきてようやく養子を迎えることになった。俸禄《ほうろく》からすればたった三俵の違いにすぎないが、藩主から黒印状が与えられることといい、家督相続が認められることといい、足軽と徒格とでは雲泥《うんでい》の差があったのだ。惣右衛門はすでに六五歳になっていた。個人の人格や努力もさることながら、長年にわたって勤務することが不可欠であり、その意味では健康で長生きであることが決定的に重要だった。

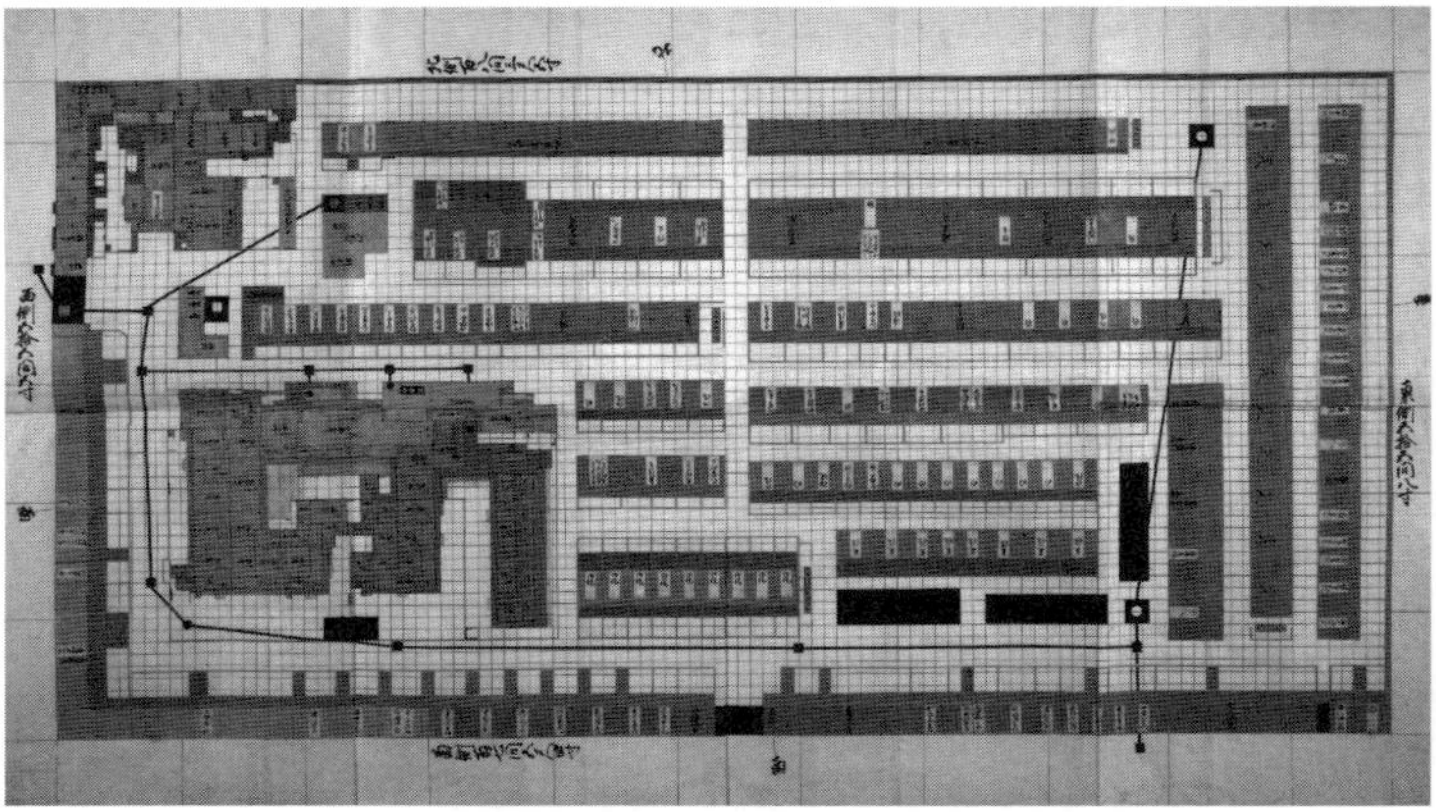

4

◉岡山藩江戸藩邸の向屋敷
東京・丸の内周辺にあった岡山藩上屋敷の向かいに、前藩主の室や世子《せいし》の住居、足軽などの長屋が立ち並んでいた。（『江戸《えど》向御屋敷絵図《むかいおんやしきえず》』）

明和《めいわ》四年（一七六七）惣右衛門は病気を理由に役儀御断《やくぎおこと》わりの願いを出し、許された。そして城代《じょうだい》支配《しはい》徒格を仰せ付けられるとともに、国元居住を許された。翌明和五年八月、家族とともに帰国。四六年ぶりの帰郷である。そして同年一二月惣右衛門は病死した。七五歳であった。三か月後の明和六年二月、跡目を養子の恕平《じょへい》が相続した。藤内がいつ改名したかはわからない。亡父の俸禄二一俵三人扶持のうち一三俵二人扶持を下され、城代支配軽輩《けいはい》に仰せ付けられた。軽輩は、岡山藩では徒と足軽の間に位置づけられている。恕平の場合、黒印状を与えられているので武士身分と考えていいが、徒より下の最下層であった。俸禄も亡父の三分の二である。時に二八歳。二代目森下恕平はここから出発する。

天明《てんめい》元年（一七八一）、恕平は一〇俵一人扶持を加増され、先徒《さきかち》に仰せ付けられ、あわせて江戸詰を命じられた。四〇歳にして亡父と同じ地平に立つことになったのだ。以後、一時大坂蔵方《おおさかくらがた》をつとめたこともあったが、大部分は江戸屋敷で諸役をつとめた。寛政《かんせい》元年（一七八九）、江戸で病死、四八歳であった。

三代目森下惣吉《そうきち》は、寛政二年に父の跡目のうち一八俵二人扶持を下され、城代支配軽輩に取り立てられた。先代と同じく、父より一段下の家格からの出発であったが、注目すべきは惣吉が当時わずか六歳であったことだ。六歳では実際の御用がつとまるわけがない。つまり、当主の人格にかかわりなく、家督相続が認められるようになった。家中の「家」として認知されているということだ。

惣吉は二五歳で、父と同じ二五俵三人扶持の先徒になる。二七歳で江戸詰を命じられ、このとき重兵衛《じゅうべえ》と改名した。以後父と同じ道を歩む。重兵衛の代で変わったことは、倅の亀次郎《かめじろう》が二〇歳で御目見《おめみえ》し、父とともに江戸詰先徒を命じられたことだ。「家」としての家督相続権はますます強まったといえる。亀次郎は近習《きんじゅう》を命じられ、立太郎《りゅうたろう》と改名する。藩主の信任が厚く、側近として幕末の軍政や藩外交に活躍する。慶応《けいおう》二年（一八六六）、農兵隊を組織することを進言。これが成立すると隊長に任じられた。百姓から取り立てられて四代、森下立太郎はもっともふさわしい役職に就いたといえるだろう。

　岡山の津島村新野では文化《ぶんか》末年から慶応年間（一八一八〜六八）までの約五〇年間に、四〇人が藩の小者《こもの》や家臣の若党《わかとう》などとして武家奉公に出ており、そのうち二人が藩に取り立てられ徒格にまで出世した。出世率五パーセントといえばわずかな確率ではあるが、それでも医者や儒者《じゅしゃ》のような特別な技芸をもつ者でなくても、自力で武士身分の「家」を新たに興《おこ》す道は存在していた。その基盤は、家中の最下層である足軽以下の者が、村や町の世界と濃密につながった境界的な存在であったからだ。

●岡山藩農兵隊の旗
幕末期、諸国で武家以外の民間人による部隊が設けられる。岡山藩では一〇〇〇人あまりの農兵隊が組織され、戊辰《ぼしん》戦争で各地を転戦した。

百姓家族のすがた

一七世紀後半の百姓家族

武士身分の場合、戦国以来の権力者の交替や転封《てんぽう》などにより全国規模での移動が多く行なわれたので、その家族形態などには地域による差異はあまりなかったようだ。それに比べて百姓の場合は、地域による差異が指摘されている。一般的には、東日本では複合家族や直系家族が優勢で家族人数も多く早婚であり、西日本では核家族が多く家族人数は少なく晩婚であった。こうした二分法に対して、最近、歴史人口学の速水融《はやみあきら》は、東北日本型・中央日本型・西南日本型という三区分を提唱している。西南日本型は、晩婚だが出生数は多く複合家族も少なくないという。ただし、同じ地域内でも特徴はまだら模様であり、時期による変化も多様に見受けられる。今後の研究の進展が望まれるところである。

ここでは、武士身分と同じ岡山地域をみてみよう。庶民の家族の分析では宗門改帳《しゅうもんあらためちょう》が史料として使われることが多い。これには一戸ごとに住人が登録されているのだが、すべての人が出生と同時に記載されるわけではない。また、一戸のまとまりは便宜的なものである場合もあり、必ずしも実態を示しているとはいえないのである。ただし、史料のうえで実態とのズレを弁別することも困難だ。とりあえずは、実際に近いものと前提して、領主の政策にも留意しながら分析を進めよう。

下の表は、備前国和気郡北方村《びぜんのくにわけぐんきたがたむら》(岡山県備前市)の一七世紀後半の状況を示したものである。わずか三〇年たらずの間に、戸数は一・二七倍、人口は一・三三倍の増加を示している。家族形態では、この時期すでに直系家族と核家族が中心になっていることが確認できる。ただし、複合家族も四分の一ほどあり、一定の存在感を示している。むしろ単身家族のゼロというのが目を引く。単身者は、領主や村によって一人前の百姓とは見なされていなかったのだろう。そうした存在は、帳簿のうえでは複合家族のなかに包摂《ほうせつ》されていたと思われる。

表によれば、この村では寛文《かんぶん》七年から天和《てんな》三年(一六六七〜八三)の間に大きな変化があったことがわかる。この間に全体の戸数が七戸増えたが、これは複合家族や直系家族が分裂して、核家族が多くなった結果である。核家族は四戸から一三戸に増えているが、増加した九戸すべてがそうした分家であったことが確認できる。この時期は、江戸時代らしい村が確立する時期であり、その中核となる本百姓《ほんびやくしょう》がこうした直系家族や核家族などの単婚小家族であったのだ。

しかし、こうした小農民は脆弱《ぜいじやく》であった。名請人《なうけにん》として自立しても、すぐに没落してしまうような状況が広範にあり、領主や「村の治者」による勧農を必要としていた。日常的に彼らを支えたのは親族による扶助《ふじよ》

北方村の戸数・人数・家族形態の推移(1667〜93)

年	戸数	家族形態(各戸数)					人数	1戸平均家族人数
		複合	直系	核	単親	単身		
1667年(寛文7)	22	6	12	4	0	0	155	7.0
1677年(延宝5)	27	7	9	10	1	0	178	6.6
1683年(天和3)	29	5	9	13	2	0	186	6.4
1685年(貞享2)	29	4	10	12	3	0	183	6.3
1691年(元禄4)	29	7	8	11	3	0	204	7.0
1693年(元禄6)	28	7	8	10	3	0	206	7.4

『吉永町史』より作成

であった。複合家族の存在がそれを示しているだろう。だから領主はこの時期、分地や分家を制限する法令をしきりに出している。

明暦《めいれき》二年（一六五六）、岡山藩で出された分家制限令ではつぎのように述べられている。

百姓の間で父子や兄弟の間柄を疎遠にし、一所に集まって生活することを嫌い、別家や別居を好み、分地することが流行《はや》っている。このために、潰《つぶ》れたり飢えたりする者が増えているのは大きな問題だ。だから、今後は所帯を分けることは堅く無用と申し付けるべきである。兄がかりの弟や親がかりの子どもは、成人し妻子をもつような年になっても、部屋をつくり仕切りを差し掛けなどして、朝夕は一緒に食べ、我人《われひと》の隔てをしてはならない。一家の内に住む者は、親子兄弟はいうに及ばず、伯父甥従弟《おじおいいとこ》に至るまで、互いに慎み助け合って暮らすべきだ。

ただし、年貢未納をしないような「強い百姓」の場合は、代官や郡奉行の見分《けんぶん》を経て分家することが認められていたし、絶人株《たえにんかぶ》（後継者が絶えて空《あ》いた家の株）を継ぐというかたちで別家することも認められていた。だから、領主の規制にもかかわらず、先にみたように分家は徐々に進んでいた。複合家族として登録されたもののなかにも、実際は「内分別家《ないぶんべつけ》」（表向きは一家の体《てい》であるが実際には内々に分かれている家）が含まれていたに違いない。

一八世紀後半の百姓家族

下の表は、一八世紀後半以降の美作国勝南《みまさかのくにしょうなん》郡高下《こうげ》村（岡山県美咲《みさき》町）の状況を示したものである。この村は美作でも備前《びぜん》と境を接した吉井《よしい》川《がわ》中流域にあり、先の北方《きたがた》村と同じような村柄《むらがら》である。この村の一八世紀前半の状況は残念ながらわからない。「はじめに」で述べたように、享保《きょうほう》期以降の人口は停滞もしくは減少傾向であったろう。

さらに天明《てんめい》五年（一七八五）は、一〇年前に比べて二割近く人口が減少している。天明の飢饉《ききん》の影響に違いない。しかし、その後は順調に増加を続け、結果的に一〇〇年間で人口は一・四倍となり、戸数も一・五倍となっている。他方、一戸あたりの家族数は四人から五人といったところで、一七世紀後半の北方村が六人か七人であったのと比べて二人ほど少ない。ただし、この小家族化は単純に核家族が増加した結果だとはいいきれない。家族形態をみてみると、複合家族は増減を繰り返すが、ふつうは一割以下と考えてよい。村内で支配的なものとはいえないだろう。やはり中心となるのは、直系家族と核家族だが、高下村ではこの一〇〇年間に核家族の数が直系家族を上まわるのは一度しかなかった。それはなぜかというと、直系家族のほうが家族の再生産が安定的であるのに対して、核家族はそれが不安定だからである。

高下村の戸数・人数・家族形態の推移（1775〜1869）

年代	戸数	家族形態（各戸数）					人数	1戸平均家族人数
		複合	直系	核	単親	単身		
1775年（安永4）	23	4	10	5	2	2	116	5.0
1785年（天明5）	25	2	8	7	5	3	98	3.9
1809年（文化6）	29	1	12	11	1	4	126	4.3
1815年（文化12）	28	1	14	6	5	2	124	4.4
1828年（文政11）	30	3	13	8	1	5	121	4.0
1839年（天保10）	30	5	14	6	1	4	134	4.5
1847年（弘化4）	32	1	14	13	3	1	143	4.5
1855年（安政2）	32	1	16	8	6	1	152	4.8
1869年（明治2）	35	2	12	10	9	2	163	4.7

高下公民館所蔵文書より作成

高下村には一〇〇年間に三〇冊の宗門改帳《しゅうもんあらためちょう》が残されているので、すべての「家」の変遷を追うことができる。また持高《もちだか》の変化もわかる（村内地に限るものだが、大勢はうかがえるだろう）。安永《あんえい》四年（一七七五）段階の持高と家族形態を下の表に示した。この安永四年に存在した二三家のうち明治二年（一八六九）まで存続したのは一三家、消滅したのは一〇家であった。存続した「家」のうち一家は三石《こく》未満であったが、しだいに持高を減少させ、単親家族から単身家族になり、最後は無高の単身家族であった。消滅寸前といってよい。消滅したほうでは、三石以上が一軒あった。しかし、この「家」は当初から単親家族で、天明年間（一七八一～八九）に持高を半減させ、その後みえなくなった。つまり、三石以上層は基本的に存続し、三石未満層は消滅する、といえる。持高三石が分解ラインであった。

三石以上では、五石が境になっている。五石以上は、直系家族と核家族とを行ったり来たりしながら繰り返すうちに、しだいに持高を上昇させ、分家も行なっている。他方、三～五石層では、単親家族や単身家族など不安定な家族形態に陥ることも多く、分家もほとんどしない。五家のうち二家は持高を減少させている。

さらに三石未満層では、数世代にわたって「家」を存続させることは不可能であった。分家も行

高下村の各戸の持高別家族形態 1775年（安永4年）

持　高	複合	直系	核	単親	単身	計
20石以上～25石未満		1				1
15石以上～20石未満						
10石以上～15石未満		1				1
5石以上～10石未満		3	2	1		6
3石以上～5石未満	2	2	1			5
1石以上～3石未満		2	1	1		4
1石未満	2			1	2	5
無　高			1			1
計	4	9	5	3	2	23

高下公民館所蔵文書より作成

なわれず、家族形態も不安定なままである。これは三石未満しか与えられずに分家した場合も同様で、その家は不安定な家族形態に陥ったり、持高を減少させたりして、やはり存続は困難であった。一石未満と無高の貧農層は、一代かせいぜい二代目で村から姿を消している。

なお、階層区分の基準となる石高が地域によって異なるのは当然である。寛文《かんぶん》一三年（一六七三）に出された幕府の分地制限令では、平百姓（本百姓）では一〇石未満層（名主は二〇石）の分地が禁止されている。これを受けたのだろうか、美作の津山《つやま》藩では一〇石以上を一人前の本百姓と見なした。持高一〇石未満で仮に半々の分地（いわゆる均分相続）をすると五石未満になるが、これでは存続が難しいというのだろう。しかし、この基準も全国一律に当てはまるものではなかったろう。幕府は正徳《しょうとく》三年（一七一三）に、分地後も一〇石以上なければならないと規定を改めている。

「家」存続にかける執拗な努力

一般には一八世紀なると百姓の間でも「家」が成立するといわれている。村の墓地の墓石も、元《げん》禄《ろく》期（一六八八～一七〇四）ごろからのものがぼちぼち現われてくる。たしかに村のなかで数世代にわたって存続する「家」が増えてくる。しかし、そこには相当明確な階層差が存在した。村の中層の「家」でも、少し努力を怠ったり、一家の中心である夫や妻に不幸があれば、ただちに没落の危機が迫った。ただし、この層では努力すれば上昇も可能であった。いわば百姓たちは、そうした緊張のなかで日々懸命に働いていたのだ。

他方、下層や貧農では世帯の存続はきわめて困難であったが、それでも存続のための努力は必死に行なわれた。それを、高下村《こうげ》のある「家」を例にみておこう。この「家」は安永《あんえい》四年（一七七五）に持高《もちだか》二・二七石《こく》、五〇歳の男当主と三九歳の弟、一八歳の娘からなる単親家族であった。その後、弟が近隣の村に移ったため、父と娘の二人になった。ここで娘に養子をとればこの「家」は存続するのだが、寛政《かんせい》元年から文化《ぶんか》五年（一七八九〜一八〇八）まで二〇年間の宗門改帳《しゅうもんあらためちょう》が残っていないために、この間の事情は定かでない。文化六年にこの「家」は、持高〇・三〇九六石、八三歳の男一人の単身世帯として現われる。しかし、文化七年・同九年の宗門帳には記載がなく、この男は死亡したと思われる。次いで文化一二年には先の男の「跡養子《あとようし》」として一〇歳と四歳の兄弟二人が登録される。親類の子どもだろう。持高は〇・二七九石。兄弟は文政《ぶんせい》四年（一八二一）には一六歳と一〇歳で確認できるが、文政七年には存在せず、かわって同じ持高で三五歳の別の男が単身で現われる。やはり親類から入って跡を継いだのだろう。この男も文政一一年には確認できるが、天保《てんぽう》四年（一八三三）には消え、その持ち分〇・〇九五石が別の「家」に付けられている。つぎの後継者が決まるまで預かってもらったのだろう。このかたちは天保八年まで続くが、天保一〇年には消え、預かった「家」の持高はもとに戻っている。この年から弘化《こうか》四年（一八四七）まで村内で分家の例はないので、この時点でこの「家」を存続させるための努力は断念されたのだろう。

このように、持高も少なく家族形態も不安定な「家」の存続はきわめて困難であったが、ここではそれよりも、そうした困難な「家」を存続させようと、親族や村ぐるみで六〇年以上にわたって執拗な努力が続けられたことに注目すべきだろう。

江戸時代の村では、村内の「家」を家株《いえかぶ》として把握することが行なわれた。村の構成員はこの家株をもつ者とされたから、それが固定され特権化されると、村の運営は閉鎖的になりがちだ。他方、村の負担や諸事業は家株に担われたから、家株の減少は村にとっても死活問題である。村請制《むらうけせい》を円滑に機能させようとする領主にとっても、家株の維持は関心事であった。だから、別家を禁止した藩、たとえば岡山藩でも、絶人株《たえにんかぶ》を継ぐためであれば、別家を認めた。

さらに岡山藩では、内存書《ないぞんがき》という制度も設けていた。これは、単身の老人で子どものない者や一五歳以下の幼少で独身の者に、もし死亡したら跡株を誰に継がせるかということを生前から決めて登録させておくという制度である。そのことを名主《なぬし》に届け出る書類を内存書（跡株書付《あとかぶかきつけ》）といい、名主は奥書《おくがき》して大庄屋に差し出した。大庄屋はこれを留め置き、当初は帳面に仕立てて郡《こおり》奉行に提出したようだ。この制度を藩が命じたのは宝永《ほうえい》五年（一七〇八）のことだが、村々では江戸時代を通じて延々と内存書をつくっていたことが確認できる。村に残された内存書は、持高の少ない下層のものがほとんどだ。そうした没落寸前の家株の維持が、村の関心事だったことをよく示している。

このように領主も村も、一八世紀の初頭から家株の維持に努めてきた。もちろん個々の「家」や個人が必死に努力したことはいうまでもない。しかし、それでも実際に村内で存続できた「家」は半数ほどにとどまった。それが江戸時代の村の現実であった。

西と東で異なる結婚年齢

一八世紀の村の中ぐらいの百姓家は、当主夫婦を中心に家族数が四人か五人ほどの核家族か直系家族としてイメージできる。当時の農業は労働集約型を基本としたため、労働力の中心に夫婦が座っていることがとくに重要であった。また夫婦の結合が家族の再生産に不可欠なことはいうまでもない。こうした農民像を、「夫婦かけむかい」という。結婚は百姓の「家」の存続にとっても重要な戦略であった。なお、この面では西日本と東日本の違いにも注意してみよう。

次ページの表は、備前国児島《びぜんのくにこじま》郡味野《あじの》村（岡山県倉敷《くらしき》市）での江戸時代中期から後期にかけての婚姻について整理したものだ。史料では初婚と再婚が区別されていないので、初婚ということになれば、もう少し年齢は下がるだろうが、この地域での女性の結婚年齢はだいたい二〇歳代前半と考えてよい。ほかの例でもおおむねこれぐらいの数字で、男性は二〇歳代後半から三〇歳前後というのが一般的であった。元禄《げんろく》末～宝永《ほうえい》期（一七〇二～一〇）と慶応《けいおう》～明治初年（一八六六～六八）とでは二歳ほどの差があり、時代とともに徐々に低年齢化しているといえそうだ。また、階層が高いほど結婚が早く、階層が低いほど結婚が遅いという傾向があることは、宮下美智子《みやしたみちこ》の研究が示す畿内の例からも知られる。味野村でも、村役人など村内上層の娘ほど早く結婚するという傾向が確認できる。

一般に西日本は晩婚だといわれる。その理由として、つぎの二つのことが考えられる。ひとつは、小家族にとって妻は不可欠な労働力であったこと。だから、すぐ役に立つ即戦力が欲しい。即戦力になるのは、ある程度社会的経験を積んだ成熟した女性だ。そうするとどうしても結婚年齢が高くなる。もうひとつは、バースコントロール（出産調整）。結婚年齢を高くすることで、生涯に産む子どもの数を減らしたのだという。当時の一家の子ども数は二人か三人であった。多すぎれば家計の負担になるし、少なくては家の存続が危ぶまれる。こうしたぎりぎりの選択が二人か三人という子ども数であり、それを維持するための方法のひとつが晩婚化だったのだ。

こうした晩婚化の結果もなかなか厳しいものであった。このくらいの結婚年齢だと、子どもが結婚するころに親は四〇歳代後半から五〇歳ほどになり、ほぼ人生の最後を迎える年代になっている。そうすると、こうした世帯では核家族から核家族へと再生産されることになる。しかし、子どもの結婚が少し遅れたり、親が少し早く亡くなると、たちまち単親家族になり、不安定な状況に陥る。逆に結婚が早まれば子どもが結婚するころにも親は健在で、直系家族となって比較的安定した再生産が可能となる。家族労働力の確保と世代の継承を確実にするために、結婚と出産をどうするかはじつに微妙な問題であった。

東日本の例としては、陸奥国《むつ》安積郡《あさか》下守屋村《しももりや》（福島県郡山《こおりやま》

味野村における女性の結婚年齢の推移 元禄15〜明治1年（1702〜1868）

	〜20歳	21〜25歳	26〜30歳	31〜35歳	36〜40歳	41歳〜	平均年齢
1702〜10年	25.7%	37.2%	17.7%	10.6%	4.4%	2.7%	26.7歳
1713〜20年	15.2%	48.5%	18.2%	9.1%	6.1%	3.0%	24.9歳
1739〜50年	8.8%	58.8%	15.0%	10.0%	3.7%	3.7%	25.0歳
1752〜60年	10.8%	49.5%	28.0%	6.5%	2.2%	3.2%	25.5歳
1785〜1800年	14.1%	46.5%	18.3%	15.5%	2.8%	2.8%	26.1歳
1801〜04年	6.2%	62.5%	18.8%	12.5%	0.0%	0.0%	24.9歳
1817〜29年	8.8%	51.1%	30.7%	5.8%	2.2%	1.5%	25.1歳
1830〜40年	6.5%	55.8%	29.0%	4.3%	3.6%	0.7%	25.2歳
1841〜50年	13.3%	55.6%	24.4%	4.4%	0.7%	3.0%	24.4歳
1851〜59年	16.4%	41.8%	18.2%	7.3%	4.5%	0.9%	24.5歳
1866〜68年	33.3%	50.0%	8.3%	0.0%	0.0%	8.3%	24.5歳

『味野村御用留帳』（荻野家文書）より作成

市）について成松佐恵子《なりまつさえこ》の詳細な研究がある。この村では、一八世紀初めの結婚年齢は、女性一三歳ほど、男性一七歳ほどであり、一九世紀には女性一七歳ほど、男性一九歳ほどに上昇している。西日本に比べてかなり早婚だといってよい。しかし、子どもの数は一八世紀初めに二・〇～三・三人、一九世紀に一・六～三・九人で、西日本よりやや多めだが極端に多いわけではない。一戸あたりの家族数も、平均四人から五人で推移している。この村では結婚した夫婦のうち三七パーセントが離婚し、離婚者のうち八〇パーセントが再婚している。再婚の場合、一般に夫からみた妻の出産回数は増加する。離婚・再婚は、「家」の出産能力を高めるための戦略であり、早婚や複合家族化も、ある程度の家内労働力を確保するための戦略と考えられる。

武士の場合、出生した子のうち成人するのは半数以下と先に述べたが、庶民の場合も同程度の生存率と考えられている。また、のちに述べるように東日本で堕胎《だたい》や間引《まび》きなどの産児制限が行なわれていたことも確かだ。家族史を研究する太田素子《おおたもとこ》が奥会津《おくあいづ》地方の事例を紹介している。これは一七世紀末から一八世紀初めの上層農民の例なのだが、最初の妻は二七年間に九回の出産を経験し、成人した者四人（うち一人は二一歳で死亡）、二～三歳で夭折《ようせつ》した者三人、そして二人は「押返し《おしかえし》」（間引き）であった。当主五七歳で後妻との間にできた子も「押返し」ている。二人の妻による一〇回の出産で成人した者は四人であった。つぎの当主の代では、記録に残るかぎりで五回の出産のうち一回は七か月の「半産」、残り四回のうち二人は夭折した。人為的な方法も含め、出産をめぐる選択は、状況に応じながら、ぎりぎりのところで行なわれていたに違いない。

「家」の存続と相続の多様性

通婚《つうこん》圏と婚姻形態についても触れておこう。江戸時代前期の備前国北方《びぜんのくにきたがた》村の場合、寛文《かんぶん》七年（一六六七）の例では、四一組の夫婦のうち二五組、約六〇パーセントが村内婚である。村外婚の一六組では、一四例が北方村と同じ和気《わけ》郡であった。元禄《げんろく》四年（一六九一）および同六年では、村外婚しかわからないが、一二例中一一組が和気郡内であった。この和気郡内の村は、いずれも北方村を中心にした半径一二キロメートル以内に収まる。

江戸時代後期の美作《みまさか》国高下《こうげ》村の場合は、村内婚が三〇パーセントと少ない。それでも村外婚の範囲は、やはり半径一二キロ以内である。一二キロというのは、約三里。大人の足で歩いて日帰りできる範囲だ。当時の人びとの生活は、この日帰りできる範囲内でおおかたのことがすんでいた。これを日常的生活圏と呼ぼう。つまり、婚姻もこの日常的生活圏の範囲に収まっていたのだ。

陸奥《むつ》国下守屋《しももりや》村の場合の通婚圏は、半径六キロ以内であり、西日本の例よりは狭い。ただし、通婚圏は、村の規模や周辺の地理的条件などによって異なるだろう。それでも、おおかたは日常的生活圏の範囲内と考えて間違いない。

6

●**農村の婚姻**（愛知県岡崎市）
嫁入り行列の再現の様子。形はさまざまだが、都市部を除けば、数十年前までみられた光景で、行列は地域への婚姻お披露目も兼ねていた。

ところで、以上のような通婚圏の範囲は村内でも中下層の一般的な傾向であって、庄屋などの上層の「家」の場合は郡を越えた遠方から縁づく場合も少なくなかった。また、成松佐恵子《なりまつさえこ》は経済的に栄えている村ほど通婚圏が広いと指摘している。人的交流は階層や経済にも規定されただろう。

つぎに婚姻形態だが、高下村では、嫁取りが六八・八パーセントで基本的な形態だといえる。しかし、婿《むこ》養子と両養子（男女をともに養子にとってめあわせる）をあわせると養子相続が三一・二パーセントにのぼるのも注意したい。これは先にみた武家の数字とほぼ同じだ。下守屋村でも、嫁として入村した者三一五人に対して、婿として入村した者が一三六人あり、婿養子はやはり三〇・二パーセントを占めている。養子の多さは、男の実子を得ることの困難さを示すとともに、どうしても「家」を存続させたいという人びとの強い意志を示しているだろう。

婚姻形態は相続形態にもかかわる。江戸時代では、庶民を含めて長男単独相続が一般的だと思われているが、他方、姉家督《あねかとく》や末子《まつし》相続が卓越する地域も全国に分布している。姉家督は、男女を問わず初生子が相続する結果として現われるものであり、末子相続は分割相続の結果として最終的に末子に家督が相続されるものである。姉家督を研究した平川新《ひらかわあらた》は、むしろ相続の多様性こそが徳川《とくがわ》日本の特色だと主張する。いずれの形態も、農家の経営環境が厳しいなかで「家」を存続させるために編み出された知恵に違いない。それが地域において慣習化されたのだろうが、慣行どおりにいかないのが庶民の「家」の現実であった。多様にみえるものも、「家」の存続にかける民衆の必死な努力の結果であることに留意したい。

男女で異なる奉公のあり方

江戸時代の農業は、家族による自家労働が中心であった。しかし、みずからの耕地を耕すだけでは生活が成り立たず、家族の一員が奉公人として出稼ぎするということも、よく行なわれていた。奉公人は、武家・商家や農家などに雇用されて、住み込みで働くというのが一般的だ。ただし、城下周辺の村では、通いで武家奉公する者が多くいたことは先にも触れた。一般の村では、自村や近隣の農家に通いで奉公することも少なくなかった。雇用期間は領主によって一年以内と決められている地域が多かったが、何年も続けるのがふつうであった。借金のかたに、一定期間奉公する身売り的なものも少なくなかった。時代が下るに従って、日雇いの者も増えた。

この奉公という労働は、庶民にとって二つの意味をもっていた。ひとつは、手っとり早い現金収入の手段であって、家計補助的な意味。もうひとつは、結婚前の若者たちが社会的な経験を積む場、という意味だ。

下の表は一八世紀初めごろの備前国味野村《びぜんのくにあじの》村の奉公の状況を示したものである。この表で注目される第一の点は、女性が男性の倍以上も奉公に出ていること。その要因としては、ひとつは、男子が後継者として自家労働に従事する比率が高いと思われるのに対して、女子のほうが比較的家の外に放出されやすいということが考えられる。もうひとつは、雇用

味野村の奉公人の年齢構成 元禄6〜正徳2年(1693〜1712)

区分	男性		女性	
10〜15歳	1人	1.4%	0人	—
16〜20歳	10人	14.3%	29人	18.7%
21〜25歳	11人	15.7%	41人	26.5%
26〜30歳	19人	27.1%	23人	14.8%
31〜35歳	17人	24.3%	26人	16.8%
36〜40歳	3人	4.3%	20人	12.9%
41〜45歳	1人	1.4%	14人	9.0%
46〜50歳	3人	4.3%	2人	1.3%
51〜55歳	3人	4.3%	0人	—
56〜60歳	2人	2.9%	0人	—
計	70人		155人	

『味野村御用留帳』(荻野家文書)より作成

労働を受け入れる労働市場の問題で、この点は地域差が大きいので、それによって男女の奉公人の比率にも地域差が出る。味野村の場合は、岡山城下の町屋に出る女子奉公人の比率が高い。つまり、商家などの下女労働という労働市場の存在が女子の奉公を支えていたと考えられるのだ。

第二に注目したいのは、奉公に出るのがもっとも多い年齢層が、男性では二五歳から三五歳まで、女性は一五歳から二五歳まで、という点だ。これはちょうど男女の結婚年齢に対応していて、結婚前の一時期に奉公人として社会的経験を積むというライフコースが確立していることを示している。他方、結婚後にあたる年齢層では、男性が三五歳以上であまり比率が高くないのに対して、女性の場合は二六歳から四五歳まである程度の比率で奉公に出ていることに注意したい。これも、結婚後の男性が自家労働の中心となるのに対して、女性が結婚後も家計補助的に奉公に出る可能性が高いことを示しているだろう。

東日本の陸奥国《むつのくに》下守屋村《しもももりや》では、全世帯の約三〇パーセントが奉公人を出している。性別では男性が多く、一八世紀初めでは、女性三六人に対して男性は九八人で二・七倍もあった。ただし、一九世紀にはこの比率は一・三倍程度に縮まっている。奉公先では、男性で二一・〇パーセントが武家奉公に出ているのに対して、女性は一・二パーセントしかないから、この差が奉公人の数に影響しているようだ。また、奉公に出る平均年齢も、男性三三・三歳、女性三一・六歳と高い。先にみた結婚年齢からすると、男女ともに結婚後にも奉公に出る場合が多いことになる。複合家族や直系家族であることがそれを可能にした。家計補助労働に頼る度合いが高いともいえる。

奉公について特徴的なのは、速水融《はやみあきら》が分析した美濃《みの》国安八《あんぱち》郡西条《さいじょう》村（岐阜県輪之内《わのうち》町）の例だ。この村の安永《あんえい》二年から文政《ぶんせい》八年（一七七三〜一八二五）の間に生まれた村民の、男性で五〇・三パーセント、女性で六二・〇パーセントが奉公に出た経験をもっている。女性が多いのは味野村と同じ傾向だ。奉公に出る者には階層的特徴が顕著で、経験者のうち小作階層が占める割合は、男性で七三パーセント、女性で六一パーセントに達している。奉公先では、男性は都市が多く、女性は都市と農村が同じ程度。この村の特徴は、男女ともに、京都・大坂・名古屋といった遠方の都市への奉公が多いことだ。そのこともあって、奉公に出た者の三分の二が結局村に帰らなかった。

　奉公と結婚年齢との関係では、奉公に出た者の九〇パーセントが未婚者で、奉公経験がある女性の平均結婚年齢が二五・九歳であるのに対して、奉公経験のない女性は二一・五歳であった。奉公に出ることによって晩婚になり、当然子どもの数も少なくなったことだろう。西条村は、一八世紀後半から一九世紀前半にかけて人口が停滞的であったのだが、その大きな要因が活発な奉公活動にあったのだ。つまり、出稼ぎによる人口流出と晩婚化による子ども数のコントロールによって、人口増加が抑制されていたのである。

　味野村・下守屋村・西条村、それぞれに奉公のあり方は三者三様であった。しかし、いずれの場合も、それが村人の人生に大きな影響を与えていたことは間違いない。とくに奉公を通じて当時の人びとは、女性も男性も、村と町の両方の生活を知るようになるということ、また奉公に出た者のうち、そのまま町にとどまる者が少なくなかったことに注意しておきたい。

「家」の「いのち」

子どもと母の「いのち」

「いのち」を支える最初にして最後の砦《とりで》は、「家」であった。これを逆にいえば、個々の「いのち」は「家」にとって意味があるゆえに支えられたということだ。とすれば、個々の「いのち」は「家」のなかでの位置や役割によって、そのあり方が異なるだろう。もちろん、年齢や性別によって自然的・生理的な意味でも「いのち」のあり方は異なっている。その両側面に注意しながら、「家」のなかの「いのち」のあり方について考えてみよう。

繰り返し述べているように、武士であれ庶民であれ、江戸時代の人びとの最大の関心は「家」の維持であり、存続である。そのためには、次世代を担う子どもを確保することは大きな関心事であった。村の上層の「家」の文書を調査していると、子どもの成育にあわせた通過儀礼について記した日記や帳簿に出会うことがある。それらによれば、子どもが生まれると、初着《はつぎ》・子祝《こいわ》いがあり、七日目には名付《なづ》けが行なわれる。その後、宮参り・食初《くいぞ》め・半弓《はんきゅう》祝い・初正月や初節句《ぜつく》などがあり、一年目にたじょう祝い（最初の誕生日）を迎える。その後は毎年の節句とともに、髪置《かみおき》や袴着《はかまぎ》・紐落《ひもお》としなどが祝われる。そして、一三、四歳で男子は烏帽子着《えぼしぎ》、女子は鉄漿《かね》付けを祝って成人の仲間入りをした。ただし、庶民の場合は、「初たじょう」の祝いまでの儀礼が比較的濃密であるのに対して、その後は何もないかあってもまばらになり、そのまま成人儀礼を迎えることが多い。

また、成育儀礼に際してつくられた祝儀簿によれば、祝儀をやりとりした人びとは、親族だけでなく、隣近所や村役人に及び、庄屋などの場合は近隣村の庄屋にも広がっている。つまり子どもは、家族にとっての子であるよりは、「家」の子なのであり、「家」の子として地域社会から祝われているのだ。こうした丁寧な儀礼が行なわれたのは、武家でも庶民でも上層に限られており、一般には簡略なものであったが、それはその子の「家」の経済力によるとともに、その「家」の地域での地位にもよるのであった。

子どもの成育が祝われたのは、それだけ子どもの成長が困難であったからだ。歴史人口学の鬼頭宏《きとうひろし》によれば、まず出産のうちの一〇～一五パーセントは死産であった。さらに、一歳までの乳児の死亡率がとくに高く、五歳までの幼児の死亡率は二〇～二五パーセントであった。六歳以上になると生存率は高まるが、それでも出生したうち成人まで生き延びる子どもは半数ほどであった。こうした状況は、江戸時代では武家でも庶民でも平均的なものであった。

乳幼児の死因としては、肺炎・気管支炎や下痢・腸炎が多い。江戸時代には流行性感冒が猛威をふるったが、その影響を

7

◉**赤物（埼玉県鴻巣市《こうのす》）**
全身を赤く塗った熊乗り金時（熊金）。赤色には魔除けの意味があるとされ、とくに疱瘡除け《ほうそうよ》として赤い鍾馗図《しょうきず》、桃太郎なども描かれた。

もろに受けたのも抵抗力の弱い乳幼児であった。成人の死因にもあげられる麻疹《ましん》や疱瘡《ほうそう》（天然痘《てんねんとう》・痘瘡《とうそう》）も、子どもにとっては命取りであった。疱瘡平癒を願う祈禱《きとう》について記した民間記録は多いし、祝儀簿と並んで疱瘡見舞帳が残されている「家」も少なくない。188ページの奥会津《おくあいづ》の家の場合、二世代のうちで五歳未満の幼児の間に夭折した五人のうち、四人が疱瘡《ほうそう》によって亡くなっている。

出生後に名付けをされた子は、それなりに大切にされた。太田素子《おおたもとこ》が検討した一九世紀の播磨《はりま》の豪農の事例では、出生の翌日に亡くなった水子《みずこ》の供養は簡単にすまされているのに、一歳半で病死した幼女の場合は戒名を付け葬礼も成人と同じように行なっている。一定期間育てた子には情も移る。人格も認められて、人として扱われる。この「家」では出生した七人の子どものうち四人が夭折している。一九世紀になっても子どもの半数以上が死亡した。子どもの「いのち」をめぐる人びとの心は揺れていた。

子どもを産む母親の「いのち」も安泰ではなかった。子どもの生存率が低い状況では、ある程度は妊娠回数を増やし多産するという傾向にならざるをえない。そうした状況は先に福岡藩の下層武士の例で詳しくみたが、その点は庶民においても変わりはなかった。妊娠回数がかさめば母体へのダメージも大きくなる。栄養状態や衛生環境も劣悪であったから、難産や産後の肥立《ひだ》ちの悪さなど、出産が原因の母親の死亡も少なくなかった。子の出生がなくても母体が安全であれば「平産」とされたのは、それだけ母体への配慮が働いているということだ。

鬼頭宏によれば、庶民の二〇歳代から三〇歳代の死亡率は女性が男性の倍以上で、ほぼ一〇パーセントに達するという。その多くは出産に伴う死亡であったに違いない。ただし、こうした事例を数量的に確認することは困難だ。宗門改帳《しゅうもんあらためちょう》を見ていると、子どもが新たに登録されると同時に妻の名前が消えるという場合に出会うことがある。こうした事例は、出産に伴う母親の死亡と考えられるだろう。

井原西鶴《いはらさいかく》が『懐硯《ふところすずり》』（貞享《じょうきょう》四年（一六八七）刊）のなかで、亡くなった女性や水子を供養する流灌頂《ながれかんじょう》の様子を描いている。このころから都市の民俗として流灌頂が定着する。他方、香月牛山《かつきぎゅうざん》は『小児必用《しょうにひつよう》養育草《そだてぐさ》』（元禄《げんろく》一六年（一七〇三）刊）で、頻産による害から胎児と母体を守るために、授乳期間を長めにとって三、四年は出産間隔をあけることを説いている。また、歴史人口学では授乳期間を長くすることが出産調整のひとつの方法であったといわれており、そのことを当時の人びともよく理解していた。子どもや母の「いのち」に対する気配りが、元禄を前後とする時期に現われる。ただし、それが報われるには、もう少し時間が必要であった。

8

◉雑司ヶ谷《ぞうしがや》の鬼子母神《きしぼじん》（東京都豊島区）
江戸三大鬼子母神のひとつ。子を懐に抱く像がつくられ、子授けや安産・子育ての神として信仰を集めた。本殿は、金沢藩主前田利常《まえだとしつね》の息女の寄進により建立された。

子どもの仕事と男の子育て

子どもたちは一〇歳前後から、「家」のなかで独自の役割を与えられるようになる。「夫婦かけむかい」の小経営では、子どもも重要な労働力であった。

一八世紀初めに加賀《かが》の老農土屋《つちや》又三郎《またさぶろう》が描いた『農業図絵《のうぎょうずえ》』には、当時の農業や農村の様子がいきいきと描かれている。農作業の中心は夫婦だが、老人や子どもを含めて家族総出で働くことも少なくない。春の田起こしや田植えなどでは、子どもも両親と一緒に働いている。草刈りは、子どもたちに任された仕事であった。鎌で草を刈り、牛や馬に積んだり、天秤棒《てんびんぼう》を担いだりして運んだ。仕事に飽きた子どもたちが、鎌を置いて遊んでいる様子も描かれている。描かれているのはいずれも男の子のようだ。秋の遊び日に、猿回《さるまわ》しを見物したり、じゃれ合って遊ぶ子どもの姿もほほえましい。

一七世紀前半の職人の姿を伝える『職人尽図屛風《しょくにんづくしずびょうぶ》』の「機織図《はたおりず》」には、「夫婦かけむかい」の機屋が描かれている。京都の西陣《にしじん》あたりの様子だろう。この図では三人の子どもが見える。ひとりは手前に見える

9

◉『農業図絵』に描かれた子どもたちの草刈り
旧暦八月はすっかり秋の様相。秋草を刈って、家畜の餌《えさ》にしたり、堆肥《たいひ》にする。仕事を任された子どもたちも、仲間がいれば、たちまち遊びに夢中となる。

女の子で、地機《じばた》を使う母親の近くで糸繰《いとく》りをしている。補助労働だが、ほとんど一人前である。二人目は、父が織る高機《たかばた》の上に乗って糸の縒《よ》りを直している。こちらは男の子で父の仕事を見習う位置にある。三人目は、奥で祖母と糸巻きをほうりあげて遊んでいる。祖母は糸枠《いとかせ》をしながら、子守もしている様子である。職人の家でも、子どもは労働力として役目を果たしている。ただし、ここでも子どもの手伝いに男女差がある。

上層農民の家では、一四、五歳頃から父や母について家の仕事を見習うようになる。一七世紀を生きた川越の塩商人榎本弥左衛門《えのもとやざえもん》は、一一歳から一三歳まで手習いをしたあと、一五歳からひとりで塩商いに出るようになった。奥会津の上層農民の場合は、一五歳から一七歳の冬場のみ手習いに行き、一八歳からひとりで麻売りに出た。

男子であれば寺子屋のあとに漢学塾へ、女子であれば躾《しつけ》見習いのために女中奉公に出る場合もある。しかし、この期間はそれほど長くはなく、女子は二〇歳までに、男子は二〇代なかばで結婚することが多かった。中下層では、男女とも奉公に出ることが

10

●家族それぞれが仕事を分担する家内制手工業
先染めの絹糸を高機で織り上げていく技術は、一六世紀中ごろに大陸より導入された。分業のため、家族程度の規模で数工程を請け負った。(『職人尽図屏風《しょくにんづくしずびょうぶ》』「機織図《はたおりず》」)

多い。一〇数年ほど奉公したあとで結婚するが、一〇歳代に結婚する東日本の場合は、結婚後も奉公を続けることが少なくなかった。

武家では、父親の子への関与は精神的な面に限られがちであったが、武士でも下層や庶民の家では、男性もさまざまに子育てにかかわった。伊勢国桑名藩《いせのくにくわな》下級武士の日記では、むつき（おむつ）の交換、食事の世話、添い寝、入浴、遊び相手など、父親が子育てに奮闘する姿が描かれている。幕末に来日したオールコックは、慣れた手つきで子どもを抱きかかえてあやす父親の姿を伝えている。文字や算用を教えることも、父親の役目であった。「家」の存続のために、当主が次代の育成に努めるのは当然のことであった。

老人へのまなざしの変化

現在の日本は世界一の長寿国である。いわゆる平均寿命は、平成一九年（二〇〇七）の数字では、男性七九・一九歳、女性八五・九九歳である。しかし、日本人がこんなに長寿になったのは、ほんの最近のことだ。太平洋戦争後の昭和二二年（一九四七）には、男性五〇・一歳、女性五四・〇歳で、やっと五〇歳代にのったばかりであった。それより五〇年ほど前の一九世紀末では、男性四二・八歳、女性四四・三歳であった。

江戸時代の平均寿命は、時期や地域および階層による差異が大きくて、一般的な数字が出しにくい。おおまかなところ、一八世紀の段階では、三五歳から四五歳の間に分布しており、ほぼ四〇歳程度と考えて間違いなさそうだ。ただし、この数字に関してはつぎの二つの点に注意しておきたい。ひとつは、この数字の低さは、五歳までの乳幼児の死亡率の高さが影響しているということ。だから、五歳を超えた人の平均余命は急に上昇する。この結果、七〇歳や八〇歳という高齢者自体はまれではなかった。もうひとつは、男性のほうが女性よりも長生きだという数字の出ることが多いということ。これには、出産時の死亡率の高さが影響している。それが低下すれば、女性の余命は五歳程度は延びるといわれている。「人生五〇年」というのは、江戸時代でもよくいわれたことだが、だいたいそれくらいを人生の目安と考えておいて間違いないだろう。

　小経営では老人も重要な労働力であることは、先にも触れた。岡山藩では一七世紀から、領民を褒賞する制度があり、これが江戸時代を通じて実施されたことは女性史研究者の妻鹿《めが》淳《あつ》子《こ》が明らかにした。それについてはのちにも触れるが、宝永《ほうえい》二年（一七〇五）に二人の老人が表彰されていて注目される。ひとりは八五歳、もうひとりは七五歳であった。ともに褒賞理由

11

●仙厓和尚が描いた老人たち
「しわがよる、ほくろができる、腰まがる…」といいながら、六歌仙に見立てられた老人たちはいきいきとしている。仙厓自身、八八歳まで達者な生涯を送る。乳幼児期を無事に過ごせば、案外長生きができた。（『老人六歌仙画賛《ろうじんろっかせんがさん》』）

は「歳寄《としよ》り候迄《そうろうまで》勤め宜《よろ》しき者」ということである。老年まで労働や役目に励むことが領主によって期待されているのだ。しかし、時代が下ると褒賞例からこうした老人像を見つけることはできなくなる。かわって現われるのは、眼病を患ったり手足が不自由になったりして、介護を必要とする老人の姿である。もちろん元気に働く老人がいなくなったわけではない。人びとの関心が、働く老人から弱者としての老人に移りつつあるということだ。老人介護の責任は第一に「家」の当主にあり、男性たちが老親の介護に専心する様子は、柳谷慶子《やなぎやけいこ》や妻鹿淳子が明らかにしている。

単身者の家株《いえかぶ》を維持するために、岡山藩で内存書《ないぞんがき》がつくられたことは先に触れた。単身者はほとんどが鰥寡《かんか》孤《こ》独《どく》の老人だ。彼らの跡式《あとしき》は同村や他村の従兄弟《いとこ》や甥《おい》に譲られることが多い。しかし、彼らが生前に養子として入籍することはないから、病気になっても老人を介護する者はいない。川鍋定男《かわなべさだお》の研究によれば、養親の扶養や介護を条件に養子が迎えられることがあった。また、わずかな所持地を処分して他村に住む甥の厄介《やっかい》になる独居の老女もいた。そうした親族もなく、五人組が扶《ふ》持《ち》米《まい》を出して老女の介護を寺に依頼することもあった。

元禄《げんろく》期の京都の町の史料を分析した菅原憲二《すがはらけんじ》の研究によれば、老人のかかわる事件のほとんどが、行方不明と自殺であった。自殺の原因は困窮と病気。行方不明は、認知症による徘徊《はいかい》の結果だろう。高齢まで生き延びたとしても、老人の「いのち」は、子どもとは別のかたちではあるが、同じように厳しいものであった。

榎本《えのもと》弥《や》左《ざ》衛《え》門《もん》は元服した二〇歳のときに、「これから二〇年は商いに精を出して身上《しんしょう》を仕上げよう。やがて女房を置き、子を持ち、四〇歳を過ぎたら楽をしよう」と考えた。二四歳で妻を迎えたのはよかったが、この妻は姑《しゅうとめ》の介護疲れで一〇年後に両親と前後して死亡する。後妻を迎え嫡男も得るが、これが彼からみると頼りにならない。五〇歳を過ぎたころからしきりに隠居したいと願うが、思うにまかせない。六〇歳になると足も不自由で気力も衰え、死ぬことばかりを考える。目が見えず耳も聞こえないが、「家」の商いからまったく手を引くことはなかった。

解消される「いのち」の性差

人口動態は、年齢別の人数をグラフにした人口ピラミッドをつくってみると、よくわかる。次ページの表は、美作国《みまさかのくに》勝南《しょうなん》郡高下《こうげ》村の約一〇〇年間の様子を、六つの時期で示したものだ。男女の性差に注目しながら検討してみよう。

まず、性別の人数では、明らかに男性の人数が女性の人数を上まわっている。とくに一八世紀後半には女性は男性の七〇パーセント程度しかいない。これは、全国的に確認される傾向だ。ただし、このアンバランスは明治二年（一八六九）には改善され、女性が男性の一〇六パーセントになっている。図示はしていないが、高下村で男女比が逆転するのは嘉永《かえい》三年（一八五〇）からである。安永《あんえい》四年（一七七五）と明治二年の人数を単純に比べてみると、男性は七〇人から七九人へ、女性は四六人から八四人へ、それぞれ増えている。この一〇〇年間の人口増加は、ほとんど女性の増加といってもよいほどだ。

女性の構成比が極端に低い場合、女子が間引《まび》かれたと想定できるかもしれない。しかし、それを数字だけから証明することは難しい。一〇歳未満の子どもに限って、推定死亡人数というものを次ページの表にまとめてみた。

一〇歳未満で結婚したり養子にいったりすることはほとんどなかっただろうと考え、一〇歳未満で記載が途絶えた場合は死亡したものと想定した数値である。最初の安永八年から天明《てんめい》八年（一七七九～八八）の時期は、前後の時期の史料を欠き、十分な数値が得られないが、文化《ぶんか》六年（一八〇九）

美作国勝南郡高下村における人口動態の推移

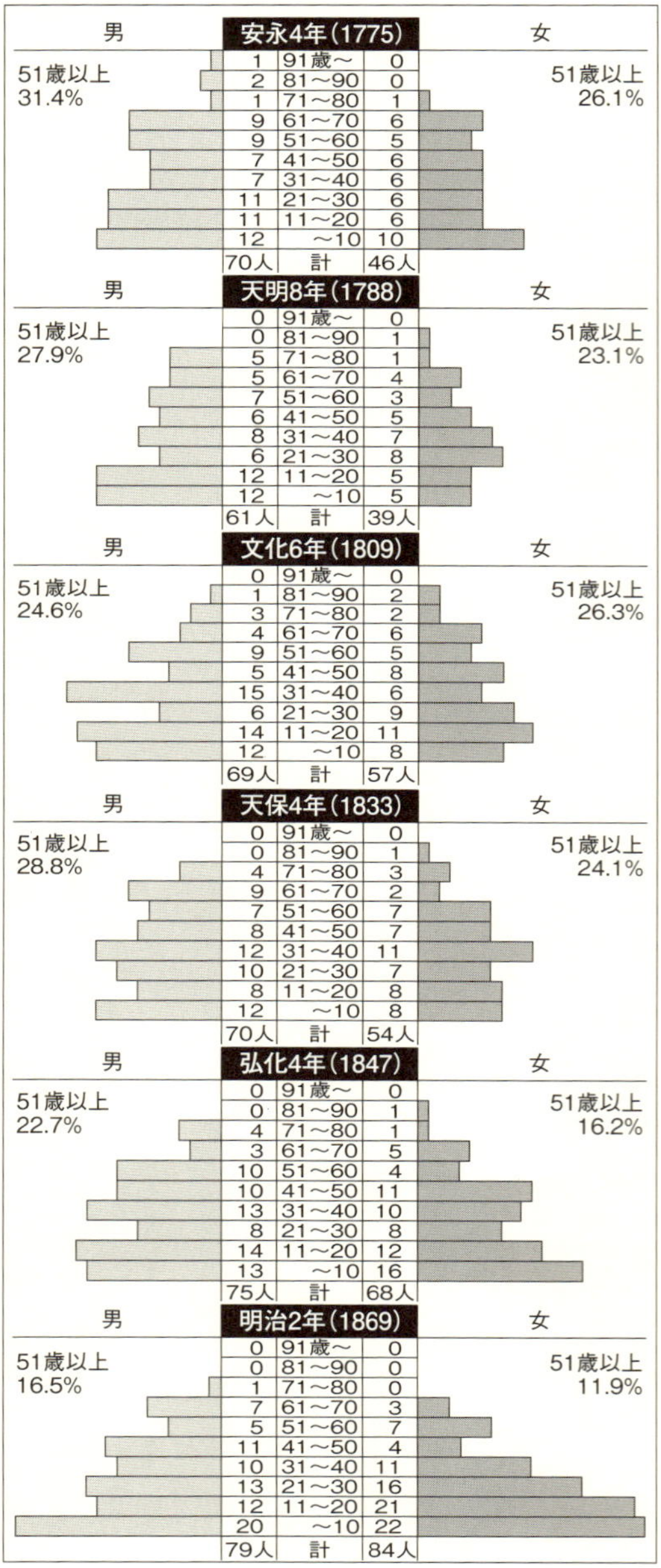

男 安永4年（1775） 女
51歳以上 31.4%
51歳以上 26.1%
1 91歳～ 0
2 81～90 0
1 71～80 1
9 61～70 6
9 51～60 5
7 41～50 6
7 31～40 6
11 21～30 6
11 11～20 6
12 ～10 10
70人 計 46人
男 天明8年（1788） 女
51歳以上 27.9%
51歳以上 23.1%
0 91歳～ 0
0 81～90 1
5 71～80 1
5 61～70 4
7 51～60 3
6 41～50 5
8 31～40 7
6 21～30 8
12 11～20 5
12 ～10 5
61人 計 39人
男 文化6年（1809） 女
51歳以上 24.6%
51歳以上 26.3%
0 91歳～ 0
1 81～90 2
3 71～80 2
4 61～70 6
9 51～60 5
5 41～50 8
15 31～40 6
6 21～30 9
14 11～20 11
12 ～10 8
69人 計 57人
男 天保4年（1833） 女
51歳以上 28.8%
51歳以上 24.1%
0 91歳～ 0
0 81～90 1
4 71～80 3
9 61～70 2
7 51～60 7
8 41～50 7
12 31～40 11
10 21～30 7
8 11～20 8
12 ～10 8
70人 計 54人
男 弘化4年（1847） 女
51歳以上 22.7%
51歳以上 16.2%
0 91歳～ 0
0 81～90 1
4 71～80 1
3 61～70 5
10 51～60 4
10 41～50 11
13 31～40 10
8 21～30 8
14 11～20 12
13 ～10 16
75人 計 68人
男 明治2年（1869） 女
51歳以上 16.5%
51歳以上 11.9%
0 91歳～ 0
0 81～90 0
1 71～80 0
7 61～70 3
5 51～60 7
11 41～50 4
10 31～40 11
13 21～30 16
12 11～20 21
20 ～10 22
79人 計 84人

高下公民館所蔵文書より作成

以降になると、明確な傾向が読みとれる。ひとつは、天保期《てんぽう》（一八三〇〜四四）を境にして女子の宗門改帳への登録数が男子のそれを上まわるようになることであり、もうひとつは、子どもの消滅率（推定死亡率）が急速に低下するなかで、とりわけ女子のそれが極端に低下することである。つまり、天保期以降になると、それ以前に比べて女子がより多く登録されるようになり、より多く生きつづけるようになったのであり、それが男女の構成比が逆転する原因のひとつだと考えられるのだ。そして、その背景には、子ども数やその性差についての人びとの意識に変化があったに違いない。

前ページのグラフの図形を注意してみよう。全体としてみれば、寸胴《ずんどう》型からピラミッド型に変化しており、人口が停滞傾向から拡大傾向へ変化したことが確認できる。性別では、男性の場合、台形からピラミッド型へ徐々に移行している。つまり、男性は、比較的安定的な再生産が行なわれていた状態から、早い時期にゆるやかな拡大型に移行したといえる。それに対して女性の場合は、寸胴型からピラミッド型に移行しており、とくに天保期以降急激に拡大再生産型に変化したと思われる。

さらに、高齢者率も見てみよう。ここでは、五一歳以上を高齢者としてそれが全体に占める比率を各グラフの上方に掲げた。明らかに時代が下るに従って、高齢化率は低下している。老人の比率は、この一〇〇年間に半分になった。これは、老人の数が減ったというよりは、基本的に

高下村の10歳未満の幼児推定死亡人数

年代	宗門改帳登録数（うち推定死亡数、死亡率）	
	男	女
1779〜88年（安永8〜天明8）	19人（0人、0.0%）	12人（2人、16.7%）
1809〜28年（文化6〜文政11）	35人（11人、31.4%）	30人（13人、43.3%）
1833〜47年（天保4〜弘化4）	28人（8人、28.6%）	33人（8人、24.2%）
1850〜69年（嘉永3〜明治2）	38人（6人、15.8%）	48人（4人、8.3%）

高下公民館所蔵文書より作成

子どもの数が増えた結果である。つまり、拡大型社会より停滞型社会のほうが高齢化率は高いということである。現在の日本社会と同じだ。また、性差でいえば、女性より男性のほうが高齢化率が高い。これは現在と逆である。

以上をまとめてみれば、一九世紀前半に大きな変化があったことがわかる。それは女性と子どもの増加と特徴づけることができる。逆にいえば、一八世紀はいまだ男性と老人の多い社会といえる。

養生への関心の高まり

畿内の代表的な寺《じ》内町《ないまち》である河内国《かわちのくに》石川《いしかわ》郡大ヶ《だいが》塚《つか》村（大阪府河南《かなん》町）の上層農民河内屋《かわちや》五兵衛《ごへえ》（可《か》正《しょう》）は、みずからの体験や見聞を子孫への教訓とするために覚書《おぼえがき》を残した。この書は一般に『大雅《だいが》塚来由記《つからいゆうき》』（河内屋《かわちや》可正旧記《かしょうきゅうき》）と呼ばれている。このなかで可正は、「人間第一の行ない」として「孝」をもっとも重視する。そして、「家」を存続させ子孫長久とすることが親への「孝」であり、親に「孝」を尽くせばおのずと身代もよくなり「家」も栄えるという。しかし、だからといって「余りにつよくかせぐ」ことは誤りである。身代がよくなった家では、むしろみずからの身体を大切にすることが「家」の存続になるのだという。こうして彼は、「養生セヨ、養生セヨ」と繰り返し説く。「養生」も「孝」なのだ。

可正が没した正徳《しょうとく》三年（一七一三）には、江戸時代を代表する養生書である貝原益軒《かいばらえきけん》の『養生訓《ようじょうくん》』が刊行される。この書の冒頭で益軒は、無病長生こそが「天地父母」への「孝の本《もと》」であると説く。

そして、「四民ともに家業をよくつとむるは、皆是《みなこれ》養生の道なり」とも述べる。つまり、益軒においても可正と同じように、養生の目的は「家」の存続にあり、「家」の存続のためによく働くことが養生そのものであると考えられているのだ。

養生書は、現代でいえば家庭医学百科のようなものだ。日常生活での心構えや節制、簡単な診断や治療法などを説いている。書いたのは漢方《かんぽう》医学を専門的に修めた儒医《じゅい》といわれる学者。和漢の医学書を典拠にしているが、民間療法を取り入れているところもある。一八世紀の初めごろから、『養生訓』のような養生書がさかんに出版されるようになる。可正のような人びとの養生に対する関心の高まりにこたえるものであった。

養生書でおもに意識されていたのは成人男子である。他方、同じ時期に、対象を限った養生書が書かれていることにも注意しておきたい。個性をもった身体として、女性・子ども・老人が取り上げられる。香月牛山《かつきぎゅうざん》は、貝原益軒に学んだこともある医者。江戸時代初めに主流であった後世《こうせい》学派に属するが、書物の記述にとらわれず、治療での治験や効用を重視した。その経験に基づいて、「養生三部ノ抄《ようじようさんぶのしよう》」と自称する養生書を著わした。

一つは、元禄《げんろく》三年（一六九〇）刊の『婦人寿草《ふじんことぶきぐさ》』。妊娠や出産

12

◉香月牛山
筑前《ちくぜん》国出身で、豊前《ぶぜん》国中津《なかつ》藩に仕えたのち、京都で医業を営み、多数の啓蒙的医学書を刊行。益軒・牛山ともに八五歳の長寿を全うした。

から産後の育児までさまざまな問題を論じ、女性特有の病気にも言及している。

二つは、先にも触れた元禄一六年刊の『小児必用《しょうにひつよう》養育草《そだてぐさ》』。医学の道理を知らなければ育児はできないという立場から、出産から授乳、生後養育、小児諸病までを論じている。医学的なことだけでなく、通過儀礼、遊びや学習などにも触れており、総合育児書といった体裁である。

三つは、正徳六年刊の『老人必用養草《ろうじんひつようやしないぐさ》』。ここで老人と考えられているのは、四〇歳以上の人である。老人自身の心構えを説くとともに、あわせて、子としての老いた父母への配慮を説く。介護の心得といってよい。内容は、養生一般と共通する部分も多いが、必ず老人の場合に注意すべき点を付け加え、老人固有の疾病、治療法や薬方についても触れている。

一八世紀の初め、養生への関心が本格化すると同時に、女性・子ども・老人の「いのち」への関心も始まっていることは重要だ。そこには、女性・子ども・老人を、男性の成人とは区別して大切にしようとする意識を確認できる。もちろん、当初こうした養生書を受け入れたのは、可正のような上層の人びとに限られていただろう。可正自身、「進退《しんたい》宜《よろし》き輩《ともがら》の真似《まね》をして、身の養生を能《よく》せよの、命にましたる宝なしなんど云《いい》て、渡世《とせい》のかせぎに油断する者ハ、言語道断なる徒《いたづら》もの」だと述べている。身代も成り立たないような者は、養生などという前に、稼ぎに稼ぐべきだというのだ。

しかし、そうした中下層の庶民の間でもしだいに「家」が存続するようになり、家族の「いのち」に対する認識が深まる。生活に余裕が生まれ、「家」にとっての女性・子どもの位置が明確になるに従って、女性・子どもが大切にされるようになり、女性・子どもが生きられるようになる。

「いのち」をめぐるせめぎ合い

領主による間引き禁止の教諭

子どもの「いのち」を大切にする意識は、社会の上層に芽生え、一八世紀を通じて中下層を含めた社会全体に徐々に広がったと考えることができるが、他方、堕胎《だたい》や間引《まび》きの風習もたしかに存在していた。とりわけ中下層においては、事態は複雑かつ微妙であった。つまり、「家」の存続のためには一定の子ども数が必要であるが、他方、過大な子ども数は家計を圧迫して「家」を維持する阻害要因になりかねない。「夫婦かけむかい」の労働形態では、妻の妊娠・出産・育児を保障する余裕はなかった。なんらかの家族計画がとられたに違いないのだが、それが成り立つには乳幼児死亡率が高すぎた。しかも、乳幼児の生存は飢饉《ききん》や疫病の流行といった突発的な不定の要因に大きく左右されていた。多すぎたり、少なすぎたりする状況をうまくコントロールできるほどに、庶民の生活レベルは安定していなかった。経験知に基づく素朴な家族計画は、矛盾した選択肢の間を右往左往したに違いない。

間引きが領主によって問題にされるのは、会津《あいづ》藩の保科正之《ほしなまさゆき》が寛文《かんぶん》三年（一六六三）七月に領民を教諭したのが早い例である。保科正之は有名な儒学《じゅがく》信奉者だ。このとき、産子《さんし》を殺すことは「不慈《ふじ》の至《いたり》」だと教諭しているが、処罰には及ばないといっている。寛文一一年三月にも町中で産子を害さないようにと命じ、とくに「子安姥《こやすばば》」(産婆)が産子を殺すことを問題にしている。しかしここでもやはり教諭にとどまっていた。

仙台藩では元禄《げんろく》四年(一六九一)四月に赤子《あかご》押返《おしかえ》し禁令《きんれい》が出されている。先にも触れたように、当時民間で、間引きは「押返し」と表現されていた。殺すのではなくて、あの世に押し返すという意味だろう。領主の法令もこの民間の言葉を使っている。「押返し」は禁制であり、これに背く者があれば「曲事《くせごと》に行なうべきものなり」とあるから、たんなる教諭ではなく処罰するということだ。「下々町人百姓」だけでなく「諸侍衆」にも間引きを行なう者がいると述べているのは、注目される。仙台藩では、宝暦《ほうれき》一二年(一七六二)六月にも同様の法令を出している。ただし、処罰するぞと脅《おど》してみても、産所で行なわれる間引きを摘発することは困難であったに違いない。

明和《めいわ》四年(一七六七)一〇月、幕府は子どもが大勢であるという理由から出生の子を産所で直《じか》に殺す国柄の所があるとして、これを「不仁《ふじん》の至《いた》り」と禁止する触書《ふれがき》を出した。常陸《ひたち》・下総《しもうさ》あたりが、とくに取りざたになっている所として名指しされている。村役人や百姓たちが相互に心をつけ、監視するように命じていることも注目される。この触《ふれ》は、幕府領か私領かを問わず全国の村々に触れられた。以後、天明期にかけて各地で間引き禁止の教諭書がつくられる。間引きの禁止を通じて、民衆に「仁《じん》」や「慈悲《じひ》」が教諭された。徳川綱吉《とくがわつなよし》の生類憐《しょうるいあわれ》み政策の延長といってよいだろう。ただし、殺生《せっしょう》一般ではなく、「子殺し」がとりわけて「不仁」とされる点が重要だ。

生かされる捨子

捨子《すてご》禁止令が徳川綱吉《とくがわつなよし》の生類憐《しょうるいあわれ》み政策の重要な柱であったことは先にも触れたが、綱吉が命じたことはそれにとどまらなかった。ひとつは、捨子を見つけたときにはその他の者が保護し、そのまま養い置くか、望みの者があれば遣わすように指示したこと。これによって捨て殺しが減少し、捨子が生きられるようになった。もうひとつは、捨子せざるをえないような状況があれば、主人や代官手代《てだい》、その村の名主《なぬし》や五人組が養育するように命じたことである。

元禄《げんろく》期以降、各地で捨子対策がとられるようになる。菅原憲《すがはらけん》二《じ》が紹介する京都の事例は代表的なものだ。貞享《じょうきょう》四年（一六八七）の二月から六月にかけて京都町中で一二件の捨子があった。このうち四人が死亡、命のあった八人のうち七人が養子に遣わされている。菅原は、捨子を養子に出す制度は、幕府の指示以前に町方の判断で始められたとみている。

ただし、これは捨てられた町に負担を強《し》いるものであった。養子が決まるまでの養育費や、養子先を探すための入用《にゅうよう》が必要

13

◉子を捨てに行く世之介
ゆきずりの後家との間にできた子を京都六角堂あたりへ捨てに行くという、『好色一代男《こうしょくいちだいおとこ》』の一場面。世之介《よのすけ》が手にしているのは、乳児を寝かせておく、藁《わら》で編んだ「イズメ」（右）。

であったし、養子先には必ず持参金がつけられた。これがすべて町の持ち出しであった。町としては、捨子そのものを減らすことを考えざるをえない。元禄七年（一六九四）の町触《まちぶれ》は、出生の子どもをすべて帳面に付け、死亡や移動についてもれなく把握するよう命じるとともに、懐胎中から注意を怠らないように指示している。しかし、この程度の措置では、捨子を減少させる効果はほとんどなかっただろう。

享保《きょうほう》一〇年（一七二五）、捨子を減らす方法について諮問された江戸の当番名主《とうばんなぬし》たちは、どこに捨てられた捨子であっても今後はすべて非人手下《ひにんてか》に仰せ付けられるようになれば、それを嫌がって捨てなくなるだろう、と答えている。江戸時代には、身分刑と呼ばれる刑罰があった。姦通《かんつう》などの罪を犯した者を、非人手下に落とすという処罰である。捨子を非人に渡すというのは、それを類推させる。いわば身分差別とかかわらせて、捨子を防止しようというのだ。この意見は採用されなかったようだが、捨子禁止と捨子養育との矛盾を解決することの難しさがうかがえる。

事情は京都も同じであった。享保一五年の京都町触で、養子制度を前提にしながらも、「様子《ようす》により」「非人の手《て》」に渡す場合もあるとの規定が加えられた。その理由のひとつには、現実に非人による捨子が増加しているということだ。つまり、非人の捨子は平人《へいにん》（一般庶民）の養子にされることはなく、非人に戻されることを確認することで、捨子の増加を防ごうとしたということ。もうひとつは、捨子が非人に渡されることもあると脅すことで、平人、とりわけ中層以上の者による捨子を防ごうとしたこと。しかし、菅原によれば、実際に捨子が非人に渡される事例はほとんどないという。

この規定は、実質的な抑止策にはならなかったようだ。ただし、岡山藩では天和《てんな》元年（一六八一）の飢饉《ききん》時に、城下に流入した飢人のうち帰る先のない五一人を「山の乞食《こつじき》（非人）」に遣わしているが、そのうち五人が捨子と注記されている。飢饉という非常時の措置ではあるが、捨子が非人とされる例がないわけではなかった。

ともあれ、町の負担にもかかわらず捨子養子制度は、その後も維持された。その理由は、都市では養子を必要とする状況が存在したということだ。一方では、「家」の維持のために捨子をしなければならない状況があり、他方には、「家」の存続や労働力確保のために養子を求める状況があった。都市の中下層の家は、そのどちらにも身を置く可能性をもっていた。しかも、中心部の富裕な町はともかく、周辺部の町々では町内の家数を維持することが差し迫った課題であった。そうした状況は、京都以外でも同様であった。捨子を引き取った者に養育料を支給する制度が、各地の藩で行なわれるようになる。民間の義倉から捨子養育料が支給される例も113ページで触れた。こうした制度によって、捨子が生きられる条件がまた少し広がった。

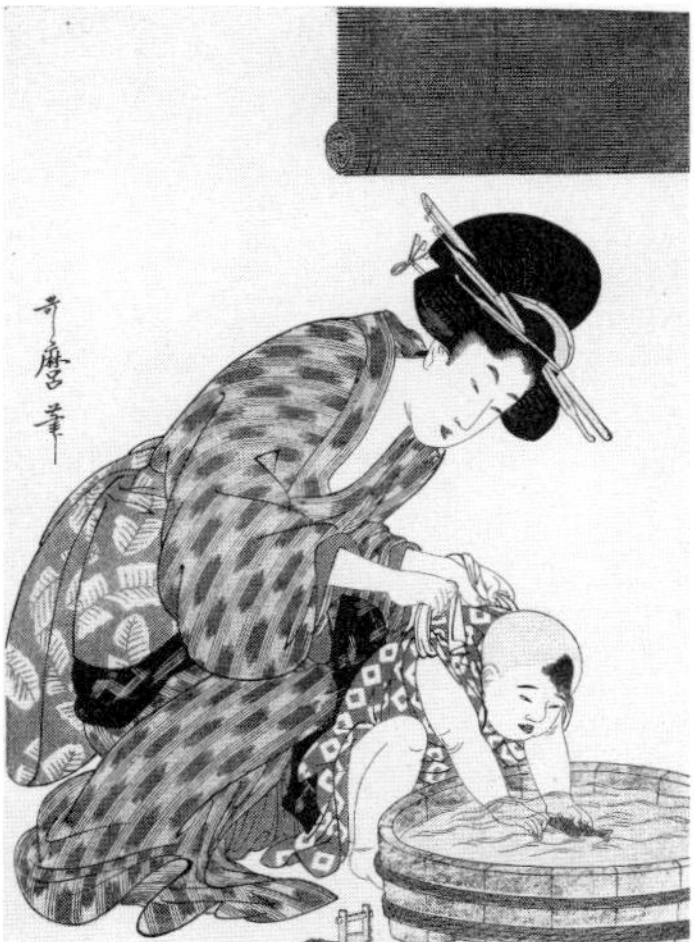

14

◉浮世絵に描かれた母と子
子を慈しむ、母のまなざしがなんともやさしい。育てたくても病に倒れる子がいる。育てられないといって捨子する。子をめぐる環境が、まだまだ厳しい時代であった。（喜多川《きたがわ》歌麿《うたまろ》『母子図《ぼしず》　たらい遊《あそび》』）

懐妊と出産を管理する制度

捨子《すてご》防止のため京都では、懐妊中から監視を強めるよう指示されていた。間引《まび》き防止策としても、教諭とあわせて懐妊と出産を管理する制度が採用されるようになる。

美作国津山《みまさかのくにつやま》藩では、宝暦《ほうれき》六年（一七五六）に間引き禁止令が出されていた。これは罰則もなく、教諭にとどまるものであった。それが天明《てんめい》元年（一七八一）になると、より抜本的な対策を進めるために赤子間引取締方申渡《あかごまびきとりしまりかたもうしわたし》が出される。この法令では、①妊娠した場合は四か月目までに懐胎届《かいたいとどけ》を提出すること、②出産の際には隣家の者などが産所見届人として立ち会うこと、③流産や死産、新生児死亡などの際には医師の容体書《ようだいがき》を提出すること、が義務づけられた。しかも、これに背いた場合は、当人はもとより庄屋・組頭・五人組の者まで過料《かりょう》（罰金刑）や追込《おいこみ》（家屋などに閉じ込めて外出を禁止した刑罰）に処されることとなった。「はじめに」でみたように、美作国ではこの時期人口減少が続いていた。懐妊・出産管理を徹底することで間引きを防止し、人口増加を図ろうというのだ。

他方、間引きをなくすためには、教諭や管理だけではなく、産子《さんし》（赤子《あかご》）に対する経済的な支援も必要だという意見が出てくる。間引きの原因は、たんなる貧困ではなかったが、経済的な理由が大きなものであったことも間違いないからだ。会津《あいづ》藩では、延享《えんきょう》三年（一七四六）、町奉行が産子《さんし》養育《よういく》についての意見書を藩主に提出している。それによれば、若松《わかまつ》城下町の人口は五〇年間に四〇〇〇人余も減少しており、その原因は間引きだという。そして、町人の間引きをやめさせるために、藩《はん》主《しゅ》の御《ご》仁恵《じんけい》として産子養育の御《お》手《て》当米《あてまい》支給を提案する。ただしこの提案は実現しなかった。安永《あんえい》五年（一七七六）、今度は郡奉行が社倉籾《しゃそうもみ》三〇〇〇俵《ひょう》を産子養育米にあてることを提案する。会津藩の社倉米については先にも触れたが、飢饉《ききん》時の救恤《きゅうじゅつ》用として準備されたものであった。これが産子養育にあてられることになったのだ。人口減少を是が非でも食い止めたいという現場役人の痛切な思いがあったに違いない。

人口減少や間引きに対する危機感は、民間の指導者にも共有されていた。白河《しらかわ》藩では、宿場町須賀川《すかがわ》（福島県須賀川市）の豪商内藤平左衛門《ないとうへいざえもん》が元文《げんぶん》年間（一七三六〜四一）から産子に対する養育金支給事業を始めている。平左衛門は「冥加《みょうが》の為《ため》」と称している。民間の施行と同じ考えだ。寛政《かんせい》二年（一七九〇）、これを取り込むかたちで白河藩の養育制度が整備された。

福岡藩でも、宗像《むなかた》郡で元文元年から産子養育の仕法が始められたが、これは大庄屋たちの提案に基づくもので、郡中の各戸から養育銭《よういくせん》を徴収し、貧窮者の出産時に米一、二俵を支給するというものであった。また、元文四年には福岡・博多《はかた》両町において、「懐腹《かいふく》の女」を町年寄《まちどしより》が毎月改めて書付《かきつけ》を提出すること、出生《しゅっしょう》した子の様子についても見届けて報告することが命じられている。さらに、宝暦一四年には領内の富裕者から寄付を集

●押返しを戒める絵馬
あの世へ子を押し戻す「押返し（子返し）」、つまり間引き。左に夜叉《やしゃ》の姿が写され、自分を見返してみよと諭す。（『子返《こがえ》し図絵馬《ずえま》』）

めて貧窮者の産子養育費にあてることが始まり、一二七人が募金に応じた。明和《めいわ》四年（一七六七）には村ごとに余剰米を蓄え、村内の産子を養育するように命じたりしている。こうした取り組みをふまえて、福岡藩では寛政《かんせい》九年（一七九七）に本格的な産子養育制度が開始された。この仕法では、藩が提供する三〇〇〇俵に郡方から徴収する二〇〇〇俵を加え、これを元手に養育費を必要とする者に一年目は三俵、二、三年目は一俵ずつを支給することとした。あわせて懐婦改帳《かいふあらためちょう》の作成を義務づけ、妊娠・出産管理の徹底も図っている。

全国に広がる産子養育の制度

こうした制度として有名なのは、仙台藩の赤子《あかご》養育仕法《よういくしほう》だろう。仙台藩では、明和《めいわ》五年（一七六八）頃から村備蓄米を利用した赤子養育米の支給が、村々で散発的に始められていた。藩全体にわたる統一的な制度として赤子養育仕法が実施されるのは、文化《ぶんか》四年（一八〇七）のことである。まず、各郡ごとに郡方横目《ぐんかたよこめ》（郡ごとに農政の監察をする役）を養育方掛《よういくかたがかり》に任命するとともに、各村では村役人などを制道役《せいどうやく》として村内の監視を強めた。制道役は、村内の妊婦を調査して懐胎書上《かいたいかきあげ》を提出、出産があれば立ち会い、流産や死産などの場合は医者の見分《けんぶん》を受けて、死胎披露書《したいひろうしょ》を提出した。また、困窮した者には、制道役が調査したうえで、金一両程度の養育金を貸し付けた。養育金には、藩が提供した手当金と郡や村の備蓄米があてられた。

全国の産子養育制度は、懐胎改めと養育金支給とが二本柱である点が共通している。監視と救済とがセットなのであり、そのどちらかが欠けても制度としては成り立たないものであった。この監視と救済とを両輪として進めるために、道徳的教化が重視された。そして、この教化という点では、僧侶など宗教者が果たした役割が大きい。仙台藩でも福岡藩でも、曹洞宗《そうとうしゅう》の僧侶などが領内をまわって、間引《まび》きの誤りや赤子養育の意味を説教した。困窮者の子を寺で養育したり、養育料支給願いの取り次ぎや養子先の斡旋《あっせん》をしたりもした。徳川《とくがわ》日本の寺院が、地域紛争や離婚の調停に果たした役割は、いわゆる駆込寺《かけこみでら》としてこれまでも注目されてきたが、本書でたびたび触れている救恤《きゅうじゅつ》や養育・介護に果たした役割も、もっと評価されていいはずだ。

また、藩が全領的な制度を整える前に、郡や村のレベルで養育のための仕組みが自主的につくられていたことにも注意しておきたい。その制度の実施にあたっても、村役人や五人組などが重要な役割を担わされた。基金も、藩からの手当金だけでなく有志の寄付金や郡や村の備蓄米金が使われた。監視と救済には民間の協力が不可欠であったが、それがまがりなりにも可能だったのは、村方にとっても「家」の維持と存続が切実な課題だったたか

16

●出産直後の産室の様子

産婆や女中に囲まれた上層の家の出産。庶民の家では夫も立ち会ったが、ここではその姿は見えない。(『絵本倭文庫《えほんやまとぶんこ》』「絵本十寸鏡《えほんますかがみ》」)

らなのだ。

先にも触れたように、一八世紀末には領主の救済機能は全体として後退したのだが、そのなかで産子養育に特化するかたちで救恤が維持されたことは注目される。「家」のなかでの女性・子どもの「いのち」に対する注意が高まる。一八世紀末から一九世紀初めに人口減少は底を打ち、しだいに上昇に転化した。

徳川日本の期待される人間像

徳川綱吉《とくがわつなよし》が武家諸法度の第一条に「忠孝《ちゅうこう》」を掲げたことは、先に触れた。天和《てんな》二年（一六八二）には孝子《こうし》節婦《せっぷ》の表彰を始め、忠孝札《ちゅうこうさつ》を全国に立てさせた。「忠孝」は社会を覆うスローガンになった。

天和四年、京都の儒者藤井《ふじい》懶斎《らいさい》が『本朝孝子伝《ほんちょうこうしでん》』三巻を刊行した。従来の孝子伝が歴史上の有名人物を対象としたのに対して、この書では「今世《こんぜ》」の部として同時代の庶民を取り上げている。綱吉による孝子表彰政策に呼応したものに違いない。「今世」に取り上げられた二〇例のうち六例は、岡山藩の事例であった。これはすべて小原大丈軒《おはらだいじょうけん》の『備《び》陽善人記《ようぜんじんき》』からの引用である。岡山藩では、他の模範となる領民を表彰することが承応《じょうおう》三年（一六五四）に始められており、それが『善事《ぜんじ》書上《かきあげ》』『善人記《ぜんじんき》』などとして記録されている。『備陽善人記』は、その褒賞記録から藩学校の儒者である小原大丈軒が抜き書きしてまとめたものであった。

岡山藩の『善人記』で一貫している徳目は、「孝」である。しかし、褒賞の直接の理由は、一八世紀なかばの宝暦《ほうれき》期ごろを境に変化している。元禄《げんろく》や宝永《ほうえい》のころには、耕作出精《しゅつせい》や年貢皆済《かいさい》が目立つ。たとえば、宝永二年(一七〇五)に褒賞された備前国《びぜんのくに》赤坂《あかさか》郡小鎌《おがも》村(岡山県赤磐《あかいわ》市)の太兵衛《たへえ》の場合である。彼の家は親の代からの貧者で、田地も悪所であった。彼は、「勝手始末能《かってしまつよく》」、つまり質素倹約をして家内の無駄を省き、耕作に精を出した。とりわけ、悪田に土を入れて土壌を改良したり、自力で池を掘って用水の便をよくしたりして、ついに村一番の実り豊かな田をつくるようになったというのだ。生活改善や農業改良のための自助努力に期待していることがうかがえる。

それが、一八世紀の後半になると、親に対する直接的な「孝」の行為が推奨されるようになる。その結果、前半にはほとんど表彰されることのなかった女性が多数表彰されるようになる。たとえば宝暦九年(一七五九)に表彰された赤坂郡河原毛《かわらけ》村(岡山県赤磐市)の源之介《げんのすけ》夫婦の場合、中風《ちゅうぶ》(卒中)で歩行もままならない父母の世話を心を尽くして行なったことで表彰されている。とくに貧家の嫁や後家が表彰される例では、舅《しゅうと》や姑《しゅうとめ》の衣食や起き臥《ふ》し、大小便の世話まで手厚く行ない、肩や腰を撫《な》でさすったり、何かと心が慰むように心を尽くしたことがあげられる。継子《ままこ》への接し方や親類隣家とのつきあい方が褒められる場合も多い。領主の側の目線も、いわば経営体としての「家」の成り立ちへの関心から、「家」の内部の一人ひとりの「いのち」や生活への関心へと変化しているのである。こうした点にも、一八世紀を通じた「いのち」をめぐる状況の深まりを読みとることができるだろう。

コラム4

乳持ち奉公人

現在の育児法でも母乳主義が説かれるが、香月牛山《かつきぎゅうざん》の『小児必用養育草《しょうにひつようそだてぐさ》』でもすでに母乳育児が「天理自然」と述べている。しかし牛山も、産母の乳汁が出がたい場合は、乳母《うば》を選んで乳汁を与えることを勧める。

農村では乳を融通しあう「貰《もら》い乳《ちち》」の慣行もあったが、都市では乳汁の出る女性を乳母として雇うことが江戸時代から広く行なわれていた。こうした女性を「乳持ち奉公人」と呼び、専門の口入れ業者もいた。ただし、授乳される子は性格まで乳母に似るといわれたから、上層の家ではその選定に苦労した。

●口入れ屋の暖簾　女中や乳母などを斡旋する口入れ屋。町家の子守から、江戸城の大奥勤めまで、女性ならではの職業は多かった。（『女中乳母 御母公人口入所』）

岡山城下町では元禄《げんろく》一二年（一六九九）に、古京町《ふるぎょうちょう》の正屋円《まさやえん》右衛門《えもん》が武家および町家に乳持ち奉公人を斡旋《あっせん》する請負業を許可された。古京町は農村に隣接しているので、おもに村の乳持ち女性を対象にしたと思われる。実家からの通いや自分の子どもも連れて住み込み奉公したが、自分の子はほかに預けて住み込むこともあり、その場合は給銀とは別に子の養育費が支払われた。女性に固有な奉公労働のひとつであった。

第五章

都市と「世間」

1

都市の世界

現在につながる江戸時代の都市

江戸時代は都市化の時代であった。江戸・大坂・京都の三都が栄え、各地には城下町が建設された。陣屋町《じんやまち》・門前町《もんぜんまち》・宿場町《しゅくばまち》・港町《みなとまち》などが、在郷町《ざいごうまち》（在町《ざいまち》）として栄えた。現在市町村の中心となっている都市や町場は、こうした江戸時代の町に由来するものがほとんどだ。

都市は、景観的に街路に沿って家屋と人口が集中している。いいかえれば集住性に特徴があり、機能的には地域の政治・経済・文化のセンターである。そして、各地の都市は三都を頂点としたネットワークと結ばれて、その機能を果たしていた。しかし、ひとくちに都市といっても、その規模や性格はさまざまであった。ここでは住民構成に注目して、その様相をみてみたい。

都市住民は家屋敷を所持する家持層《いえもちそう》と借家に住む借家層に分かれ、家持層だけが正式の住民として町運営に参加した。家持層は、通りに面した表店《おもてだな》で商売を営む者が多く、家屋敷を何軒も抱えて借家経営をする者もあった。借家層は、小商売や振売り《ふりうり》、大店《おおだな》の奉公人、職人や日傭《ひよう》、雑業層などであった。家持層は、「家」が代々相続され、家族も比較的安定的に再生産された。つまり、定住性が高いといえる。借家層では、単身者や不安定な家族形態のものが多く、流動的であった。

◉正月の日本橋室町
重厚な店構えに門松、江戸城に富士山、正月の風情が描き込まれている。いまも同じ場所に三井本館と三越が建っている。（『江戸駿河町越後屋店外図』）前ページ図版江戸町方の人口は、寛文《かんぶん》初年（一六六〇年代初め）にほぼ三〇万人であったものが、享保《きょうほう》六年（一七二一）には五〇万一〇〇〇人に達している。その後は、寛保《かんぽう》三年（一七四三）に同じく五〇万一〇〇〇人、天保《てんぽう》三年（一八三二）は五四万六〇〇〇人であった。階層別の比率では、おおむね、家持層が一五パーセント、借家層が七〇パーセント、商家に住み込む奉公人が一五パーセントほどである。出身地別では、江戸出生者が七五パーセント、他所者が二五パーセント。江戸は独身男性の武家奉公人が多く、人口の性比は圧倒的に男性が多かったと一般には思われている。たしかに、寛保三年には男性が女性の一・七一倍であった。しかしこれはその後解消に向かい、天保三年には一・二〇倍、慶応《けいおう》三年（一八六七）には一・〇二倍になっている。借家層で家族を営むものが増え、不安定ながらも定着性が高まった結果と考えられる。

下の右グラフは大坂三郷《さんごう》の人口動態を示したものである。一七世紀に増加を続けた人口は、元禄《げんろく》二年（一六八九）に三三万人、元文《げんぶん》四年（一七三九）に四〇万人、明和《めいわ》二年（一七六五）

大坂・道修町3丁目の戸数と1戸あたり平均奉公人

年	家持		借家	
	戸数	1戸平均奉公人	戸数	1戸平均奉公人
1684	30戸	3.95人	208戸	2.57人
1700	25戸	5.17人	213戸	2.43人
1710	30戸	5.87人	149戸	2.62人
1729	29戸	5.69人	132戸	2.43人
1752	28戸	6.34人	108戸	1.47人
1780	16戸	7.33人	90戸	2.95人
1800	18戸	5.56人	105戸	2.00人
1819	18戸	5.76人	99戸	2.40人
1841	22戸	5.60人	84戸	2.41人
1860	16戸	8.00人	74戸	2.24人

斎藤修『商家の世界・裏店の世界』などより作成

大坂三郷の人口動態（1665〜1868）

『大阪市史』第1巻などより作成

には四二万人に達した。その後は減少に転じ、文久《ぶんきゅう》二年（一八六二）には三〇万一〇〇〇人になっている。人口減少の原因は、全国市場の中心としての大坂の地位低下による。

前ページ左の表は中心部の道修町《どしょうまち》三丁目の状況を示している。貞享《じょうきょう》元年から万延《まんえん》元年（一六八四〜一八六〇）にかけて、家持層はほぼ半数に減少したが、一戸あたりの奉公人数は二倍になっている。大店《おおだな》化が進んだといえる。借家層は一戸あたりの奉公人数はあまり変わらないが、戸数はおよそ三分の一にと大幅に減少している。全体の低下はこの層の後退によるところが大きいと思われる。周辺部から大坂町中への人口流入も、一八世紀後半以降は減少する。他方、奉公人の男女比は元禄二年に男性が女性の一・七六倍であったものが、文久二年には一・一七倍になった。やはり定着性が高まったといえる。

『熙代勝覧』にみる江戸の雑踏

『熙《き》代勝覧《だいしょうらん》』という絵巻物がある。文化《ぶんか》二年（一八〇五）頃の作と考えられ、神田《かんだ》今川橋《いまがわばし》から日本橋《にほんばし》までの通町筋《とおりちょうすじ》を描いてい

る。下図に一部を掲げたが、表店《おもてだな》には三井越後屋《みついえちごや》など大店《おおだな》が軒を連ねる。街路は多数の町人でごった返しているが、そのあちこちに武士の姿も見える。槍持《やりも》ち・草履《ぞうり》取りを従えた馬上の武士、供《とも》や中間《ちゅうげん》を従えた武士や黒塗りの駕籠《かご》が見える。市場で買い物をする武士、本屋の店に座って本を読む武士、子どもの順礼に施しをする武士、路上の雪駄《せった》直しに修理を頼む武士など、武士と町人が触れ合う場面も多い。

商売の場も、立派な構えの表店だけではない。路上には、簡単な台や敷物を出して雑貨や食べ物を売る仮店《かりだな》がある。酒や湯《ゆ》茶《ちゃ》、鮨《すし》などを食べさせる屋台店《やたいみせ》もある。日本橋魚市場と神田青物市場とにつながる路上や日本橋の上には、野菜を並べた前栽《せんざい》売りが連なっている。町を区切る木戸の脇《わき》には木戸《きど》番屋《ばんや》が設けられているが、そのなかには草鞋《わらじ》や小間物《こまもの》などを商うことを許された商番屋《あきないばんや》もあった。橋のたもとに設けられた番屋では、水《みず》茶屋《ぢゃや》や髪結《かみゆい》が営まれている。

天秤棒《てんびんぼう》を担いだ振売《ふりう》りも、あちこちに見える。野菜や魚を扱うものが多いが、水売りや付木《つけぎ》（木片に硫黄《いおう》を塗ったもの。火を

2

◉江戸・日本橋のにぎわい
221ページの扉の絵と同位置から通りの右手（東側）を鳥瞰している。一人ひとりを追っていくと、さまざまな身分や職業の人を発見でき、興味は尽きない。（『熙代勝覧』）

付けるために使った）・瀬戸物・青竹を担いだ者もいる。金山寺《きんざんじ》味噌《みそ》売り、煙草《たばこ》売りも見える。古着売りや古紙を買い集める紙屑《かみくず》買いも、天秤棒を担いだ振売りの類だ。貸本屋らしき人も見える。

運送の人も道を行き交う。大八車《だいはちぐるま》を引《ひ》く車力《しゃりき》、牛車引《ぎっしゃひ》き、馬方《うまかた》。荷物と一緒に女性の乗る馬もある。駕籠《かご》かきや飛脚《ひきゃく》も走っている。櫃《ひつ》や長持《ながもち》を運ぶ人足、荷を背負ったり肩に担いだりして運ぶ人の姿も多い。普請現場でよいとまけ（地固め）をする鳶《とび》、町中を見まわるために番屋の前で鳶頭《とびがしら》から指示を受ける鳶も見える。看板（印半纏《しるしばんてん》）に股引《ももひき》が鳶のトレードマークだ。火事になれば、この鳶たちが町火消《まちびけし》として活躍する。

町内で寄付を集めてまわる勧進僧《かんじんそう》の一行が二組み。一組みは、両国《りょうごく》の回向院《えこういん》本堂を再建するための勧進。もう一組みは、「本道《ほんどう》（堂）こんりう」の幟《のぼり》を持っているが、寺名はわからない。いずれも、信者の老婆数人が付き従っている。東大寺公慶上人《とうだいじこうけいしょうにん》の勧進もこんな様子だったに違いない。錫《しゃく》杖《じょう》を持って托鉢《たくはつ》する二人組みの僧もいる。尺八を吹く虚無僧《こむそう》二人、店先で喜捨《きしゃ》を乞《こ》う山伏《やまぶし》、天狗《てんぐ》の大面を背負った金毘羅《こんぴら》参り、笈仏《おいぶつ》を背負って廻国修行《かいこくしゅぎょう》する六十六部《ろくじゅうろくぶ》も数人。門付《かどづ》けする願人坊主《がんにんぼうず》や、辻《つじ》で鈴振り講釈をする「神道乞食《しんとうこじき》」は、宗教者というよりは雑芸人。店先で踊る女芸人、獅子舞《ししまい》・太神楽《だいかぐら》・猿回《さるまわ》しなどもみえる。辻で瓦版《かわらばん》を読み聞かせて売る読売《よみうり》もいて、人が集まっている。

裸に薦《こも》を巻いて物乞いする乞食がひとり。非人頭《ひにんがしら》に統括された非人ではなく、流浪する野非人《のひにん》だろう。杖《つえ》を突いた按摩《あんま》らしき盲人が二人。ひとりは小路に入ろうとしており、ひとりは笛を吹いて歩いている。琵琶法師《びわほうし》が二人。うちひとりは弟子に杖を引かせ供を伴っている。三味線《しゃみせん》弾《ひ》きと門付けをする瞽女《ごぜ》も見える。足の不自由な男が、木の台車に乗って雑踏を行く。上下《かみしも》（裃）のようなものを着ているから武士だろうか。少なくとも乞食ではないようだ。

このようにあげていくときりがない。江戸の町には、じつに多種多様な人びとが生活し、混じり合っていた。雑居性こそ都市の特徴だといってよい。

陰りの見えはじめる城下町

城下町はどうだろう。岡山を例にみてみよう。

岡山城下町の町方人口は、宝永《ほうえい》四年（一七〇七）に三万六三三五人。その内訳は、下の表のようであった。そのうち商売渡世の者は全体の二六・六パーセントを占める。中心は特権的な問屋《といや》商人で、領内の集荷や販売を担った。日用《ひよう》ざる振りは二六・〇パーセント。藩内では、居商売を許された一三か所の在町《ざいまち》以外、農村で商売をすることは禁止されていた。こうした村々へ日用品を振売《ふりう》りした行商人が、ざる振りである。彼らが扱うことを許された商品は、はじめ「あミ・ざこ・塩・あらめ・茶・油・明《とも》し松《まつ》・桶《おけ》ひし

岡山城下町町方の人口構成 宝永4年（1707）

職種	人数		男	女
商人	8,159人	26.6%	4,349人	3,810人
諸職人	5,360人	17.5%	2,779人	2,581人
日用ざる振り	7,971人	26.0%	3,996人	3,975人
米仲買い	47人	0.2%	28人	19人
旅籠屋	127人	0.4%	66人	61人
馬方	271人	0.9%	139人	132人
船頭・水夫・漁師	422人	1.4%	228人	194人
作方	720人	2.3%	349人	371人
町惣代・船惣代	20人	0.1%	12人	8人
町代髪結床	486人	1.6%	260人	226人
医者・針立	445人	1.5%	227人	218人
諸芸人・牢人	104人	0.3%	58人	46人
座頭・瞽女	152人	0.4%	75人	77人
道心者・比丘尼	49人	0.2%	20人	29人
梓神子	9人	0.1%	—	9人
取上婆	9人	0.1%	—	9人
家中長屋借	97人	0.3%	45人	52人
奉公人	3,815人	12.5%	1,651人	2,164人
下人・下女	1,917人	6.3%	1,223人	694人
その他	455人	1.4%	222人	233人
	30,635人		15,727人	14,908人

池田家文庫『御城下男女人数有人改帳』より作成

やく・二ツごき・ゆりぶた・農具」の一一品目であったが、天和《てんな》三年（一六八三）に「ぬいばり・しやくし・とうしん・付木《つけぎ》・かご・ゆかき・菅笠《すげがさ》・竹の子笠《こがさ》・とおし・はた道具」が加えられ、さらに宝永二年に「いわし・ほしか・三ツごき・下ちゃわん・なべかま・木わた・こぎそ・うわじき・しぶうちわ・あぶらかす・かミ」が許された。海産物や生活雑器・照明用具が多いが、干鰯《ほしか》・油粕《あぶらかす》といった金肥《きんぴ》が含まれていることが注目される。ざる振りは、藩から鑑札《かんさつ》を与えられて営業した。

次いで、諸職人は一七・五パーセントを占めるが、職種が不明なのが残念だ。そのほか、医師や諸芸の師匠、道心者《どうしんもの》や比丘尼《びくに》、座頭《ざとう》や瞽女《ごぜ》、梓神子《あずさみこ》、取上《とりあげ》婆《ばば》、などもいた。旅籠屋《はたごや》、髪結《かみゆい》なども都市の住人にふさわしい。こうした雑多な職業や身分の者が九・八パーセントいた。奉公人は一二・五パーセント。藩に仕える足軽《あしがる》・小者《こもの》、家臣の屋敷や寺社・商家などに奉公する者で、町方居住のものである。城下町もやはり多様な人びとが雑居する空間であった。

ところで、藩社会の中心であった城下町の地位は、

岡山城下町の人口動態

年	人口	戸数	1戸平均	男／女	家持	借家
1667年(寛文7)	**100**	**100**	3.47人	1.10	**100**	**100**
1668年(寛文8)	112.0	90.4	4.30人	1.50	99.5	87.0
1681～84年(天和期)	106.0	96.0	3.83人	1.09	107.1	91.9
1707年(宝永4)	107.7	94.3	3.96人	1.05	120.1	84.8
1710年(宝永7)					128.1	81.2
1717年(享保2)	98.3	97.6	3.49人	1.03	145.6	79.9
1721年(享保6)	106.6	93.9	3.94人	1.07	124.9	82.4
1753年(宝暦3)	82.6	96.4	2.97人	1.05	212.4	53.4
1768年(明和5)	82.9	96.6	2.98人	1.05	231.1	46.7
1777年(安永6)	79.9	96.3	2.88人	1.08	240.7	42.8
1783年(天明3)	78.8	92.7	2.95人	1.09	246.5	35.7
1798年(寛政10)	74.6	93.2	2.78人	1.10	257.1	32.4
1802年(享和2)	74.2	93.0	2.76人	1.12	260.1	31.1
1812年(文化9)	74.2	94.6	2.72人	1.11	269.6	29.7
1838年(天保9)	71.0	96.2	2.56人		281.0	27.7
1854年(安政1)	70.7	95.8	2.56人	1.08	285.9	25.4
1858年(安政5)	70.7	96.4	2.54人	1.09	287.7	25.4
1869年(明治2)	72.7	98.8	2.55人	1.07		

＊人口、戸数、家持、借家は1667年を100とした指数。男／女は女性人数に対する男性人数の割合を示す

谷口澄夫『岡山藩政史の研究』などより作成

一八世紀を通じてしだいに低下する。岡山城下町の人口動態を右ページの表に示した。総人口は、寛文《かんぶん》期から享保《きょうほう》期にかけてやや増加し、以後減少する。「はじめに」でみた備前《びぜん》全体の動向では、一八世紀は下降ぎみで、一九世紀は横ばいからわずかに上昇に向かうのに対して、城下町の場合は寛政《かんせい》期以降も減少が続き、幕末期には享保期からみて三〇パーセントも落ち込んでいるのだ。戸数は、やはり寛文期より減少するが、その幅は数パーセントで大きくない。その結果、一戸あたりの平均家族数は四人前後から二・五人程度へと減少している。男女比は、男性が女性より数パーセントから一〇パーセント多い程度で、変化はあまりない。一八世紀の江戸ほど男性の比率が高いわけではない。

注目すべきは家持《いえもち》と借家《しゃくや》の動向だ。この二〇〇年間に家持層が約三倍に増え、借家層が四分の一に減少した。総戸数はそれほど変化していないので、これは借家層が零細な家持層に移行した結果だろう。住人の定着性を高めようとした藩の政策によるものと考えられる。これらの中小町人が城下町の商業を底辺で支えた。変化は、家持数が二倍を超える宝《ほう》暦《れき》期を境にはっきりしてきている。このころの家持と借家の状況を下の表に示した。一戸当人数（家族数）は家持層のほうが一人ほど多い。し

岡山城下町の家持・借家別の戸数と人数の動態

年	家持				借家			
	戸数	人数	1戸平均	男／女	戸数	人数	1戸平均	男／女
1753年(宝暦3)	4,709	15,870	3.37人	1.07	3,105	7,626	2.46人	1.01
1766年(明和3)	5,070	16,843	3.32人	1.06	2,852	6,669	2.34人	1.07
1767年(明和4)	5,090	17,019	3.34人	1.05	2,798	6,518	2.33人	1.06
1768年(明和5)	5,124	17,019	3.32人	1.06	2,795	6,555	2.35人	1.04
1777年(安永6)	5,336	16,957	3.18人	1.09	2,561	5,771	2.25人	1.05
1783年(天明3)	5,466	17,344	3.17人	1.09	2,137	5,058	2.37人	1.07

*男／女は女性人数に対する男性人数の割合を示す

谷口澄夫『岡山藩政史の研究』などより作成

かし、それでも三人台の低いほうだ。男女比も家持層のほうで男性がやや多いが、借家層との差はあまりない。定着性は高まったかもしれないが、それが発展的な方向を示すとは評価できない。しかも、全体人口の減少は、町の活気を乏しいものにしただろう。こうしてみると、借家層として下層社会が分厚く存在し、流動性が高いほうが都市の活力は大きいといえそうだ。

天明《てんめい》八年（一七八八）に岡山町奉行となった石黒後藤兵衛《いしぐろごとうべえ》は、城下町人口が減少する原因は商業活動の衰退にあるという。彼の見るところ、城下町では問屋《といや》仲間の規制が厳しいため、他国の商人が寄りつかず、商売が手詰まりになっている。しかも、諸国廻船《かいせん》は荷揚げや荷積みの便利な海辺の在《ざい》町《まち》（農村のなかの町場）で取り引きをするようになり、城下町以外での商売が手広く繁盛するようになった。かつては、在町の小商人が城下町で物を仕入れて農村に売りさばいていたのに、いまでは在町で直接に売買が行なわれ、逆に城下町の商人が在町に物を仕入れに行かなければならなくなった。城下町と在町の位置が逆転した。こうした認識から石黒は、株仲間による規制を解除するなど城下町商業の振興を図る。特権商人以外の幅広い商業活動を活性化することをめざしたものであったが、それも十分な成果をあげることはなく、人口減少は止まらなかった。

発展する在町

備中《びっちゅう》の倉敷は、柳の堀割《ほりわり》と白壁の土蔵造りの町並みが美しい観光地として知られる。この町は、かつては高梁川《たかはしがわ》の河口部に位置していたが、江戸時代の初めには周辺の干潟《ひがた》化が進んだ。海運拠点としての機能はほとんど失われ、かわりに内陸の物資集散地としての機能が大きくなった。寛永《かんえい》一九年（一六四二）には幕府の代官所が置かれ、以後、一時的に藩領や藩の預地《あずかりち》になることもあったが、幕末までほぼ一貫して幕府領の代官陣屋《じんや》町《まち》として栄えた。

行政的には江戸時代を通じて「倉敷村」として扱われたが、宝永《ほうえい》七年（一七一〇）の絵図では村内に八つの「町」名が確認できる。それらは、街路に沿って短冊状の屋敷地が並ぶ町並みで、それぞ

倉敷村の人口動態

年代	人口	戸数	1戸平均
1681年（天和1）	2,779人	375戸	7.4人
1694年（元禄7）	3,841人	611戸	6.3人
1710年（宝永7）	4,569人	1,060戸	4.3人
1733年（享保18）	5,392人	1,470戸	3.7人
1744年（延享1）	5,774人	1,596戸	3.6人
1752年（宝暦2）	5,924人	1,648戸	3.6人
1762年（宝暦12）	6,617人	1,738戸	3.8人
1770年（明和7）	6,910人	1,813戸	3.8人
1789年（寛政1）	6,715人	1,857戸	3.6人
1806年（文化3）	7,200人	1,885戸	3.8人
1816年（文化13）	7,392人	1,872戸	3.9人
1825年（文政8）	7,226人	1,866戸	3.9人
1838年（天保9）	7,987人	1,663戸	4.8人
1846年（弘化3）	6,838人	1,654戸	4.1人
1859年（安政6）	6,678人	1,611戸	4.1人
1865年（慶応1）	6,218人	1,585戸	3.9人

倉敷村における高持層の家族と下人下女の人数 正徳1年（1711）

持高	戸数	1戸平均 家族	1戸平均 下人下女
101石以上〜	3戸	7.3人	16.0人
50石以上〜100石未満	4戸	5.6人	5.5人
21石以上〜50石未満	15戸	6.3人	3.5人
6石以上〜21石未満	36戸	5.4人	1.6人
3石以上〜5石未満	21戸	6.2人	0.1人
1石以上〜2石未満	35戸	4.7人	0.6人
0石以上〜1石未満	45戸	5.2人	0.1人
0石	1戸	2.0人	0人
計	160戸	全体平均5.4人（合計865人）	全体平均1.3人（合計208人）

上下とも『新修倉敷市史』第3巻より作成

れ木戸で区切られていた。さらに、宝暦《ほうれき》三年（一七五三）の村明細帳では二一の町名が記されている。なお、町場の南方には干潟を開発した新田地があり、それを含めた同年の村高は一八二七石《こく》余であった。

前ページの上の表は倉敷村の人口動態である。一八世紀初めの宝永《ほうえい》期から戸数・人数ともに急速に増えはじめたことがわかる。その後も一八世紀を通じて上昇が続き、一九世紀初めの文化《ぶんか》・文政《ぶんせい》期にピークを迎え、天保《てんぽう》期からは徐々に下降線をたどるようになる。城下町岡山の場合、一八世紀は停滞期で、とくにその後半に衰微が目立つようになるが、在町倉敷では一八世紀を通じて、とりわけその後半に急成長する。両者の動向は対照的だ。

戸数の内訳は、延宝《えんぽう》五年（一六七七）の場合、戸数三六四戸で、うち無高層（水呑百姓《みずのみ》）の比率は四六・七パーセント。それが元文《げんぶん》五年（一七四〇）になると戸数は一五五四戸に増え、無高層の比率も八三・六パーセントになっている。一部を除き屋敷地も高付《たかつ》けされるから、無高層は当然のことに屋敷地ももっていない。ほとんどが借地か借家暮らしであったろう。

高持層《たかもち》については正徳《しょうとく》元年（一七一一）の状況がわかるので、これを前ページの下の表に示した。高持層は多くの下男・下女を抱える点が特徴だ。平均的な世帯は持高が六～二一石層で、家族数五・四人、下男・下女が一・六人、両者を合わせた世帯人数七人であった。無高層の平均世帯人数が三・九人であるのと比べて、かなり多い。平均以上の高持の世帯では、農業と商業を兼業しており、その家業に下男・下女が使役されたと思われる。宝永七年の絵図によれば、七六戸の高持が借

倉敷村の職業構成 安永1年(1772)

職　種	人　数	職　業
農業	893人(48.6%)	小作人、本百姓、請作、青物作人、山畑作人、野作
職人	223人(12.1%)	縫い物、髪結、桶屋、大工、紺屋、畳屋、鍛冶屋、竹細工、饅頭屋、左官、飴屋、菓子屋、笠屋・笠張、仕立物、たばこ刻、絵師、ほうき屋、傘屋、割屋、塗師屋、縫仕立物、枠直シ、竹籠細工、鍬ふろ屋、研屋・研師、小細工人、籠細工人、檜物屋職人、ぬいや、表具師、仏師、石屋、臼の目切り、豊島石細工、片木細工、提灯張り、足袋仕立、はかり直シ
諸商売	184人(10.0%)	茶売、豆腐屋、小間物屋・小間物売、干鰯売、煙草売、線香屋、菓子売、肴売、糀屋、古道具商、荒物、古かね買、饂飩麺類・蕎麦切屋、薬売、鍋・釜売、すさ屋・すさ切、塩売、鬢付屋、八百屋、菜種屋、ぬしや、湯風呂屋、枠屋、付木屋、合薬売、小道具取売、材木屋、紙・墨売、紙屋、ひ物屋、青物屋、岡山茶売、渋紙、鯨油屋、小商、紙墨筆売、こんにゃく屋、石物・わた、伊部物売、堅木屋、焼物売、からつ物取買、薪屋、竹売、火打ほくち、古物取売、抹香売、毛綿売、薬種売、絹物取売、呉服屋、売薬調合、道具取売、焼餅屋、繰粉屋、籠屋
魚商売	138人(7.5%)	魚売、小肴売、魚屋、魚問屋、海老売、生魚問屋、魚出買船
綿関係	80人(4.4%)	綿実買、綿打屋、木綿賃繰、繰綿屋、綿中買、繰綿仲買、綿繰枠、木綿売買
諸職	60人(3.2%)	ぜもん、医者、尼、岡山飛脚、山伏、せんたく、寺子屋、しのべ、神子、座頭、虚無僧、馬方、うみつむぎ、そうじ、牢番、奉公、米ふみ、踏伎、保頭役、手習師匠
米・雑穀商	41人(2.2%)	雑穀物商、米売買、つきや、米搗売、引粉屋、米麦買出シ
船方・荷役	39人(2.1%)	仲仕賃持、仲仕、船待、上荷舟持、舟方、上荷働人、小舟乗り、船頭雇働、舟持雇、浜仲仕
古手商売	34人(1.8%)	古手買、古手売、古手屋、古手仲買、古手問屋
油商・油絞	28人(1.5%)	油商、油絞、灯油屋
醸造業関係	27人(1.5%)	請酒売、酒造、醤油屋、酒屋、醤油造
日雇・手間取	27人(1.5%)	日用賃物、紺屋手間、鍛冶屋手間、日雇
質屋	19人(1.0%)	質屋、小質屋、古質古手、時質取商売
宿屋	10人(0.5%)	宿屋・旅人宿、郷宿、商人宿
問屋	7人(0.4%)	万問屋、問屋商売、仲買問屋、薪問屋、小問屋
仲買	2人(0.1%)	石物仲買、仲買
無商売	15人(0.8%)	
不詳	11人(0.6%)	
合　計	1,838人	

『倉敷市史』第10巻より作成

家三二七軒、借地二五八か所を所持していた。もっとも多いのは庄屋の「家」で、借家二三軒と借地六七か所を抱えている。こうした借家や借地に、高持の下層や無高層が居住した。田地・屋敷・下人《げにん》をもつ一部の上層民と借家・借地住まいの下層民という、かなり明確な階層格差があった。

　前ページの表は安永《あんえい》元年（一七七二）の倉敷村の職業構成を示したものだ。もっとも多いのは農業で、四八・六パーセントと半数近くを占める。城下町にも農業を営む者がいるが、これほど多くはない。これが城下町とは異なる在町の特徴だ。ただし、その九二・七パーセントは小作人である。農業以外の職人・商売などでは、じつに多様なものがそろっている。職人では縫物《ぬいもの》が多い。ほかに仕立物もいくつかある。商売は食料品と日用品が中心。扱う商品も専門化している。魚商売が多いのも注目される。そのなかでももっとも多い魚売りは、いわゆる振売《ふりう》りだろう。江戸の町や岡山城下町にも多くみられたものだ。綿関係が多いのも倉敷らしい。備中地域では新田地帯を中心に綿作《めんさく》が盛んで、倉敷は玉島《たましま》（岡山県倉敷市）と並んでその集散地であった。米・雑穀商、古手《ふるて》商売、油商売も注目される。在町や地域の衣食住を支える重要な職業だ。医者や諸芸能の者が一定数いるのも、在町の文化的役割を示すものだし、問屋《といや》・仲買・宿屋・質屋の存在は倉敷が地域の流通・金融のセンターであることを示している。とにかくこれだけ多様な職種がそろっている点では、在町も城下町に引けをとらないといえるだろう。

　次ページの表は、前ページの表のうち女性が戸主の職業を抜き出したものだ。合計一〇四戸で、全体の五・七パーセントにあたる。後家《ごけ》は、女戸主の名前に「後家」という肩書きのあるもの。後家の職業は、「家」の家業を夫にかわって引き継いだ場合と、後家自身の職業の場合とが考えられる。米《こめ》搗《つき》売《う》り・干鰯《ほしか》売《う》り・小肴《こざかな》売《う》り・菓子《かし》売《う》りなどは、「家」の家業かもしれない。ぬひ物仕・木綿賃繰《もめんちんぐり》・しのべ仕候《つかまつりそうろう》・せんたくは、後家自身の仕事と思われる。「しのべ仕候」は「しのべる」＝片付けるととれば女中のことか。こうした職業は、夫の存命中から妻がしていた仕事が夫の死後に表に出ることになった場合と、夫の死後に生活のために後家が始めた場合とが考えられる。

女名前人《おんなななまえにん》は、「後家」などの肩書きなしに女性が戸主になっているもの。女性の単身世帯か母子家族のような不安定な形態が考えられる。こうした世帯は八三戸で、全体の四・五パーセントを占める。彼女たちの自立の糧は、圧倒的にぬひ物仕であった。ほかには木綿賃繰が目立つ。先にみた後家自身の仕事と共通するものが多い。衣料関係の仕事が女性の自立の条件を広げていた。尼《あま》のなかには、祈禱《きとう》や雑芸能を行なう者もいたかもしれない。踏伎《とうぎ》は舞子《まいこ》のこと。神子《みこ》だろう。

倉敷では確認できないが、江戸や大坂には寺子屋の女教師や女医、俳諧や書道の女師匠などもいた。都市では、自立して働く女性の姿をそれなりに見つけることができる。

倉敷村の女性の職業 明和9年(1772)

	後家	女名前人	計
米搗売	1人	—	1人
干鰯売	1人	—	1人
小肴売	1人	—	1人
菓子売	1人	1人	2人
雑穀物	—	1人	1人
仕立物	—	2人	2人
木綿賃繰	4人	5人	9人
しのべ仕候	2人	—	2人
うみつむぎ	—	1人	1人
ぬい物仕	5人	50人	55人
せんたく	1人	2人	3人
所々へ出入	1人	—	1人
日雇	—	1人	1人
百姓	—	1人	1人
小作人	1人	4人	5人
踏伎	1人	—	1人
尼	—	8人	8人
無商売	2人	7人	9人
計	21人	83人	104人

『倉敷市史』第10巻より作成

大岡忠相も苦しんだ都市問題

都市への人口流入が進んで集住性・雑居性が高まると、どの都市でも下層社会が拡大する。それに伴って、都市に固有な問題が発生するようになる。江戸町奉行といえば誰もが思いつく大岡忠相《おおおかただすけ》が登場したのも、そんな時代であった。徳川吉宗《とくがわよしむね》が将軍になった翌年の享保《きょうほう》二年（一七一七）に抜擢《ばってき》されて町奉行となった。彼が直面した問題は、すでに触れた飢饉《ききん》時の施行をはじめ、ほんとうに多岐《たき》にわたる。そのいくつかについて述べてみよう。

たとえば防火・治安対策。この点では、享保期も元禄《げんろく》期と同じように放火問題が深刻であった。とりわけ享保八年五月から一〇年五月までの二年間には、一〇二人が「火賊《かぞく》」（放火犯）として処罰されている。その内訳を下の表に示した。無宿《むしゅく》と野非人《のひにん》は、居所を離れ定職もなく浮浪する者。非人小屋居候《いそうろう》は、そうした者が非人社会に取り込まれつつある状態。すでに非人手下《ひにんてか》と書かれる者もいる。都市の下層に滞留する人びとが、犯罪者と目されているのだ。たしかに「わしづかみ長吉《ちょうきち》」とか「かミなり次郎八《じろはち》」とかあだ名付きで呼ばれて、小悪党の「通り者」（俠客）らしき者もいる。非人と書かれる者は、正式に非人集団に組み込まれた者。正規の非人には鑑札が与えられ、一定の活動や生活が保障されていたので、かえってそうした者の数は多くない。

江戸の「火賊」処罰者内訳 1723～25年（享保8～10年）

	享保8年	享保9年	享保10年	計
無宿	19人	3人	3人	25人
野非人	6人			6人
非人小屋居候	41人	15人		56人
非人	1人		2人	3人
六尺	1人			1人
召仕	2人	1人	1人	4人
借家居候	3人		1人	4人
借家人倅	1人			1人
町人（家持?）	1人			1人
不明	1人			1人
計	76人	19人	7人	102人

『東京市史稿 市街編第20』より作成

消火対策では、有名な町火消《まちびけし》の創設。従来の火消《ひけし》の中心は武士層であった。幕府直属の消防隊で江戸城のまわりに配置された定火消《じょうびけし》、大名に命じて江戸の方面ごとに消火を分担させた方角火消《ほうがくびけし》、寛永寺《かんえいじ》や浅草米蔵《あさくさこめぐら》など幕府の重要施設の消火を大名に命じた所々火消《しょしょびけし》、などがあった。

これに対して忠相は、町人地の消火体制を強化するために、町人自身による消防隊を整備した。いわゆる町火消で、享保五年八月に「いろは組」四七組が組織された。はじめは商家の店員などが隊員をつとめたが、しだいに町が雇った鳶《とび》など専業の者に変わっていった。その数は約一万人。鳶は火事ともなれば纏《まとい》を持って駆け付けるが、喧嘩《けんか》っぱやい厄介《やっかい》な存在でもあった。

忠相は物価問題にも悩まされた。都市生活では、消費活動の占める位置が大きい。日々の食料をはじめ、生活資料の購入は欠かせない。当然、物価の動向に大きな影響を受けることになる。享保九年二月、幕府は江戸・京都・大坂などに物価引き下げ令を出した。近年米価が下がっているにもかかわらず、それに比べて諸品の値段が上がっている。いわゆる「米価《べいか》安《やす》の諸色高《しょしきだか》」。これはけしからん、米価に準じて値下げせよ、というのだ。さらに五月には、木綿や絹などの衣料品、米・酒・醤油・塩などの食料品、油・蠟燭《ろうそく》・薪炭《しんたん》・畳表《たたみおもて》などの日用品、あわせて二二品目を扱う商人に対して仲間や組合を結成するように指示し、仲間として物価を引き下げ、それに違反した者を取り締まるよう命じた。商人仲間に自主規制を行なわせようとしたのだ。借家代や借地代の高騰も、下層民には負担であった。享保一四年一二月、幕府は、町役銀《ちょうやくぎん》を二割引き下げるかわりに、地代や店賃《たなちん》を引き下げるように命じた。町役銀は、家持が負担した。その負担を軽減するから、家持の収入となる地代や店賃も下げよ、というのだ。この後も、借家賃値下げの触《ふれ》はたびたび出されるが、あまり効果はなかった。

他方、年貢米の売買に依存する領主層にとっては「米価安」は死活問題であった。そのため、享保一五年八月には大坂堂島《どうじま》の米市場で、先物取引《さきものとりひき》を公認した。堂島の米相場は元禄年間から開かれており、当初は現物米の取り引きが行なわれたが、しだいに米切手《こめきって》（手形）の売買が中心になっていた。それに加えて先物取引を認めることで米価の上昇を図ったのだ。あわせて、江戸で買米令《かいまいれい》を出した。幕府が御用米を買い取ることで、江戸の米価を上昇させようというのだ。同時に、諸藩にも買米を指示した。さらに、九月には高間《たかま》伝兵衛《でんべえ》ら八人の米問屋に大坂からの下り米の取《と》り捌《さば》きを独占させ、米の流通量を制限した。翌一六年六月には、米の安売りを禁止し、米問屋仲間が定めた値段で売買するよう命じている。このように、かなり強引なかたちで米価の上昇を図っていた矢先の享保一七年に、享保の飢饉が起きる。米価は急上昇し、米需要が逼迫《ひっぱく》する。そして、享保一八年一月に江戸で最初の打ちこわしが発生する。安売りを求める江戸下層社会の反撃によって、大岡らの米価政策は挫折《ざせつ》した。

3

◉諸国から米が運び込まれる堂島
年貢米をいつ出荷するか、諸藩の勘定方が堂島の米相場に一喜一憂する。江戸には早馬が出された。（『摂津名所図会《せっつめいしょずえ》』）

滞留する下層民への対策

大岡忠相《おおおかただすけ》の時代には、江戸に多くの貧民が流入していた。江戸時代、居所を移動するには身元を保証する「宗旨手形《しゅうしてがた》」が必要であった。勝手に流浪した貧民たちは、そうした手形を持っていない。だから、正式に町屋に居住することはできない。現代でいえばパスポートを持たない不法移民であり、彼らが無宿人《むしゅくにん》と呼ばれた。無宿人の多くは、都市周辺の場末《ばすえ》に滞留した。

幕府の無宿対策令の初見は、宝永《ほうえい》六年（一七〇九）二月といわれている。徳川綱吉《とくがわつなよし》が亡くなった直後のことである。江戸で捕らえられた無宿人のうち、帰るべき在所のある者は帰村させ、ない者は非人手下《ひにんてか》とした。さらに、正徳《しょうとく》三年（一七一三）三月には端々《はしばし》の借屋を禁止し、享保《きょうほう》六年（一七二一）九月には無宿の溜《た》まり場になっているとして新町《しんまち》（新しく町場化した場所）の町屋の取り払いを命じている。また、江戸に流入する無宿人のなかには、諸国で所払《ところばら》いの追放刑になった犯罪者も含まれていた。これを重くみた幕府は、享保七年二月に諸大名に対してみだりに追放刑を実施しないように命じている。徳川吉宗《とくがわよしむね》の改革政治のひとつとして「公事方御定書《くじかたおさだめがき》」の編纂《へんさん》があげられる。身体刑の減少など全体として刑罰がゆるやかになり、追放刑も一部を過料《かりょう》に切り替えるなど縮小が図られた。法整備も、無宿人対策を意識して進められた。

江戸には、将軍・大名から旗本《はたもと》・御家人《ごけにん》まで分厚い武家社会が存在しており、若党《わかとう》・中間《ちゅうげん》・女《じょ》中《ちゅう》・下男・下女といった武家奉公人に対する需要も膨大なものがあった。大名屋敷の武家奉公人は、はじめは国元から召し連れられた者が多かったが、しだいに江戸抱えの者が増加し、藩財政の窮乏に伴って、年季で出替わりする者や日雇い同然の雇用が増加した。無宿人と変わらないような者も雇われることになり、奉公人の質は低下した。給料を受け取ったあとに欠落する者も、多数あった。大岡は享保四年頃から武家屋敷での博奕《ばくえき》（博打《ばくち》）取締りを強化するが、これも武家奉公人が犯罪者集団と通底するようになった結果であった。

　奉公人の紹介をし、請人《うけにん》に立ったのは人宿《ひとやど》である。宝永七年、幕府は人宿組合を結成させて奉公人の管理と保証を行なわせた。しかし、あまり効果がなかったために正徳三年に一時停止となったが、欠落する奉公人は跡を絶たなかった。業《ごう》を煮やした幕府は、享保一五年、ふたたび人宿組合の結成を命じ、監督の徹底を指示した。ほかに有効な対策はなかったのだろう。

　下層民に対する救恤《きゆうじゆつ》も問題になった。享保六年六月、全国人口調査とあわせて、江戸町中では困窮者の調査も行なわれた。同年九月には、その結果を受けて病気の家族を抱える貧窮者に扶持米《ふちまい》を支給した。翌年一月、小石川伝通院《こいしかわでんづういん》前に住む町医者小川笙船《おがわしようせん》が極貧の病者を治療するための施設を設けるよう目安箱《めやすばこ》に投書した。目安箱は、庶民の意見を政治に反映させせようと吉宗が設置

◉小石川養生所の井戸（東京都文京区）
東京大学附属植物園内に残る井戸。こうした掘り抜き井戸のほかに、江戸市中の地下には水道の役割を果たした上水の水路が張り巡らされ、そこから水をくみ上げるための上水井戸が地域ごとに設けられていた。

したものだが、さっそく効果を発揮した。享保七年一二月、幕府の小石川薬園《やくえん》内に養生所《ようじようしょ》が開設された。逗留《とうりゆう》が許されたのは、町々の極貧者で、薬を求めかねる者、独身で看病人のいない者、妻子があっても一家中病気で養生できない者、であった。逗留中は、生活費と衣類が支給された。ほかに、通院して治療を受けることも認められた。南和男《みなみかずお》の研究によれば、翌享保八年八月現在の逗留者は五七人、通院者は三一四人であった。その後施設が拡充されて収容数は一一七人となり、かわりに通院制は廃止された。小規模ながら貧病者に対する救援施設として幕末まで存続した。山本周《やまもとしゆう》五郎《ごろう》の名作『赤ひげ診療譚《しんりようたん》』の舞台である。

都市における非人の位置と役割

江戸時代、百姓や町人などの一般の平人《へいにん》とは別に、差別された身分として「穢多《えた》」「非人《ひにん》」という存在があった。このうち都市の下層社会とかかわりが深いのは、非人集団である。非人には、以前から非人素性《すじよう》の者と、もとは平人であったが非人手下《てか》に繰り込まれた者とがあった。後者には、罪を犯した刑罰として非人手下とされる場合と、無宿人で帰るべき在所のない者が非人手下とされた場合とがあった。もちろん、非人素性の者の場合も、もともとの出自を追っていけば、在所から流浪して都市にたどり着いた零落者《れいらく》が多かったことは間違いないだろう。ただし、非人の場合は「穢多」とは違って平人身分に戻ることも可能であった。

江戸の場合も、大坂の場合も、都市が形成される元和《げんな》・寛永《かんえい》期ごろに非人の組織化が行なわれている。非人は、都市の周縁部にある程度まとまって集住し、大坂では長吏《ちょうり》、江戸では非人頭《がしら》に統率されていた。人別改《にんべつあらた》めも檀《だん》那寺《なでら》も平人とは別で、「乞食《こつじき》の法度《はっと》」といわれるような身分集団独自の規律をもっていた。こうした点は「穢多」の場合も同じである。のちに、流入する零落者が増加するにつれて非人集団が膨れあがる。非人の集住地が再編され、固定化される。大坂では四か所垣外《かいと》が形成された。江戸でも四か所に非人小屋が集められ、それぞれを頭が統率した。江戸の非人頭は「穢多頭《がしら》」の支配を受けた。非人小屋に住む者がひといろでなかったことは、「火賊《かぞく》」について述べたところで触れた。中核に鑑札をもつ非人がおり、その配下に組織された非人手下《てか》がいて、さらにそのまわりに野非人《のひにん》から繰り込まれたばかりの非人小屋居《い》候《そうろう》がいた。

　地方でも事情は同様であった。岡山では、城下町が整備されるなかで、町外の山麓《さんろく》に非人が集住するようになり、「山《やま》の乞《こつ》食《じき》」と呼ばれた。彼らは、乞食頭に統率され、町内を勧進してまわるとともに、掃除などの役目をつとめていた。その後、洪水・飢饉《ききん》が連続するなかで非人に繰り込まれる者が増加すると、延宝《えんぽう》三

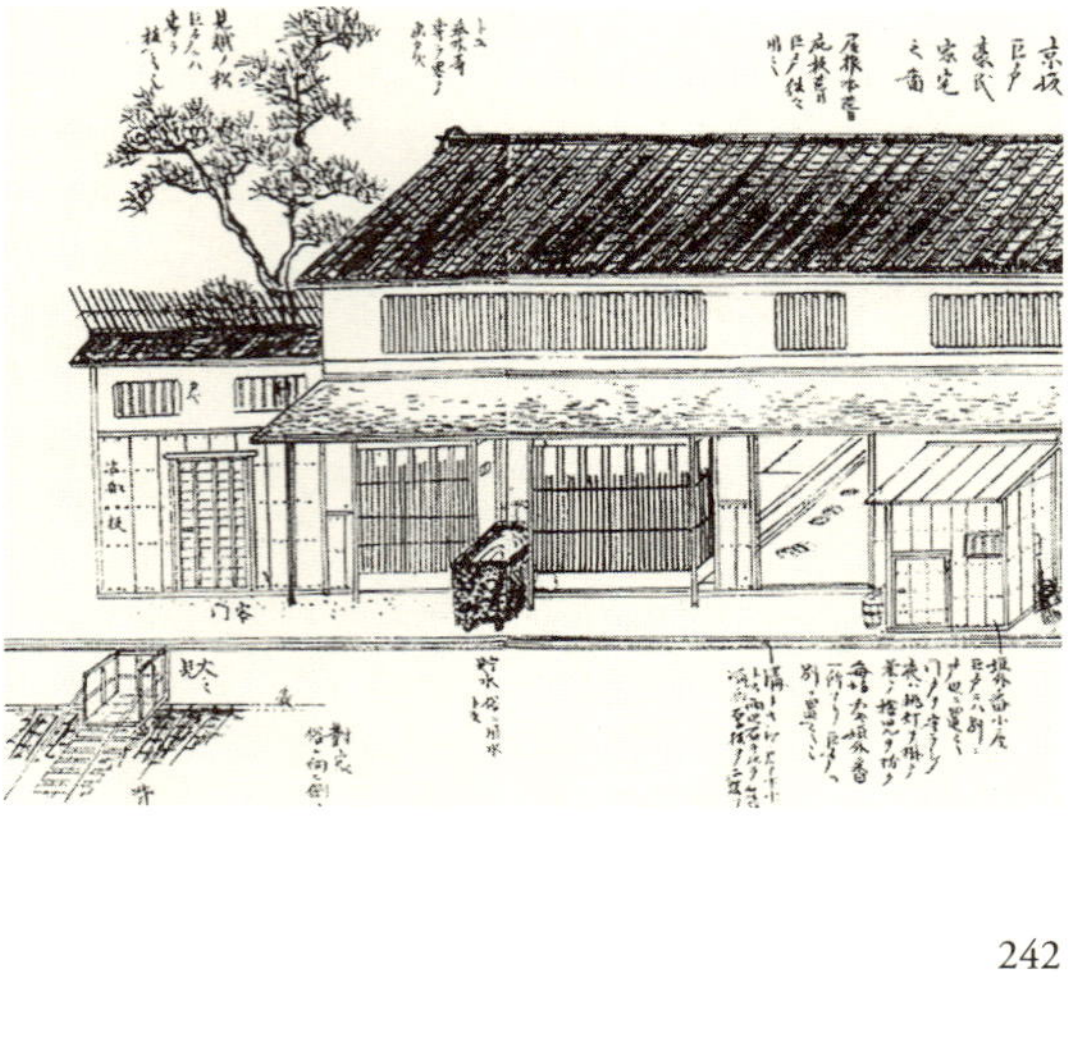

4

◉大店の前に設けられた垣外番小屋《かいとばんごや》　町に置かれた番非人とは別に、大店《おおだな》（大商人）の個人的な垣外番となる者もいた。絵図の右の本屋《ほんおく》に付随する建物が彼らの小屋。捨子《すてご》を防ぐ役割もあったと記されている。（『守貞謾稿《もりさだまんこう》』）

年（一六七五）に新しい集住地が設けられ、集落は二つ（「両山《りょうざん》」）となった。このころ「両山」の支配が「隠亡《おんぼう》」出自の者に任された。「隠亡」とは、埋葬や墓所の管理を業《ぎょう》とする身分集団である。その支配を受けることで、死体の片付けや町方盗賊見廻役《まちかたとうぞくみまわりやく》などが乞食の役儀とされるようになった。

非人の存在形態は、地域によって少しずつ異なっているが、基本はあまり変わらない。刑場や牢屋の雑事、町内や川堀・往還筋の不浄物片付け、無宿浮浪人（野非人）の取り締まり、などの役儀をつとめ、それに対する給扶持《きゅうぶち》を町中から受けるとともに、町内を勧進して銭物《せんもつ》をもらいうける権利を与えられていた。いわば、都市の治安維持にとって不可欠な存在として位置づけられていたのだ。大坂では、四か所垣外の非人が各町や大店《おおたな》（大商人）の垣外番《かいとばん》に雇われ、町内や屋敷まわりの警備にあたった。また、村にも野非人を取り締まるための非人番《ひにんばん》が置かれたが、四か所垣外は、摂津《せっつ》・河内《かわち》・播磨《はりま》の各村々へ非人番を派遣する権利をもっていた。

非人社会には、多様な人が流入した。浪人《ろうにん》や僧侶から転落する者もあるだろうし、職人や芸能者だった者もあるだろう。こうした非人には、勧進するときに雑芸能や細工物をする者もいた。生業《なりわい》に就くことのできない「らい」病（ハンセン病）者や障害をもつ者もあった。事情があって身を隠す者もあっただろうし、さまざまな犯罪者がまぎれ込む世界でもあった。一七世紀にはキリシタンやその類族が流れ込む場であった。文化《ぶんか》一一年（一八一四）には、岡山の両山乞食のなかから禁教の日《にち》蓮宗不受不施派《れんしゅうふじゅふせは》の内信者が多数摘発されている。都市の周縁部に広がるの非人世界は、都市下層の奉公人社会とともに、秩序の流動化を促すブラックボックスであった。

都市の民俗と心性

都市生活と暦

都市には村とは異なる民俗が生まれていた。

現代の私たちは、時計とカレンダーと手帳がないと何もできない。いまや携帯電話がそれらすべての機能をあわせもって、私たちの生活を管理している。かつて時を支配する者は、天下を支配する者であるといわれた。これは中国に始まる考えだが、古代には列島社会にも受け入れられ、律令《りつりょう》政府が暦をつかさどった。貞享《じょうきょう》元年（一六八四）、徳川《とくがわ》幕府は貞享暦の採用を決めた。当時使われていた暦は、九世紀につくられた中国・唐《とう》の宣明暦《せんみょうれき》で、朝廷は九〇〇年間にわたって改暦を行なっていなかった。将軍綱吉《つなよし》は、国家の統治者としての自覚のもとに改暦を行なった。これも綱吉の「公儀」としての政策のひとつである。

貞享暦を制作したのは、天文学者の渋川春海《しぶかわはるみ》だ。彼は、中国・元《げん》の時代につくられた授時《じゅじ》暦《れき》を基本に、これに中国との経度差を勘案して貞享暦をつくった。この功績によって幕府天文方《てんもんがた》として召し抱えられ、以後ここが改暦作業を行なう中心となった。日本独自に暦を作成するという行為が、中国文化からの自立の表現であったことにも注意しておきたい。

このころ農村部にも暦が普及しはじめていたことは、『百姓伝記《ひゃくしょうでんき》』という農書《のうしょ》から確かめられる。

民間向けにつくられた伊勢暦《いせごよみ》や三島暦《みしまごよみ》である。これらは、農事暦《のうじれき》を兼ねたものだったが、自然条件は地域によって異なるから、実際の農作業は暦どおりにはいかない。だから『百姓伝記』も、自分の五感を使って自然の変化を感じとり、時節を過《あやま》らずに農作業するように説いている。

しかし、都市の生活や生業は、農村とはかなり異なっていた。日本列島の気候は四季の移り変わりがはっきりしているので、都市でも、それに伴って生活や生業のあり方が変わることは少なくないだろう。しかし、それは農作業ほど微妙なものではない。生産にかかわる共同作業もほとんどない。しかも都市の生業は、その雑居性ゆえにじつに多様なのだ。それらをひとつの自然感覚で統《す》べるのは、とても無理である。共通の尺度として暦が都市に普及する。というより、都市生活は暦なしでは不可能であったといったほうがよいほどだ。

暦のうえで季節の変化を示すものは二十四節気《せっき》である。しかし、より明確に人びとに節目を感じ

◉嘉永六年（一八五三）の柱暦
この年は三五五日。二、五、七、九、霜（一一）月が小の月、つまりひと月が二九日、あとは大の月で三〇日。真ん中に「火の用心」とあり、ほかに格言や縁日などが記されている。縦長で柱や壁に貼って使うので柱暦。（『嘉永《かえい》六年癸丑火用志《きちゆうひのようじ》ん柱暦《はしらごよみ》』）

させたのは、一年のうちに配置された年中行事《ねんじゆうぎようじ》であった。年中行事は、暦とともに中国から移入されたもので、古代には朝廷・公家社会に受け入れられて日本古来の習俗と融合し、一三世紀以降には武家の儀礼が組み込まれ、一五世紀の応仁《おうにん》の乱《らん》のあと、しだいに民間にも下降しはじめていた。

熊本城下町の年中行事を記した『歳序雑話《さいじよざつわ》』という歳時記《さいじき》がある。天和《てんな》三年（一六八三）に著わされたものだ。地方の城下町にも、一七世紀後半には年中行事が定着していたことを知ることができる。貞享二年頃に成立した『日次紀事《ひなみきじ》』は、京都の年中行事を記した歳時記。さすがに平安京《へいあんきよう》以来の伝統をもつ都市だけに、行事も豊富だ。連日のように各所で催し物がある。とりわけ目を引くのは、祭礼の日常化だ。農村の祭礼は農作業の節目《ふしめ》に行なわれる豊穣《ほうじよう》儀礼に限られており、おもに「村の氏神《うじがみ》さま」といわれた鎮守《ちんじゆ》で行なわれた。それに対して、都市の祈りの中心は現世利益で、その内容は多岐《たき》に分かれていた。つまり、商売や学問・芸能の種類によって、病気もその種類によって、祈願する神仏はそれぞれに異なっており、職種によって職業を守護する神仏も分かれていた。こうした神仏の機能分化は、都市民の雑居性とその生活の多様性に対応したものである。都市では寺社や神仏が増殖する。

願いが生み出す流行神

都市民の現世利益の願望にこたえる神仏には、流行神《はやりがみ》といわれるものが多い。流行神は、由緒《ゆいしよ》や格式のはっきりした神仏ではない。突然現われて強力な霊験《れいげん》を発する一過性のものであった。既存の神仏に満たされない都市民の願いにこたえるものは、そうした新奇な神仏でなければならない。

文化《ぶんか》一一年（一八一四）に刊行された『願掛重宝記《がんかけちょうほうき》』には、江戸の流行神三一があげられている。いずれも、一八世紀に流行したものが、霊験を持続して都市民俗に定着したものと考えてよい。その霊験は、疱瘡《ほうそう》（天然痘《てんねんとう》・痘瘡《とうそう》）・頭痛・虫歯・眼病など特定の病気に治験のあるものが多く、盗賊《とうぞく》除《よ》けなどの除災もあるが、諸願《しょがん》とだけあるものも少なくない。はじめは特定の病気に治験のあった流行神が、それ以外にも霊験を広げることで生き延びたものではないか。

『武江年表《ぶこうねんぴょう》』を見ていると、流行神がまとめて現われる年がある。元禄《げんろく》一五年（一七〇二）もそんな年のひとつだが、前年からこの年にかけて東日本は飢饉《ききん》であった。江戸でも非人《ひにん》小屋が設けられている。暗い世相に、救いを求める気分が広がったのだろう。下戸塚《しもとつか》村（東京都新宿区）の高田《たかだ》水稲荷《みずいなり》で霊告があり、榎木《えのき》の椌《うつろ》から霊泉が湧《わ》き出た。眼病に効能があるということで、諸人が参詣《さんけい》している。寺島《てらじま》村（同墨田区）では、叢《くさむら》のなかから不動尊《ふどうそん》の像が現われた。村の娘の霊夢に告げ出たもので、新田《にった》義貞《よしさだ》が髻《もとどり》に込めていた守り本尊だったものだという。同村の法泉寺《ほうせんじ》に納められ、髻不動として信仰を集めた。

飯塚《いいづか》村（同葛飾区）の夕顔観音《ゆうがおかんのん》では、「夢想の薬」を「神効あり」と売

●柳森神社（東京都千代田区）
秋葉原《あきはばら》のすぐそば、神田川《かんだがわ》沿いの柳森《やなぎもり》神社境内にある福寿社は、八百屋の娘から将軍の生母となった桂昌院《けいしょういん》が建立したもの。出世の神様としていまも信仰を集める。ビルの谷間に残る江戸の面影である。

り出したところ、近在や江戸からおびただしく参詣群集した。その後江戸の所々の寺院に出張して開帳が行なわれた。そこでも薬が販売されたに違いない。夕顔観音では、元禄一三年にも出現から三三年目にあたるとして、開帳が行なわれている。このころから注目を集めるようになったらしい。『元禄世間咄風聞集《げんろくせけんばなしふうぶんしゅう》』によれば、夕顔観音が出現した事情はつぎのようであった。

飯塚村の庄屋の妻が「らい」（ハンセン病）を患った。いろいろと療治を尽くしたが効能がなく、難儀をしていた。ある夜夢を見た。夕顔畑に観音がある。これを見いだして祀《まつ》れという。丸薬《がんやく》の法も教えられ、これを飲めば快気すると告げられた。夕顔畑に出てみると、光が差しているところがある。掘ると箱が現われ、開けてみると観音が入っていた。堂を建てて観音を祀り、夢想のとおりに丸薬をつくって飲むと、スッキリと病気は治った。「夢想の薬」というのが、この丸薬のことだろう。はじめは「らい」に霊験ありとされたが、のちには万病に効く薬として売り出されている。

夕顔観音の評判は相当なものであったようで、同年一〇月には歌舞伎の中村座で市川団十郎も出演して『夕顔の観音方便《ほうべん》』が上演され、さらに宝永《ほうえい》元年（一七〇四）には、『夕顔利生草《ゆうがおりしょうぐさ》』という浮《うき》世《よ》草子《ぞうし》も刊行されている。典型的な流行神といってよい。この夕顔観音は、現在も同地の安福寺《あんぷくじ》に秘仏として祀られていて、一二年に一度の午年《うまどし》の四月に開帳される。

なお、流行神が現われた三か所ともに、江戸近郊の農村であったことは興味深い。いわば都市に接する境界領域であり、そこは非日常の場になりやすい。都市民の心性では、特別な霊威もそうした境界に現われやすいと考えられていた。

都市民の集う辺界

都市周縁部の境界領域は、非日常の遊興空間でもあった。遊《ゆう》所《しょ》と芝居小屋は、ここに置かれた。遊所は、公権力によって買《ばい》売春《ばいしゅん》が公許された場所だ。京都の島原《しまばら》、江戸の新吉原《しんよしわら》、大坂の新町《しんまち》は、いずれも一七世紀の都市改造のなかで都市の辺地に設定された。遊所は堀や塀で隔離され、身売り奉公の遊女たちは、遊所外での自由な行動は許されなかった。

芝居小屋も、京都で四条河原《しじょうがわら》に設けられたように、境界空間に集めて管理された。大坂では道頓堀《どうとんぼり》に、江戸では堺町《さかいちょう》・葺屋《ふきや》町《ちょう》・木挽町《こびきちょう》にあった。小屋の持ち主は、芝居の興行責任者でもあり、座元《ざもと》と呼ばれる。この座元は、江戸の四座、京都の七座、大坂の八座というように数が限られており、彼らにだけ興行権が与えられた。これを大芝居というが、幕府は興行場所と興行権を限定するかたちで芝居の統制を行なった。

遊びをもっぱらとする空間は、働く日常の世界からすれば非日常の世界であり、否定的な空間だ。日常の秩序や倫理を善とする二分法でいえば、悪の世界である。だから、「悪所」とか「悪所場」とか呼ばれた。

6

◉浮絵に描かれた芝居小屋
左下で見得《みえ》をきるのは二代目市川団十郎。透過遠近法で描かれ、立体的に浮いてみえることから浮絵《うきえ》といわれた。(鳥居清忠《とりいきよただ》『浮絵劇場図《うきえげきじょうず》』)

都市民が日常を離れて遊楽する名所《めいしょ》も、都市周縁部に所在した。都市は人工的な空間であり、農村に比べて自然に乏しい。年中行事に組み込まれた四季《しき》遊楽《ゆうらく》は、何よりも自然に触れ、自然を楽しむものであった。その第一は、花見。梅・桜・牡丹《ぼたん》・花菖蒲《はなしょうぶ》・藤・萩・楓《かえで》など、季節ごとに名所に出かけて花を愛《め》でた。潮干狩り・水浴び・川遊び・虫聴きなども、季節ごとの自然を楽しむものであった。だから遊楽の地は、何よりも自然の豊かな場所であった。名所への遊楽は、「遊山《ゆさん》」といわれた。

民俗としての生活サイクルは、「ケ」と「ハレ」の循環構造をとっている。「ケ」は働く日常であり、「ハレ」は遊ぶ非日常である。日常働きつづけていると、働くエネルギーがしだいに枯渇してくる。桜井徳太郎《さくらいとくたろう》はこれが「ケガレ」（ケ枯れ）だという。「ケガレ」は、危険な状態だ。こうなったときには、日常を離れてエネルギーを充填《じゅうてん》して、ふたたび日常に帰る。この期間が「ハレ」であり、そのために遊ぶ。遊山は自然に触れて、自然の霊気を身体に充満させることでもある。元禄《げんろく》期ごろから、各地で山岳信仰が広がった。富士山や相模《さがみ》の大山《おおやま》、木曽《きそ》

7

の御嶽《おんたけ》などに信仰登山する講《こう》が、いくつもつくられた。霊山に登ることは、その神気を身体に受けて生きるエネルギーを充塡することだ。「ハレ」の極地といってもよい。いずれにしても、遊山は空間的にも心理的にも日常から離れることであったから、名所は都市周縁の境界地にあるのがふさわしい。江戸の桜の名所とされた飛鳥山《あすかやま》・上野《うえの》・浅草《あさくさ》・江戸川堤《えどがわつつみ》・御殿山《ごてんやま》など、いずれもそんな境界の地であった。

もうひとつの名所となったのは寺社の境内地であるが、これもある意味では境界的な空間であった。寺社地は都市内にあっても寺社奉行の管轄であった。法的・政治的にも町の支配とは異なる空間であり、精神的にも非日常の宗教空間であった。そこで行なわれる行事は、まさに「ハレ」にふさわしい。寺社の祭礼には、芝居や見世物の小屋や小間物《こまもの》を売る屋台店が立ち並んだ。祭礼は、都市民の現世利益の願望を満たすとともに、日常を離れる遊興の機会を提供した。なかには、にぎわいが恒常化する場所も現われるようになる。

芝神明社《しばしんめいしゃ》・湯島天神社《ゆしまてんじんしゃ》・神田明神社《かんだみょうじんしゃ》などの境内では、宮地《みやじ》芝居が興行された。吉田伸之《よしだのぶゆき》の研究によれば、江戸の芸能界は三層構造になっていた。これは、芸や芸能者の階層性であるとともに、芸能を受容する人の階層性でもあった。頂点にあるのは江戸三座の大芝居で、つぎが宮地芝居。小芝居ともいわれ、ここで興行する芸団には地方都市を巡業してまわるものもあった。最下層が場末の寄席《よせ》や座敷で、浄瑠璃《じょうるり》語り・新内《しんない》・常磐津《ときわづ》・落語・講談など、さまざまな芸能が演じられた。

◉花見の名所・飛鳥山（東京都北区）
江戸の町の北辺にある飛鳥山《あすかやま》は、吉宗《よしむね》が整備した桜の名所。ほかでは禁じられた飲酒や仮装が許されたため、人びとは趣向を凝らし「ハレ」を楽しんだ。（鳥居清長《とりいきよなが》『飛鳥山の花見《はなみ》』）

浅草と両国のにぎわい

浅草寺《せんそうじ》は、古くから観音霊場《かんのんれいじょう》として知られている。四万六千日といって、七月一〇日の縁日《えんにち》に参《さん》詣《けい》すれば四万六〇〇〇日参った功徳《くどく》があると、江戸町人の信仰を集めた。こうした参詣人を相手にした茶屋や芝居小屋が設けられるようになり、一八世紀末には三〇〇近い店や小屋が立ち並んでいた。その多くは茶屋や楊枝店《ようじだな》であったが、楊弓場《ようきゅうば》、浄瑠《じょうる》璃《り》語りや太平記《たいへいき》読《よ》みが興行する見世《みせ》もあった。このころには、子供狂言《こどもきょうげん》・小見世物《こみせもの》・軽業《かるわざ》・碁盤人形《ごばんにんぎょう》などの見世物小屋が新規に営業を始めている。

しかし、浅草寺といえばやはり楊枝店。『江戸名所《えどめいしょ》図会《ずえ》』でも特別に取り上げられている。楊枝は歯の掃除をする用具で、いまの爪楊枝《つまようじ》の二、三倍も長い。柳や桃・杉・クロモジ・竹などの枝を削ってつくるが、店によってたいした違いがあるわけではない。客の目当ては売り子の娘だ。どの店でも、美人で愛《あい》嬌《きょう》のある娘をそろえて、売り上げを競った。人気の美少女は浮世絵《うきよえ》にも描かれた。観音さんにお参りし

8

◉浅草寺境内のあちこちに楊枝売りの出店
美人の売り子が客の相手をしたり、呼び込みをしている。これら境内の出店が徐々に整備されて、雷門（風雷神門）までの仲見世となる。（『江戸名所図会《えどめいしょずえ》』）

て、美少女をひやかして楊枝を買って帰る。これも江戸人の「いき」であった。浅草寺裏を北に進めば、いわずと知れた新吉原《しんよしわら》である。

両国《りようごく》は、両国橋の東西橋詰《はしづめ》一帯を指していう。隅田川《すみだがわ》が武蔵国《むさしのくに》と下総国《しもうさ》との境目であり、その二つの国、つまり両国を結ぶ橋を両国橋と呼んだことにちなんでいる。両国橋が架けられたのは、明暦《めいれき》の大火（明暦三年〔一六五七〕）後のこと。町中の猛火を逃れて隅田川までたどり着いた人びとが、対岸に渡れず、焼け死んだり溺《おぼ》れ死んだりした。それを教訓に架けられた橋だ。

この両国橋の西詰《にしづめ》は、火除《ひよ》け地《ち》として広場になっていたが、のちに芝居小屋や茶屋《ちやや》・料理屋などが立ち並ぶ江戸有数の遊興地となった。両国橋周辺は川遊びの名所でもあり、川開きの花火は、江戸町中あげての大イベントであった。この花火は、享保《きようほう》の飢饉《ききん》（享保一七年〔一七三二〕）の餓死者《がししや》を慰霊し、悪疫《あくえき》を退散させるために始められたものだといわれている。

東詰《ひがしづめ》には回向院《えこういん》があった。明暦の大火で亡くなった一〇万を超える遺体を無縁仏として葬ったところで、その地に本堂が建てられた。寺号を無縁寺《むえんじ》という。牢死《ろうし》したり刑死したりした無縁仏も葬られた。この回向院の境内は、全国各地の寺社が出開帳《でがいちよう》を行なう場としても知られている。参詣の人は年中絶えることがなかった。天明期《てんめい》（一七八一～八九）以降は、大相撲が定期的に開催される場になった。相撲は、寺社が募金のために行なう勧進興行として各地で行なわれていたが、相撲取り集団が組織化されることによって安定した興行が可能になった。このように境界地両国は、慰霊と遊興が混じり合う空間であった。

芸能者の身分関係

辺界で活躍する芸能者は、観客の喝采《かっさい》を浴び、人気者としてもてはやされたが、他面では一般平《へい》人《にん》社会から蔑《さげす》みのまなざしでみられることもあった。いわば両義的な存在であった。

宝永《ほうえい》五年（一七〇八）、「勝扇子《かちおうぎ》」一件といわれる事件が起きる。浄瑠璃《じょうるり》太夫《だゆう》の興行に江戸の「穢多《えた》頭《がしら》」配下の者が乱入し、狼藉《ろうぜき》を働いた。太夫らが無許可で、興行銭なども納めずに勝手に興行したというのが、理由であった。怒った太夫らが町奉行所に訴えた結果は、「穢多頭」側の敗訴であった。これを喜んだ二代目市川団十郎《いちかわだんじゅうろう》は、「勝扇子」という小冊子をつくって家宝として伝えた。

この事件は、従来、それまで芝居興行や役者に対して「穢多頭」がもっていた支配権を否定したものと理解されていた。塚田孝《つかだたかし》はこれに批判的で、事件以前に「穢多頭」の支配権は存在しておらず、それをこの期に獲得しようとした「穢多頭」の企図が阻まれたのだと理解した。つまり、この事件の前にも後にも、芝居興行や役者に対して「穢多頭」が明確な支配権をもつことはなかった、というのだ。塚田の理解が実際に近いだろう。しかし、にもかかわらず、団十郎が「勝扇子」を書き遺《のこ》したという事実は重い。「穢多頭」による明確な支配関係はなくとも、役者たちは「河原者《かわらもの》」「河原乞食《こじき》」と蔑まれてきた。団十郎自身「人非人《にんぴにん》」とみずから卑下《ひげ》していたと書いている。「勝扇子」一件は、そうした状況に一石を投じるものであった。これは江戸の状況だが、京都では「穢多」村が四条河原の芝居小屋の興行銭を徴収する慣行が続いた。

からくり・万歳《まんざい》・講釈・浄瑠璃・物真似《ものまね》などの雑芸能をするものに、乞胸《ごうむね》と呼ばれる集団があった。乞胸頭に統率され、平常は町方の支配を受けたが、芸道については非人頭の支配を受けた。葭《よし》簀《ず》掛《が》けの仮小屋で演ずることもあったが、各戸を廻り門付《かどづ》け勧進をして芸を演ずることが多かった。こうした業態が非人と似ていたり、非人頭の支配を受けたことから、非人同然のものとして蔑みのまなざしにさらされることもあった。

他方、居合《いあ》い抜《ぬ》き・軽業《かるわざ》・見世物・物真似など、同じような雑芸能をするものに香具師《やし》がいた。彼らの芸は、歯磨き・薬・砂糖漬け・小間物などを売るためのものであったが、なかには雑芸能で稼ぐ者も少なくなかった。香具師には親分格の世話人がいて、その統率を受けたが、基本的には町方支配に属する平人《へいにん》であった。

9

◉二代目市川団十郎
役者絵だが、役者に似せるのではなく、演題のイメージを描いたもの。それでも大きな目をむく表情が当人を思わせる。団十郎が得意とする荒事《あらごと》を、鳥居《とりい》清倍《きよます》が躍動感たっぷりに表現した。(『市川団十郎の虎退治《とらたいじ》』)

乞胸も香具師も、寺社境内の小屋や店で興行した。そのため、両者が興行権をめぐって紛争を起こすこともしばしばであった。寛政期《かんせい》（一七八九〜一八〇一）に、町奉行所が乞胸頭のもとに諸芸能を統括させようとしたこともあったが、寺社方の反対などもあって成功しなかった。そのほか、乞胸や非人と同じように門付け勧進をする願人坊主《がんにんぼうず》は、京都鞍馬寺《くらまでら》の大蔵院《だいぞういん》・円光院《えんこういん》の支配を受け、寺社奉行の管轄であった。盲人の琵琶法師《びわほうし》は、按摩《あんま》と同じく座頭《ざとう》身分の者であり、当道座《とうどうざ》の支配を受けた。猿回し《さるまわし》の芸をする猿飼《さるかい》は、門付けして厩《うまや》を浄める祈禱《きとう》なども行なったが、「穢多頭」の支配を受けた。

このように芸能に従事する者は、業態は似通っていても、身分関係は多様であった。その意味では、身分の境界に位置する存在なのだが、その活動空間も都市周縁の境界的な場であった。

隆盛する出版文化

都市の文化的役割を語る際には、出版を欠くことはできない。そもそも、日本の出版活動自体、江戸時代とともに始まった。最初は金属製や木製の活字による出版も行なわれたが、寛永期《かんえい》になって板木製版《はんぎ》が本格化する。これは、本の一丁《ちょう》（紙の中央を山折りして袋とじにした表裏二ページ）ぶんを一枚の板木に彫刻する方法だ。漢字仮名交じり文や続け字の多い和文に向いているし、製版も印刷も簡便にできる。挿絵も入れやすい。活字版だと一版一〇〇部が限度だったが、板木製版では一版五〇〇部は可能であった。出版が盛んになったのは元禄期《げんろく》（一六八八〜一七〇四）である。今田洋《こんたよう》三《ぞう》の研究によれば、このころには一年間に平均約一五〇点が新たに出版されていた。中心は文芸日用書で、俳諧書《はいかいしょ》や浮世草子《うきよぞうし》がつぎつぎと刊行され、謡本《うたいぼん》・算術書・茶湯《ちゃのゆ》書・名所記・紀行・雛形《ひいながた》付き絵本（衣装の図案集）・往来手本（手紙を例にした手習い手本）などが人気を博した。

　出版が盛んになると、幕府による統制も強まった。キリシタン禁教令が強化されていた寛永《かんえい》から寛文《かんぶん》期（一六二四～七三）にかけては、キリスト教関係の書籍はもちろんのことマテオ・リッチが中国語で著わした自然科学や世界地理に関する著作なども輸入禁止になっており、貞享《じょうきょう》二年（一六八五）には輸入禁書目録の増加が行なわれた。徳川綱吉《とくがわつなよし》の時代に本格的な出版統制が始まったことは、第一章で述べている。

　徳川吉宗《とくがわよしむね》は、殖産興業を進める立場から漢訳洋書の輸入を解禁したが、他方で過熱する出版活動に対する統制も忘れなかった。享保《きょうほう》七年（一七二二）、のちにまで長く基本とされた出版取締令が出される。そこでは、①「猥《みだ》りなる儀や異《い》説《せつ》を取り交ぜて」書いたもの、②風俗を乱す「好色本《こうしょくぼん》」、③「人びとの家筋・先祖の事」を書いたもの、④奥書に作者・版元の実名が書いてないもの、⑤「権現様《ごんげんさま》（徳川家康）の事」「御当家様（将軍）の事」を書いたもの、が発禁とされた。そして、書物屋仲間がお互いに違反のないように吟味することを指示している。

10

◉新吉原にあった蔦屋重三郎の「耕書堂」
町の本屋から版元、そして江戸を代表する書物問屋となる。写楽《しゃらく》や北斎《ほくさい》など浮世絵師や戯作者のスポンサーであった。（葛飾北斎『画《え》本東都遊《ほんあずまあそび》』）

この法令が出される前年の享保六年には、江戸で四七軒の書物屋仲間が公認されている。仲間による自主的な規制を行なわせることにしたのだ。これより先に京都では正徳《しょうとく》六年（一七一六）に書物屋仲間が公認されており、その数は約二〇〇軒。大坂では享保八年、二四軒の仲間が公認されている。京都でも大坂でも、仲間による自主規制が行なわれた。

吉宗は、統制を行なう一方で出版を通じた民衆教化にも力を入れ、この事業に書物屋仲間を協力させた。享保七年には、民衆向けの教諭書である『六諭《りくゆ》衍義《えんぎ》大意《たいい》』を室鳩巣《むろきゅうそう》に書かせて、江戸町中の手習い師匠に配布するとともに、諸国に売り広めるように書物屋仲間に命じた。また、中国や朝鮮の医学書を平易に翻訳・編纂《へんさん》した『訂正東医宝鑑《ていせいとういほうかん》』『官刻普救類方《かんこくふきゅうるいほう》』などの刊行も命じている。

書物の普及のうえで、貸本屋の果たした役割は大きい。貸本屋は寛永期ごろから存在していたが、活動が本格化するのはやはり元禄期からだ。専業の貸本屋のほかに、書物屋が貸本業を兼ねることもあった。料金は、購入価格の五分の一から八分の一だったので、手軽に書物に親しむことができた。借りている間に筆写すれば、自分の蔵書にすることもできた。幕府によって発行禁止とされた書物が、貸本屋を通じて流布することもあった。

文化《ぶんか》五年（一八〇八）の記録によると、江戸の貸本屋は六五六人、同じころ大坂には約三〇〇人の貸本屋がいた。一軒の貸本屋がもつ得意先は、一七〇〜一八〇人ほどであったから、江戸の貸本読者は一〇万人を超える。大きな貸本屋では一万冊を超える書籍を抱えていたというから、読者の間をどれくらいの書物が行き交っていたか想像もできないほどである。

義理と世間

「仁」のゆらぎ

享保《きょうほう》一九年（一七三四）、大坂の書物屋仲間から『仁風一覧《じんぷういちらん》』という書物が出版された。享保の飢《き》饉《きん》のときに、飢人救済のために米銀を供出した民間人を書き上げたものだ。こうした行為を行なった人を「仁」の心のある人として顕彰し、この後、より多くの人びとに「仁風」が広がることを期待したものであった。天保《てんぽう》の飢饉のときにも、同じ大坂書物屋仲間は『仁風便覧《びんらん》』を出版している。

儒学《じゅがく》を重んじた将軍綱吉《つなよし》は、生類憐《しょうるいあわれ》みの令では、「犬ばかりにかぎらず、惣《そう》じて生類人々慈悲《じひ》の心を元といたし、あわれみ候儀《そうろうぎ》、肝要候《かんようそうろう》」、「諸人仁愛のこれ有るように」と述べている。「慈悲」や「仁愛」の「心」をもって、生類や人びとを憐れむようにと説くが、実際の彼の政治は情け容赦もない賞罰厳明主義であり、熊沢蕃山《くまざわばんざん》も「不仁《ふじん》」と評した。あたかも、綱吉にとっての「仁政」は、「仁」の教化にとどまるようだ。「仁」の行為を率先して行なうのは、本来領主の役割であった。しかし、財政窮乏が進むなかで、領主の「仁政」は後退する。

人見弥右衛門《ひとみやえもん》は幕府儒官の子。朱子学者《しゅしがくしゃ》。明和《めいわ》年間（一七六四〜七二）に尾張《おわり》藩の侍講《じこう》となり、藩主世子《せいし》（後継者）に「治」のあり方を意見した。そのなかで、「仁」についても説いている。

「仁」といえば、『孟子《もうし》』の「惻隠《そくいん》の情は仁の端」が引かれる。童子がまさに井戸に落ちんとするのを見れば、誰もがかわいそうだと思う。それが「仁」の始まりという話だ。しかし人見は、「人道」を語るに際しては、「惻隠の心」などというような小さいことは特別にいう必要もないことだという。そして「惻隠の心」は、「姑息《こそく》の仁」「小人の仁」にすぎないと断言する。なぜならば、「惻隠の心は情ばかりで義なし」、「仏者の慈悲」と同じで情に流されるというのだ。「寒《こご》えたる者あれば衣をあたえ、飢《うえ》たる者には飯をあたえる類にて、下にある富家などのなす仁恵《じんけい》には可《か》なり。天下国家のぬしには可笑《おか》しき事也」。人情に任せて救恤《きゅうじゅつ》するのは、民間下々の「仁」であり、君主のなすべきことではない。捨子《すてご》養育なども、「仁」のようにみえるが、結局は捨子を後押しすることになり、「不仁《ふじん》の媒《なかだち》」といわざるをえないともいう。

こうした人見の意見には、綱吉の生類憐み政策への批判があるのだろう。人見は、「真《しん》の仁《じん》」は「安民《あんみん》」にあるとするが、実際に必要な衣食の救恤には消極的だ。その「仁政」論は人びとの現実からも心情からも、綱吉とは別の意味で、遠い。君主にはふさわしくないとされた直接困っている人に施す「仁」の行為は、下々の「小人」、つまり民間人に投げ出された。

11

◉閑谷学校《しずたに》（岡山県備前市）
岡山藩主池田《いけだ》光政《みつまさ》が、庶民教育を目的として開設した。学校運営のための田や林を所有し、武家や他領の子らも受け入れた。国宝の講堂は、子の綱政《つなまさ》のときに、津田《つだ》永忠《ながただ》によって建てられたもの。

人の道としての「仁」

享保《きょうほう》の飢饉《ききん》のときに、豪商の三井《みつい》家が救恤《きゅうじゅつ》活動を行なったことは先にも触れた。吉田伸之《よしだのぶゆき》・北原《きたはら》糸子《いとこ》の研究によれば、その対象は、①店方に奉公する手代《てだい》・子共《こども》、②出入りの職人・小商人・雇い人、③所持する町屋の家守《やもり》（家主に雇われて借家の差配をする者）・借家人、④居住する町内および周辺の町々、に区分される。北原は、このうち①②を合力、③④を施行と区別し、『仁風一覧《じんぷういちらん》』に取り上げられるのは施行の部分だけだという。①②は、三井と日常的に扶養《ふよう》・庇護《ひご》の関係にあるものであり、③④はそうした関係にない。飢饉時における救済も、①②の場合は日常的な扶養・庇護関係の延長であるから「仁」とは評価されない。そうした関係にない③④の場合が、「仁」と評価されるのだ。

三井家には、享保期（一七一六〜三六）の初めまでにつくられた家訓や式法の類がいくつか残っている。そこでは、「公儀」の御恩を報じ、「公儀」の法度《はっと》を守って身を慎《つつし》むことが繰り返し説かれる。しかし、「公儀」の御用をつとめる商人は、一〇人のうち八人が身代を潰《つぶ》しており、それを考えれば、「御用は商《あきな》いの余情と心得《こころう》べし」という。領主の御用は商売の余りや残りでつとめるべきというのだ。また、店々の手代・子共（いわゆる丁稚《でっち》）・下男に対しては「慈悲心」をもって接し、出入りの職人には「だんだんに貸し掛けもして助けてやることで、仕事がうまくいくこともある」と配慮を示すが、他方、「一日も仁義をはなれては人道にあらず。然《しか》るとて算用なしに慈悲過ぎたるも、又《また》おろか也《なり》。仁義を守り、軍師《ぐんし》の士卒《しそつ》をめぐむがごとく、商いに利あるやうに心得べし」とも述べられている。人としての道に「仁義」は必要だが、だからといって算用もなしに無制限に「慈悲」を施すのは愚かだ。「慈悲」は商売に利益があるように行なわなければならない。つまり、三井本来のあり方からすれば、①②については当然としても、③④については消極的というか、悪くいえば打算的ということだ。にもかかわらず③④の施行が行なわれるのは、そうせざるをえない、しなければ商売が成り立たないという外的な状況が生まれているということだ。日常的な個別の関係を超えて、「仁」が求められる場が立ち現われているということだ。商売はそうした場で営まれる。

伊藤仁斎《いとうじんさい》は、京都の市井《しせい》に生きた儒学者《じゅがくしゃ》として名高い。朱子学《しゅしがく》を批判して、独自の古義学《こぎがく》をとなえた。仁斎によれば、聖人の「道」は誰もが日常卑近に行なうことのできる人倫日用《じんりんにちよう》の道である。その「人道の大本」が「仁」である。では「仁」とは何か。

「仁」とは「畢竟愛《ひっきょうあい》に止《とどま》る」ものであり、「心愛《こころあい》を離れず、愛《あい》心《こころ》に全《まった》く打《うち》て一片《いっぺん》となる」といわれるように、心が愛で満たされて愛そのものになることだ。しかも、この愛は個別的なものではない。「此《これ》に存《そん》して彼《か》れに行《おこな》はれざるは、仁《じん》に非《あら》ず。一人に施して十人に及ばざるは、仁に非ず」。すべての人に向けられた、普遍的な愛なのである。それだけではない。「仁」は、「我能《われよ》く人《ひと》を愛《あい》すれば、人亦我《ひとまたわれ》を愛す。相親《あいしたし》み相愛《あいあい》すること、父母の親みの如《ごと》く、兄弟の睦《むつまじ》きが如く、行うとして得ずという

12

◉伊藤仁斎

京都の町家に生まれ、一生を市井の学者・教育者として貫いた。仁斎が開いた古義堂は明治期まで二五〇年間続き、現在も京都市中心部の堀《ほり》川通《かわどおり》沿いに当時の土蔵などが残されている。

こと無く、事として成らずということ無し」といわれるように、相互的な愛なのであり、それによって「相親相愛」の協調的な人倫世界が実現される。「仁」は誰もが行なうことができるし、必ず実現できるものである。だから「仁」は「天下公共」の「道」なのだ。

君主が民を慈しむ行為としての「仁」を、民自身の「道」として受け止めたのが仁斎の思想だといってよい。それはまた、人見弥右衛門《ひとみやえもん》が投げ捨てた「仁」を受け止めるものでもあった。たしかに仁斎の主張は、観念的で抽象的だ。しかし、それを誠実に受け止めて、具体的な「仁」の実践に踏み出す人もいた。大坂平野《ひらの》郷含翠堂《ごうがんすいどう》の中心人物土橋友直《つちはしともなお》が仁斎の門人であり、その賑給《しんごう》活動が「仁」の実践であったことは、先にも述べたとおりだ。もちろん、土橋らの「仁」の実践は、一部富裕者による恩恵的な行為であり、地域秩序を維持するための「治」の行為なのだが、それが相互的で水平的な「仁」の観念に支えられたものであったことも見逃してはならない。それは、「天下公共」のあり方をも規定するだろう。

「世間」とは何か?

西洋史家の阿部謹也《あべきんや》は、個人を基礎とした西洋の社会に対して、個人が曖昧《あいまい》な日本の人間結合を「世間《せけん》」と呼んだ。現在でも「世間」という言葉はよく使われるが、その意味内容はかなり漠然としているし、多義的である。阿部は、仮説的と断わりながら、「世間とは個人個人を結ぶ関係の環であり」、「長幼の序」と「贈与・互酬」という二つの原理によって構成される集団、と定義している。

しかし、阿部が具体的にイメージする「世間」には、親類関係、隣近所、村や町、会社や結社、サークルや学会、はては日本国までが含まれていて、とりとめがない。親鸞《しんらん》から永井荷風《ながいかふう》までが取り上げられるが、彼らが相手にする「世間」のほうは雰囲気程度で、一向に像が明らかにならない。「世間」の「互酬」性（相互に贈答する関係）を指摘する点は納得できるとしても、なんとも歴史性が薄い。近代日本の知識人たちが個人として立ち向かった壁が、総じて「世間」として超時代的に投影されているように感じられて仕方がない。

そもそも「世間」という言葉なのだが、『日本国語大辞典』などで「世間」にかかわる語彙《ごい》を調べてみても、広い意味での「世の中」という以外で使われるものはほとんどない。江戸時代でも、集落や村・町を指して「世間」などということはないし、個別具体的な集団を指して「世間」ということもない。ただし、中世にはほとんど仏教用語であった「世間」が、世俗語として「世の中」を意味するようになるのは、江戸時代のことだ。

「はじめに」で述べたように、徳川《とくがわ》日本人は領主支配・身分団体・「家」という個別的・直接的な関係に包まれて生きている。百姓や町人でいえば、中核には生活体・経営体としての「家」があり、次いで、この「家」がつながる同族団や親族組織、または仲間組織や村・町などの身分団体がある。

「世間」の概念図

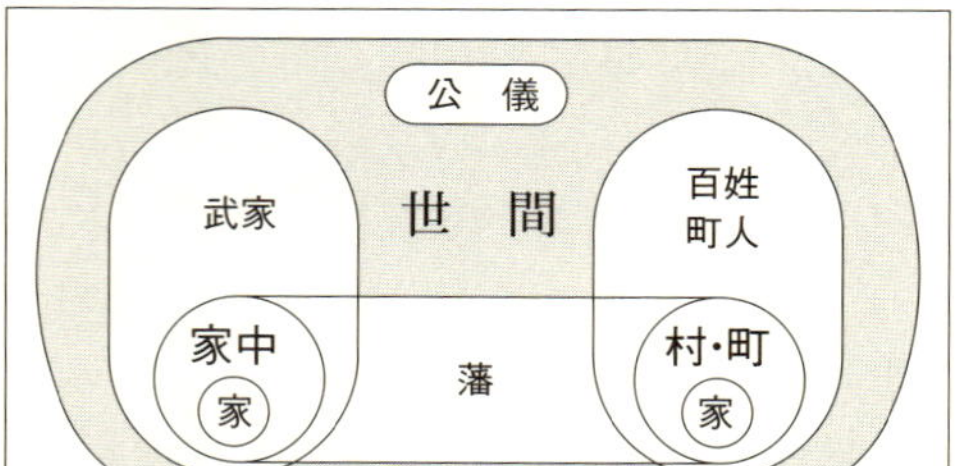

この村や町などは個別領主とつながり、その支配下にあるのだが、さらにその外側にはみずからとは異なるほかの身分集団と触れ合う広大な場が広がっている。武家の「家」の場合でも、まずは藩や特定の武家集団としての「家中《かちゆう》」に包まれ、「家中」は藩などとして特定の身分集団を支配下に置きながら、ほかの「家中」とともに将軍を頂点に秩序づけられた武家社会を形成しており、さらにその外側に直接的・個別的な関係をもたないほかの身分集団と触れ合う世界がある。

江戸時代の身分集団は、同一の原理を共有し、ある特定の集団と直接の支配・扶養関係にあるのだが、その外側には、特定の関係もなく原理も異なる集団と触れ合っている。江戸時代のさまざまな集団というのは、外側にこうした空間をもっている。それは、個別的・直接的な関係を超えているという意味では、公共的な空間だ。こうした空間のことを、本書では「世間」と呼んでみたい。

袖振り合うも他生の縁

儒学《じゆがく》では、人間社会を「五倫《ごりん》」ととらえる。君臣・父子・夫婦・兄弟（長幼）・朋友《ほうゆう》という五つの関係を取り結んで人間は生きているというのだ。そして、それぞれの関係ごとに立場に応じた道徳、たとえば忠とか孝といった徳目がある。しかし、それだけでは十分ではない。個別の関係を超えて、人間としてあまねく施さなければならない徳行がある。それが「仁《じん》」だ。井戸にまさに落ちんとする子に「惻隠《そくいん》の情《じよう》」が起こるのは、その子と特定の関係があるからではない。関係のない子であっても、井戸に落ちようとすれば、かわいそうに思うのだ。特定の関係を超えて、人間が人間として素直に行なう行為、それが「仁」だという。だから施行《せぎょう》でも、特定の関係にとらわれないものが「仁」と呼ばれたのだ。つまり、「世間《せけん》」に対して発せられるのが「仁」であり、個別の関係にかかわる「私」ではなく、伊藤仁斎がいうように「天下公共」の道なのだ。

仏教ではどうだろうか。人と人とのつながりは「縁《えん》」と呼ばれる。もちろん、仏と結ぶ「縁」も重要だが、それを含めて、人はさまざまな「縁」に結ばれて生きている。しかし、なかには「縁」をもたない人もいる。そうした人が亡くなると無縁仏になる。供養すべき「縁」のある人がいないのだ。実際には「縁」があったのだが、大災害などでそれが絶たれてしまい、無縁仏となる場合も少なくない。この「縁」のない無縁仏を供養することは、来世に往生するための因縁《いんねん》になる。飢饉《ききん》のときに、日ごろは「無縁」な人に施行するのも同じことだ。網野善彦《あみのよしひこ》は、中世の公共空間を「無縁」の世界と呼んだ。それは、支配と従属の関係という「縁」から切り離された「自由」な空間だという。江戸時代の施行の行為にも、「無縁」の原理は生きている。施行の対象となる「世間」は、江戸時代の「無縁」の世界だといってよい。中世の「無縁」は「自由」なかわりに庇護も扶養もないが、江戸時代の「世間」には「仁風《じんぷう》」が吹いている。

「袖《そで》振り合うも他生の縁」という言葉がある。「袖振り合う」のは、特定の関係をもたない、日ごろは「無縁」な人である。そんな「無縁」の人同士が「袖振り合う」のが「世間」だ。「他生の縁」は、現世以外のほかの世界、この世に生まれる前の過去世や死後の来世で結ばれる「縁」。「多生の縁」と書かれることもある。現世をひとつの生とすれば、人は過去世および未来世において多くの生を経験する。そこでの因縁が、「他生の縁」であり「多生の縁」である。現実には「無縁」の人も、ほんとうは「有縁」の人なのだ。だから、そうした人にも「慈悲心」をもって接しなければならない。「袖振り合うも他生の縁」というのは、そういう意味だ。「無縁」であるが「有縁」でもある世界、それが「世間」なのだ。

仏教では、「四《し》恩《おん》」ということをいう。天地の恩、国主の恩、父母の恩、衆生《しゅじょう》の恩、という四つをあげることが多いが、天地の恩のかわりに三宝（仏法僧）の恩があげられることもあるし、天地の恩と三宝の恩が入って衆生の恩が抜けることもある。いずれにしても、人が現世で取り結ぶ諸関係を「恩」としてとらえようという考えだ。もちろん「恩」には「報恩」が求められる。このうち「衆生の恩」を鈴木正三《すずきしょうさん》は「農人の恩、諸職人の恩、衣類紡績の恩、商人の恩」といいかえ、これは「一《いっ》切《さい》の所作《しょさ》互に相助《あいたすけ》らるる恩」だという。相互に助けられる恩の世界は、伊《い》藤仁斎《とうじんさい》が説いた「相親相愛」の人倫世界に近い。正三は職分仏行説《しょくぶんぶつぎょうせつ》を説いたことで名高い。人が日々行なう職分は、仏が百億分身して行なう仏行だ、という教説である。正三にとって、衆生は仏行を行なう人であり、そうした人がお互い

13

◉回向院境内にある慰霊碑（東京都墨田区）
隅田《すみだ》川《がわ》に架かる両国橋《りょうごくばし》の東側に、いまも残る回《え》向院《こういん》。境内には、江戸時代を通じて起きた災害の、犠牲者たちを慰霊する多くの石塔がある。

に生かし生かされているのが「衆生の恩」である。さまざまな職分をつとめる衆生が触れ合う場、それは「世間」である。「世間」は、「衆生の恩」が成り立たせている世界でもある。

「世間」と義理

「世間」と個人とが対抗する状況を、「義理と人情の板挟《いたばさ》み」と表現することがある。「世間」の掟《おきて》が義理であり、それと個人の人間的な心情とが矛盾するというのだ。近松門左衛門《ちかまつもんざえもん》が描いた心中《しんじゅう》の世界などが、その例としてあげられることが多い。

しかし、こうした理解が一面的であることは高尾《たかお》一彦《かずひこ》が正しく指摘している。近松が描く庶民の世界では、義理は人情の裏付けのあるものとして理解されており、実践されていた。実際に矛盾していたのは、義理と人情ではなく、異なる義理と義理、異なる心情と心情とが葛藤《かっとう》していたのだ。だからこそ、哀切なのであり、悲劇なのだ。

もっとも有名な『心中天の網島《しんじゅうてんのあみじま》』の例で確かめてみよう。話は、つぎのようだ。

紙屋《かみや》治兵衛《じへえ》は妻おさんがありながら、遊女の小春《こはる》とも深く契っていた。しかし、小春には身請けを図る太兵衛《たへえ》という大尽《だいじん》がいて、身請けを避けるためには小春と治兵衛とは心中するしかないという危機が迫っていた。おさんは夫の命が大事と、小春に治兵衛と別れてくれるように手紙で頼む。小春はそれに従って、治兵衛を邪慳《じゃけん》に扱う。治兵衛は小春の心変わりを怒り、太兵衛に請け出されるつもりだと荒れる。これを聞いたおさんは、小春が自殺する気だと察する。おさんは治兵衛に、小春が心変わりしたように振る舞ったのは自分の策略のせいだと詫《わ》び、有り金に自分の着物を売って手付金を用意するから、急いで小春を請け出してくれと懇願する。そこへおさんの実父の五左衛《ござえ》門《もん》が現われ、事情を知って腹を立て、無理やり離縁させておさんを連れ帰る。万策尽きた治兵衛は、小春と心中の道行きとなる。

近松の描く治兵衛・おさん・小春の関係は、下の図のようになっている。小春は、おさんの手紙に感じて、「引かれぬ義理《ぎり》合思切《あいおもいき》る」と、心にもなく治兵衛を袖《そで》にする。小春が死ぬ気と悟ったおさんは、「夫の恥とわが義理」を風呂敷に包んで身請けの金を工面する。二人とも、自分にとってかけがえのない義理を捨てて、相手を立てようとしたのだ。その理由を、小春は「女は相身互事《あいみたがいごと》」といい、おさんは「女同士の義理立たぬ」という。おさんと小春は、それぞれ治兵衛とは強い義理で結ばれている。しかし、もともとは、おさんと小春の間に直接の関係はない。にもかかわらず、そこにも義理はある。他方、治兵衛と太兵衛も直接の関係はないが、小春との間にはそれぞれに個別の関係がある。おさんは、治兵衛との義理を捨てて身請けの金を用意するが、それは治兵衛に「世間」で「一分《いちぶん》」を立てさせるためであった。直接にかかわりのない男と男、女と女が向き合う場が「世間」であり、そこで義理や「一分」が立てられた。「女同士の義理」とは、そうした「世間

『心中天の網島』登場人物の相関図

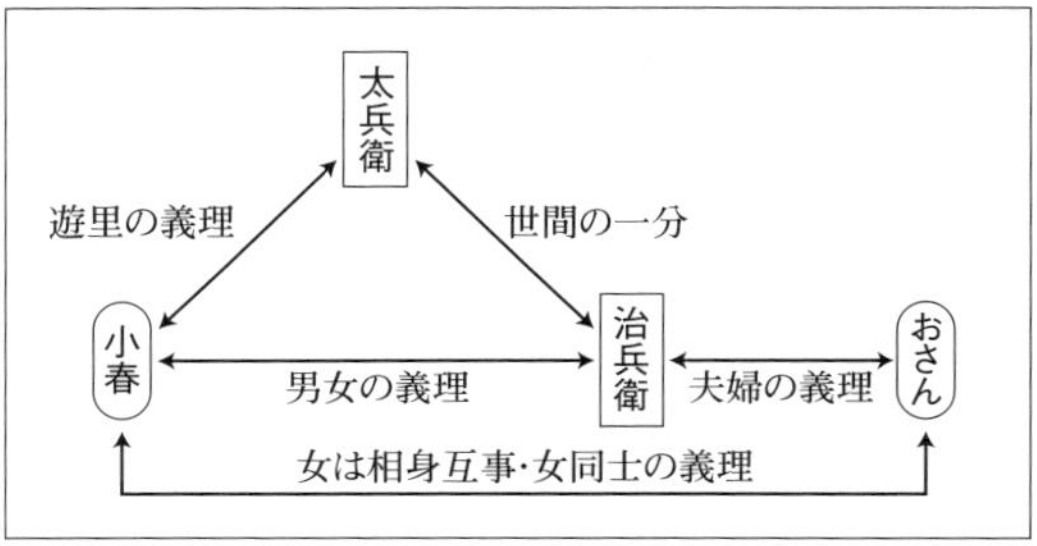

の義理」だったのだ。

いまや心中となったとき、小春は、このまま治兵衛と死んだのでは、おさんに「義理知らず」と蔑《さげす》まれると躊躇《ちゆうちよ》する。治兵衛は、おさんとは離別したのだからなんの義理もないという。それでも逡巡《しゆんじゆん》する小春。治兵衛がみずからの元結《もとゆい》を切ると、小春も髪を切って捨てる。「浮世のがれし尼法師《あまほうし》。夫婦《みようと》の義理とは俗の昔」と、治兵衛はいう。小春がこだわっていたのは、おさんとの「女同士の義理」だ。髪を切って出家することは、「出世間《しゆつせけん》」の存在となることだ。「世間」から離れた小春は、「世間の義理」からも自由になることができた。小春は、心を奮い立たせて命を投げ出した。

男女の愛の義理と「世間の義理」とが矛盾する。その場合には、個人的な義理は「出世間」においてしか成就しないというのが、江戸時代人の心性であった。

赤穂浪士をめぐる「公儀」と「世間」

江戸時代には、「義」に生きる人があちこちにいる。主君の仇討《あだう》ちに立ち上がる赤穂《あこう》「義士《ぎし》」。命を賭《と》して「百姓成立《なりたち》」のために一揆《いつき》の頭取《とうどり》になる「義民」。救恤《きゆうじゆつ》のための「義倉《ぎそう》」に寄付する「義衆」。みずから開発した新田を「義田」として村人に与える庄屋。「孝義録」で顕彰される孝子《こうし》節婦《せつぷ》。いずれも「義」の人だ。

「義」というのは、朱子《しゆし》学《がく》で「心の制、事の宜《よろしき》」といわれるように、事に臨んで判断や行為が適切であることを指している。人はさまざまな人間関係を取り結んで生きており、そのなかでさまざまな事態に直面する。その関係や事柄ごとにもっとも適切な道理があり、それが「義理」である。だから、五倫には十義があるといわれる。主君には君としての義理があり、家臣には臣としての義理がある。親には親の義理があり、子には子の義理がある、といった具合だ。

義理の問題をさらに考えるために、赤穂「義士」を取り上げてみよう。元禄《げんろく》一五年（一七〇二）一二月一四日に、旧赤穂藩士が吉良上野介《きらこうずけのすけ》の屋敷に討ち入り、主君の敵《かたき》と称して吉良を討ち取ったのに対して、幕府が、彼らの行為は「公儀を恐れず、不届きだ」として、翌年二月四日、四六名の浪士に切腹を命じたという事件である。

事件後いち早く四十六士を「義士」として称賛したのは、室《むろ》鳩巣《きゆうそう》の『赤穂義人録《あこうぎじんろく》』である。鳩巣は、「亡君の意趣《いしゅ》を継い」で仇を討った彼らの行為を、「忠義」として称《たた》えたのだ。そこで眼目とされているのは、主君との個別の人格的な関係であり、それに対する忠という義である。個別の主従の義理が問題とされているといってよい。

14

◉吉良邸になだれ込む赤穂浪士
事件から一三年後に描かれた絵馬。主君の浅野《あさの》内匠頭《たくみのかみ》の切腹に対し、吉良上野介への処罰がないのは喧嘩両成敗に反するというのが浪士たちの言い分。浪士を義士とする世論を示すもの。『赤穂浪士《あこうろうし》討入図《うちいりず》額《がく》』

こうした「義人」説を真っ向から否定するのが、荻生徂徠《おぎゅうそらい》である。徂徠は、主君に対する「忠義」などは「其の党に限る事なれば、畢竟《ひっきょう》は私の論」にすぎないとする。そして「私論を以て公論を害せば、此《これ》以後天下の法は立つべからず」と批判する。「其の党に限る」というのは、赤穂浅野《あさの》家の家中を指している。個別の主従の義理などというものは「私論」、所詮《しょせん》「私」の義理だというのだ。これに対して「公論」とされるのは、武家社会の法秩序であり、それによれば、吉良邸討ち入りは私《し》怨《えん》に基づく徒党・狼藉《ろうぜき》以外の何ものでもなく、四十六士は罪人といわざるをえないのだ。徂徠が問題にしているのは、個別的な関係を超えた「公」の義理なのだ。

山崎闇斎《やまざきあんざい》に学んだ朱子学者の佐《さ》藤直方《とうなおかた》も基本的には徂徠と同じ意見で、四十六士を「大法を背き上を犯すの罪人」と指弾する。そのうえで直方は、興味深いことを述べている。四十六士が「公」の義理からみて罪人であることは明白なのに、「天下の人」が「忠義の臣」だと「雷同《らいどう》」するのには、理由がある。それは、上野介が「無道」な人として「天下の人に悪《にく》ま」れていて、それが討たれたことを喜んで、「世俗」の皆が四十六士を「忠義の臣」と称するのだという。つまり、「世俗」では家中や武家の論理とは別の勧善懲悪の論理が生きているというのだ。ここで直方が問題としたのは、武家社会を超えた「世間」のことなのだ。じつは、徂徠が気にしていたのもこのことであって、「公論」が害されると「天下の法」が成り立たなくなるというのは、武家社会の法秩序がないがしろにされると、あらゆる面で「天下の法」がゆらぐという意味なのだ。

直方も徂徠も、じつに問題を的確にとらえていた。「世間」では、「世俗」の勧善懲悪の論理と

「公儀」の法規範とがせめぎ合っていたのだ。やがて、竹田出雲《たけだいずも》らの『仮名手本忠臣蔵《かなでほんちゅうしんぐら》』が大流行して、「世俗」の勧善懲悪の論理が「世間」を席巻するだろう。

「公儀」も「世間」の登場人物のひとりにすぎない。「公儀」の「世間」での地位は、ア・プリオリに絶対なのではない。

「公儀」を悩ませる「世論」

佐藤直方《さとうなおかた》が危惧《きぐ》したように、「世間《せけん》」は「雷同《らいどう》」する。「雷同」は雷の音に驚いて反応すること。雷は天の声である。「世間」は風聞が流通する世界であり、人びとはそれに反応する。「公儀」は、それを恐れる。徳川綱吉《とくがわつなよし》は風聞を神経質に取り締まった。「馬のもの言う」という風聞を流布した浪人が処罰されたことは、先にも触れた。このときには、一町ごとにうわさを芋《いも》づる式にもとへたどっていき、最初にいいだした者を探り出すように町触《まちぶれ》で命じている。この結果「口書《くちがき》」を取られた町中人数が、三五万三五八八人にのぼるというからすさまじい。戸田茂睡《とだもすい》が『御当代記《ごとうだいき》』に記した怪異も、もともとは風聞として広まったものである。流行神《はやりがみ》の霊験が「世間」に広がるのも、風聞の力だ。「世間」に流布したうわさは、やがて「世論」になる。

『熙代勝覧《きだいしょうらん》』に読売《よみうり》とその見物人の姿が描かれていることは、先にみた。読売は、「世間」の風聞を書いた一枚物の瓦版《かわらばん》や小冊子《しょうさつし》を読み上げながら売る者だ。瓦版では、災害、心中《しんじゅう》・仇討《あだう》ち、珍談奇談が好んで取り上げられた。読売が流行しはじめたのは、天和《てんな》三年（一六八三）の「お七火事」のときだという。お七が寺小姓《てらこしょう》に逢《あ》いたいために放火したという話は、読売を通じて広まった。「馬のもの言う」事件で逮捕されたのは、筑紫園右衛門《ちくしそのえもん》という牢人（浪人）であったが、共犯者として落語家の鹿野武左衛門《しかのぶざえもん》も処罰された。落語も風聞の流布にひと役買っていたのだ。やがて、そうした口承芸が寄席に持ち込まれるだろう。浄瑠璃《じょうるり》や歌舞伎《かぶき》も、現実に起きた事件を大胆に翻案し、勧善懲悪の味付けをして世俗に提供した。さまざまな草紙類が果たした役割も同様で、それらが時代の雰囲気やある種の「世論」を形成していた。赤穂「義士」論などは、その典型だ。民衆史家の林基《はやしもとい》が地下政治文献のひとつと呼ぶ『元正間記《げんしょうかんき》』は、赤穂四十六士の切腹に抗議して「忠孝を励まし」という幕府高札の文言に墨を塗る事件が続発したといううわさを記している。「忠孝」を庶民に教化する幕府が、「忠義」の四十六士を処罰するのはけしからんというわけだ。うわさの内容は事実ではないようだが、「世論」の批判意識は明瞭だ。寄席や芝居小屋、出版物などは「世論」の発信場所であり、「世間」の重要な構成要素であった。

徳川日本に広がる「世間」

生類憐《しょうるいあわれ》み政策以降、捨子《すてご》が生きられるようになったことも、先に触れた。捨子養育も施行《せぎょう》と同じで、捨てる親と養育する町とが直接の関係にあるわけではない。捨てる側からすれば、「世間《せけん》」に子の未来を預けたようなものだ。捨子される場所は、辻《つじ》や橋のたもと、木戸の脇《わき》や番屋の前、などが多い。個々の家や町に所属するというよりは、境界的な場所であったり、公共的な場所である。いわば「世間」の場だといってよいだろう。すると、富裕な商家の前に捨てられる場合も、その家の「仁《じん》」が期待されているわけであり、公共的な機能が期待されていると考えるべきだろう。富家に施行が「仁風」として期待されるのと同じだ。富家も「世間」を構成する要素なのだ。

　中世史家の網野《あみの》善彦《よしひこ》によれば、中世の街道は「公界《くがい》」であり、「無縁《むえん》」の場であった。それは、江戸時代も同じで、街道や通行の管理は「公儀」の役割であった。だから、日常の「有縁」の場を離れて旅することは、「無縁」の世界を行く非日常体験なのだ。旅する空間は、「世間」といっていい。備前国赤《びぜんのくにあか》坂《さか》郡河原屋《かわらや》村(岡山県赤磐《あかいわ》市)の村役人をつとめた幸四《こうし》郎《ろう》は、安永《あんえい》六年(一七七七)六月から一年半をかけて全国を旅した。その行程を下図に示した。本州のほぼ三分の二を歩く大旅行であった。

　彼は笈仏《おいぶつ》を背負って旅しており、六十六部《ろくじゅうろくぶ》のようななりをした廻国《かいこく》修行の旅であったことがわかる。六十六部の姿は、『熙代勝覧』(318ページ参照)でも認められた。旅日記によれば、宿銭を払って泊まる場合や寺院や辻堂などに泊まることも

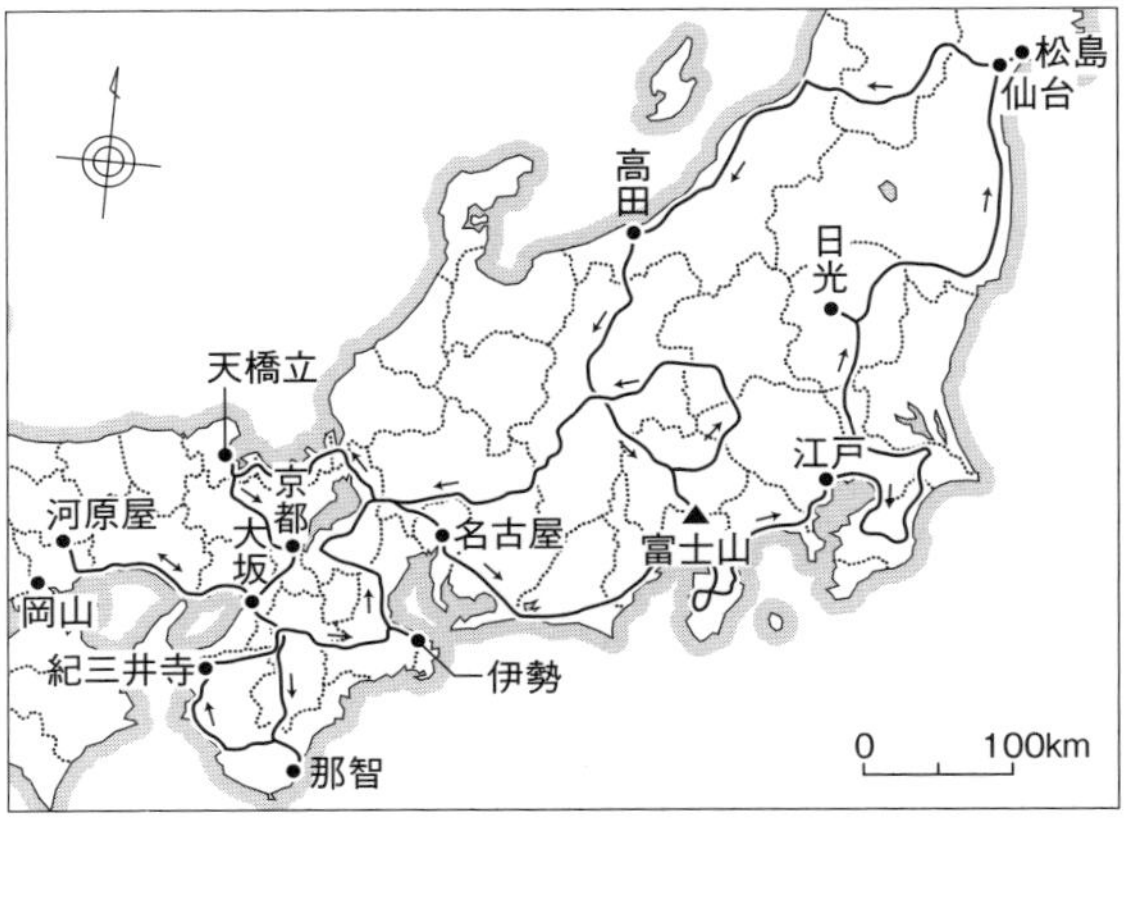

●幸四郎の旅
岡山の農村を出発した幸四郎は、大坂から熊野詣で、伊勢詣でなど寺社めぐりをしたあと江戸に向かい、東北方面まで各地の名所を訪れた。

あるが、宿泊でいちばん多いのは「御宿　〇〇村　〇〇〇様」という記載である。村方の一般民家に泊めてもらったのだろうが、宿主が尊敬と感謝を込めて「御」や「様」付けで書かれている。こうした家では、米・草鞋《わらじ》・線香などを供養として差し出し、それに対して読経などでこたえることもあった。旅をするときに携行を義務づけられていた往来手形《おうらいてがた》に記載されているように、行き暮れた旅人に宿を提供することは、当時一般的に行なわれていた。主要街道を行く名所めぐりの旅などは、すでにかなり商業化されていて、宿屋に泊まることがふつうになっていたが、廻国修行の旅には民家を泊まり継ぐ慣行が生きていた。こうした旅が可能なのも、「世間」であった。とすれば、一戸一戸の民家も「世間」の構成要素といってよい。

　時代は下って文政《ぶんせい》四年（一八二一）、備前《びぜん》国上道《じょうどう》郡瓶井《みかい》門前《もんぜん》村（岡山市）の文吉《ぶんきち》が、喧嘩《けんか》のうえ相手を殺した罪で捕らえられた。文吉は百姓であったが、家族が多いために奉公などをして渡世していた。あるとき、鼠《ねずみ》に芸を仕込んで菓子を売る商いをする者に出会い、自分もやってみようと思った。鼠を教え込む術や菓子の製法を習い、鼠や諸道具を買い取った。所々の宮寺の祭礼に出かけて商いをしたが、こういう商売には、「世間仕《せけんし》」という「辻にて商い候仲間《そうろうなかま》」があることは知らなかった。岡山近郊の瓶井山と西大寺《さいだいじ》の会陽《えよう》で続けて商いをしたとき、「画《え》売《う》り（画を描く芸をしながら物を売る）」と場所取りをめぐって喧嘩になったのだった。鼠芸も画売りも、先にみた香具師《やし》の類である。境内や辻などに露店を出して、芸をしながら物を売る、渥美清《あつみきよし》扮《ふん》する「寅《とら》さん」のような渡世人だ。画売りはその仲間に入っていたが、文吉は入っていなかったのでもめたのだ。

注意したいのはその香具師の類が、「世間仕」と呼ばれていることだ。彼らは、仕事をする場所も業態も境界的である。それが、「世間」を「仕《つかまつ》る」者、「世間」を生きる者、と認識されているのだ。香具師の世界に、「仁義をきる」という挨拶《あいさつ》が残ったのも、納得がいく。民俗学者の宮本常一《みやもとつねいち》は『忘れられた日本人』のなかで、明治時代の「世間師《せけんし》」を取り上げている。宮本の「世間師」は、他郷に出てさまざまな経験を積み、故郷に帰って村人の知らない外界の情報をもたらした。

最後に、「世間」という語が使われる興味深い場をみておこう。それは、貨幣の世界だ。たとえば、次章で触れる元禄改鋳《げんろくかいちゅう》を知らせる元禄八年（一六九五）八月の触《ふれ》。短い文章のなかに「世間」という語が四回も出てくる。そこでは、改鋳の目的を、「世間の金銀」が少なくなって不便だから、金銀の位を直して「世間の金銀」を多くするのだと説明される。そして、これは「世間人々」から金銀を取り上げるのではなく、吹き直してふたたび「世間に出す」のだと念を押している。貨幣の鋳造権は「公儀」に属している。この触でも、「公儀の金銀」と呼ばれている。この貨幣が通用する場が「世間」である。「公儀の金銀」は「世間」に投げ出される。「公儀の金銀」だというだけで通用するわけでなく、「世間」の評価にさらされる。それを受け容《い》れるか受け容れないかは、「世間」次第である。受け容れられることによってはじめて、「公儀の金銀」は「世間の金銀」となるのだ。貨幣が流通する場も「世間」であった。振り返ってみれば、三井が商売の場での評判を気にしたのも、そこが「世間」であったからだ。

徳川《とくがわ》日本のあちこちに公共空間としての「世間」が存在していたことが確かめられる。

コラム5

非人に賢者ある事

根岸鎮衛《ねぎしやすもり》の随筆『耳嚢《みみぶくろ》』に、当時の非人の姿を知らせる興味深い話がある。

江戸・荒布《あらめ》橋のたもとに非人の雪駄《せった》直しが出ていた。雪駄を踏み抜いた侍が修理を頼んだが、支払いをする段になって財布を忘れたことに気づいた。侍は「代銭は明日持ってくる」と言うが、非人のほうは納得せず、悪口の言い争いになった。そばにいた同職の非人が間に入り、双方をなだめて無事に侍を帰した。

その扱いの手際よさに感心した町人が、用に立つ者と思い、召し抱えたいと話しかけた。その非人が言うには、「雪駄直しの仕事は、武家方はじめ諸人が困っているのを助けるのが役儀である。だから、時には代銭にかかわらず働くこともめずらしくない。同職の者はその理屈がよくわかっていなかったので、自分が間に入ってとりなしたまでのこと。それにしても残念なのは、一部始終を見ていた貴方《あなた》が侍のためにとりなしてくれなかったことだ。そのような人に召し使われる望みは毛頭《もうとう》ない」と。「非人ながら怖《おそ》ろしきもの」とうわさになった。根岸は、この非人を「賢者」とみた。

◉雪駄直し
近世の風俗に広く取材した『守貞謾稿《もりさだまんこう》』に描かれた「雪駄直し」。天秤《てんびん》かつぎが大坂、左の笠がけが江戸のものという。

第六章

社会の胎動

1

さまざまな貨幣

複雑な貨幣制度

江戸時代には、幕府によって金貨・銀貨・銅貨の三種類の統一貨幣がつくられ、広く普及した。しかし、三貨によって計量の単位が異なるなど、その流通実態は複雑なものであった。

金貨は、両《りょう》・分《ぶ》・朱《しゅ》を単位に四進法で計算された。つまり、一両＝四分、一分＝四朱であった。また、金貨は定額貨幣で、大判は一〇両、小判は一両で通用した。ほかに一分金があり、のちには二分金・二朱金・一朱金もつくられた。これに対して、銀は秤量貨幣《しょうりょうかへい》で、丁銀《ちょうぎん》や豆板銀《まめいたぎん》の形で流通したが、重量を計って取り引きされた。これでは不便なため、のちには両替商が一定額を封包みした包銀《つつみぎん》が使われた。銀貨の単位は、一貫目《かんめ》＝一〇〇〇匁《もんめ》、一匁＝一〇分《ぷん》の十進法であった。銅貨《どうか》の銭《ぜに》は、寛永通宝《かんえいつうほう》一枚が一文《もん》で通用し、一〇〇〇文＝一貫文の十進法であった。銭と金との交換比率は、銭四貫文＝金一両にほぼ固定

◉ほほえみかける円空仏
元禄八年（一六九五）、弥勒《みろく》の世の到来を信じ、六四歳で入定した円空《えんくう》は、諸国をめぐりながら生涯に一二万体に及ぶ仏像を刻んだという。
前ページ図版『思惟菩薩像』

2

表

裏

されていた。銭には真ん中に穴が空いていて、これに紐《ひも》を通してまとめたものを銭緡《ぜにさし》と呼び、ふつう九六枚の緡を一〇〇文で通用させた。九六枚なので「九六銭《くろくせん》」ともいい、たりない四枚分は手数料だったという。

よく知られるように、東日本は金遣《きんづか》い、西日本は銀遣《ぎんづか》いであり、列島の東西で基軸となる通貨が異なっていた。これは江戸時代初期からの慣習に基づくものであったが、このために金銀銭の間の両替がつねに必要であった。これを円滑に行なうために幕府は、慶長《けいちょう》一四年（一六〇九）に金一両＝銀五〇匁＝銭（鐚銭《びたせん》）四貫文の交換比率を公定したが、この措置は東日本を対象としたものと考えられている。その後、元禄《げんろく》一三年（一七〇〇）に金一両＝銀六〇匁＝銭四貫文という交換比率が公示され、以後これが基準とされた。しかし、実際の両替は市中の相場によって行なわれ、それはつねに変動した。相場は場所や時期によって異なったため、相場の変動やどの相場で換算するかに、江戸時代の人びとはじつに敏感であった。

◉**銅一文銭（右）と銭緡（左）**
最初に鋳造されたのが寛永一三年（一六三六）であったため「寛永通宝」となったが、以後、年号にかかわらずこの名で発行されつづけた。

流通拡大に対応した元禄の改鋳

元禄《げんろく》八年（一六九五）、幕府は金銀貨の改鋳《かいちゅう》を行なった。小判に含まれる純金の量を慶長小判《けいちょうこばん》の六六パーセントに減少させる「悪鋳」で、徳川綱吉《とくがわつなよし》の「悪政」のひとつとされる。改鋳の背景は、幕府財政の危機であった。新井白石《あらいはくせき》が、改鋳の責任者であった荻原重秀《おぎわらしげひで》に問いただした話を、『折《おり》たく柴《しば》の記《き》』に書いている。それによれば、当時全国の幕府領は四〇〇万石《ごく》、その年貢として上納されるのは金にして七六〜七七万両であった。ここから旗本《はたもと》などの給分である三〇万両を除くと、残りは四六〜四七万両であるが、毎年の経常的な支出は一四〇万両もあったという。このうえに臨時支出があって、たとえば宝永《ほうえい》六年（一七〇九）の場合は天皇の内裏造営に七〇〜八〇万両も費やしたため、赤字は一七〇〜一八〇万両に達したという。ただし、この数字には白石の誇張があるようで、近世史家の脇田修《わきたおさむ》は経常的な赤字は二〇〜三〇万両とみている。

　この赤字を補塡《ほてん》するために、荻原はさまざまな策をとった。これまで述べてきた諸国高役金賦課《しょこくたかやくきんふか》や検地による幕府領の増加などがそれだが、貨幣改鋳もそのひとつであった。つまり、純金の含有量を六六パーセントに減らすことで、慶長小判一枚から元禄小判《げんろくこばん》一・五枚ができる計算になる。この差額である〇・五両が出目《でめ》で、幕府の収入になるという寸法だ。銀貨でも、含有量は慶長銀の八〇パーセントに減らされた。こうした改鋳を繰り返すことで、総計五〇〇万両の利益が上がったという。

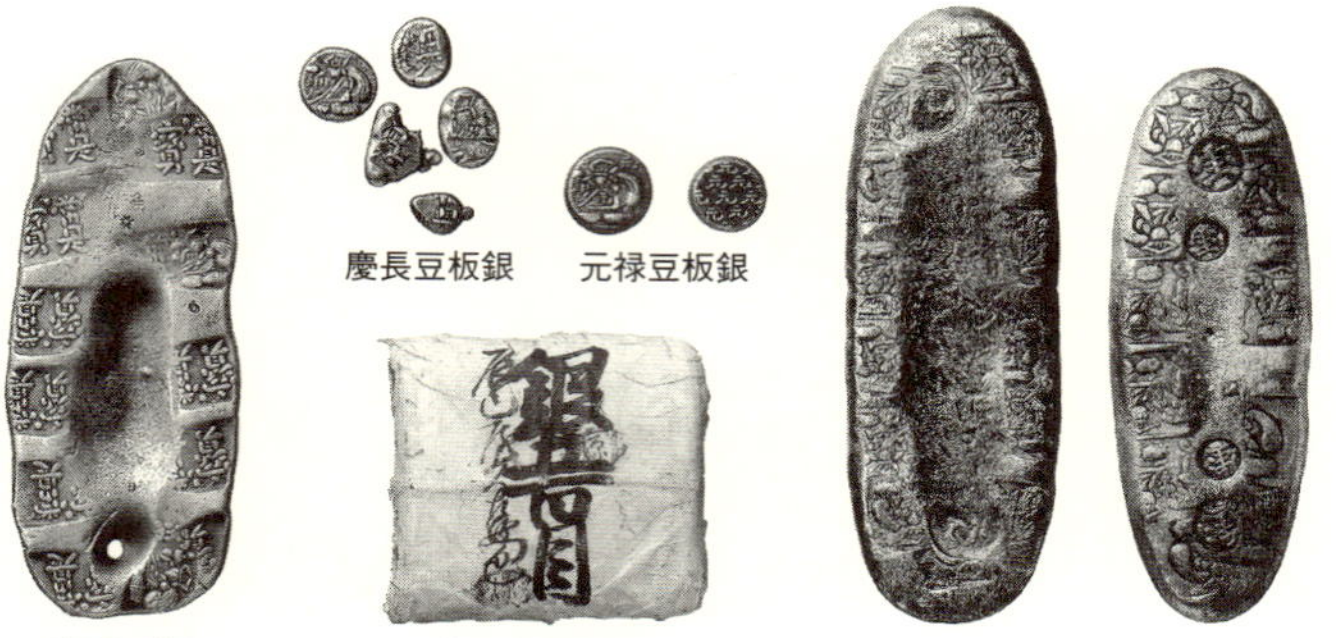

◉流通した銀貨
いずれも秤量貨幣で、それぞれ丁銀と豆板銀があり、一つひとつ重さが異なる。一定の重さにまとめて和紙で包んだものが「包銀《つつみぎん》」。秤量されることなく、額面どおり使用された。

3

実質価値の下がった金銀貨は、交換価値も下落した。そのぶん諸物価は上昇するので、庶民だけでなく武家の生活も圧迫された。それだけではない。元禄小判は貨幣としても粗悪であったことから、折れ曲がったり二つに切り離れたり、焼けて流れてしまったりするものが跡を絶たなかった。そのため、宝永七年に品位を慶長小判とほぼ同じにした宝永小判が発行された。これは裏側に「乾」の字が鋳込まれているので、乾字《けんじ》金《きん》と呼ばれた。しかしこの小判は、従来のものの約半分の量目（重さ）であったので、一両の小判に含まれる純金の量は元禄小判よりもさらに少なかった（下の表の純分比）。出目は大きかったが、金貨の価値はさらに下落した。

しかし、先の元禄改鋳は出目だけが目的であったのではない。拡大する商品流通への対応も目的とされていた。寛文《かんぶん》期（一六六一～七三）に西廻り航路・東廻り航路が整備され、日本列島はひとつの市場に結ばれることになった。領主の年貢米の輸送や換金を基軸に、物資の輸送や売買が増大した。こうした流通の拡大に伴い、貨幣に対する需要が高まった。しかし、このころには長崎貿易を通じて金銀が海外に流出し、他方で国内での金銀の産出が激減したため、鋳造用の地金を新たに準備することは困難であった。徳川家康《いえやす》が非常用に備蓄していた分銅《ふんどう》

江戸時代の金貨・銀貨

		鋳造年	量目	品位(%)	純分比
金貨	慶長小判	1600年(慶長5)	4.76匁	86.79	**100.0**
	元禄小判	1695年(元禄8)	4.76匁	57.37	66.1
	宝永小判	1710年(宝永7)	2.50匁	84.29	51.0
	正徳小判	1714年(正徳4)	4.76匁	84.29	97.1
	享保小判	1716年(享保1)	4.76匁	86.79	100.0
	元文小判	1736年(元文1)	3.50匁	65.71	55.7
銀貨	慶長銀	1601年(慶長6)	不定	80.00	**100.0**
	元禄銀	1695年(元禄8)	不定	64.00	80.0
	宝永銀	1706年(宝永3)	不定	50.00	62.5
	永字銀	1710年(宝永7)	不定	40.00	50.0
	三ツ宝銀	1710年(宝永7)	不定	32.00	40.0
	四ツ宝銀	1711年(正徳1)	不定	20.00	25.0
	正徳銀	1714年(正徳4)	不定	80.00	100.0
	元文銀	1736年(元文1)	不定	46.00	57.5

＊純分比は、慶長小判と慶長銀をそれぞれ100とした指数

『角川版日本史辞典』などより作成

金《きん》も元禄改鋳以前にすでに金貨に鋳つぶされていた。現実には、流通している金貨を鋳直して供給量を増やすしかなかったのだ。

元禄改鋳では、金貨のほうが品位の引き下げ率が大きかったために嫌われ、決済にあたっては銀貨や銭貨が好んで選ばれた。このため銀高となり、銀貨が不足して、金銀相場が不安定になった。宝永期になると幕府は銀貨の改鋳を行なう。宝永三年から正徳《しょうとく》元年（一七〇六〜一一）にかけて、二《ふた》ツ《つ》宝銀《ほうぎん》、永字銀《えいじぎん》、三《み》ツ《つ》宝銀《ほうぎん》、四《よ》ツ《つ》宝銀《ほうぎん》をつぎつぎに発行した。それぞれは、「宝」や「永」の字が鋳込まれ、また「宝」の字の数が違えてあったが、前ページの表に示したように、品位は順次低下し、四ツ宝銀は二〇パーセントの純度しかなかった。このため銀貨の価値も下落し、銭の需要が高まり、銭相場の高騰、銭不足が問題になった。銭貨の増鋳はすでに元禄期から始まっていたが、さらに宝永五年には、一枚一〇文の宝永通宝《ほうえいつうほう》が発行された。これは、形状も重量も寛永通宝《かんえいつうほう》より大型であったから大銭といわれたが、三年ほどで流通停止になった。すでに「九六銭」を一〇〇文として流通する慣行ができあがっており、一〇枚一〇〇文で通用する大銭ではその慣行と齟齬《そご》をきたし、混乱を招いたのが停止の理由だった。

経済に振りまわされる貨幣政策

正徳《しょうとく》四年（一七一四）、幕府は新井《あらい》白石《はくせき》の献策に基づいて、慶長金銀《けいちょうきんぎん》とほぼ同じ品位の正徳金銀を発行した。改鋳のねらいは、物価高に苦しむ諸人を救い、相場の安定を図ることであった。くわえて白石は、国家の体面や威信を意識して良質の貨幣を発行したのだと貨幣史研究者の安国良一《やすくにりょういち》はみている。朝鮮通信使《ちょうせんつうしんし》の待遇改善や国書での将軍の呼称を「国王」と変えたことに示されているように、白石は異国に対する日本の体面を気にする人であった。貨幣の質は国家の富や統治の反映であり、劣悪な貨幣では異国にあなどられると考えたのだという。経済の論理とともに、政治の論理が重視された改鋳であったのだ。

しかも、正徳金銀とともに元禄《げんろく》・宝永《ほうえい》金銀の通用も認められたため、新古金銀の交換や通用については複雑な手続きがとられた。たとえば、金貨でいえば、正徳金貨は元禄金・乾字金《けんじきん》（宝永小判）の二倍通用とし、元禄金と乾字金とは同位通用とする。ただし、元禄金と乾字金とを交換する場合は、元禄金一〇〇両に対して乾字金二両二分の増歩《ましぶ》（二・五パーセントの割り増し）を付ける、というようにである。しかし、この措置も「世間」には不評であった。なぜなら、一枚あたりの純金の含有量は、正徳金貨は乾字金の一・九倍、元禄金の一・五倍にすぎず、とても二倍の価値はなかったからである。このため、金貨の流通が滞り、しかも正徳金銀に切り替わるたびに金貨の流通量は減少するから、物流も滞ることになっ

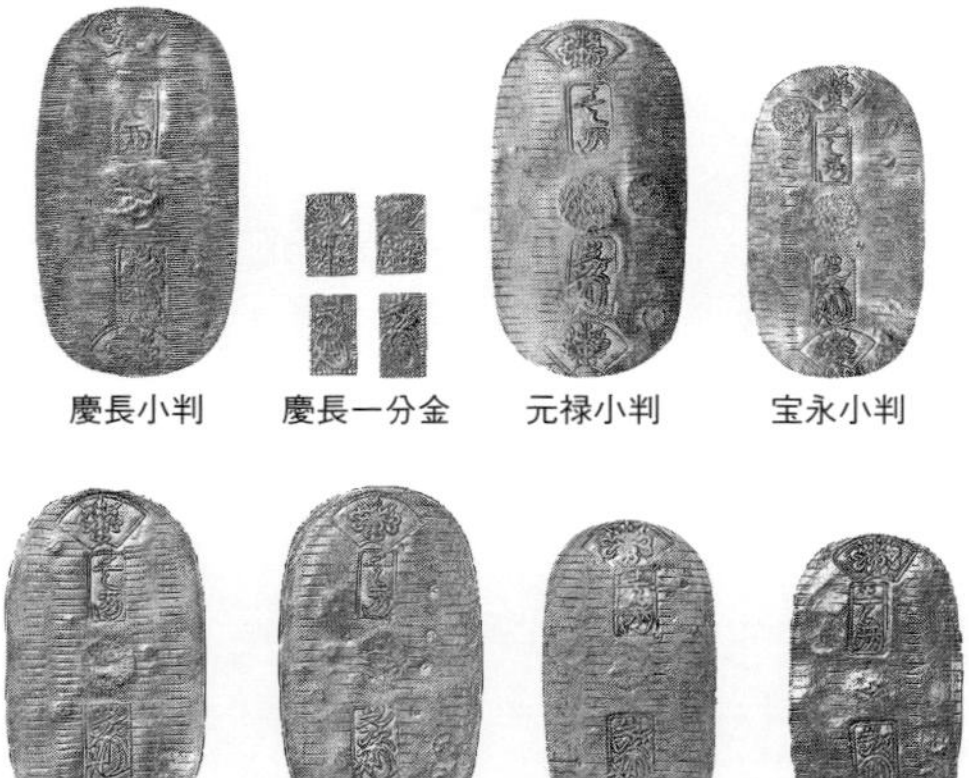

4

◉流通した金貨
大きさはあまり変わらないが、金の含有量に二～三倍の差がある。品位を下げ出目《でめ》を得るという政策は、当然インフレを招くことになる。

た。白石の貨幣政策は、彼の思惑《おもわく》どおりにはいかなかった。
徳川吉宗《とくがわよしむね》は白石の政策を引き継ぎ、慶長金銀と同じ品位の享保《きょうほう》金銀を発行した。ただし、吉宗は新古金銀の併用をやめ、期限を定めて古金銀の通用を停止すると触れた。この方針転換は享保二年（一七一七）に行なわれたが、新金銀への切り替えは思うようには進まず、古金銀の通用期限はたびたび延期された。それでも「公儀」の圧力によって、新金銀への転換が進んだ。それに伴って、従来古金銀によって表示されていた物の値段も新金銀で表示されるようになる。新金銀のほうが価値が高いから、当然、物の値段は低くなる。金銀の流通量も減って、景気は悪くなった。とりわけ米価は、享保七年以降豊作が続いたこともあって、大きく下落した。大岡忠相《おおおかただすけ》が、これ以降米価・物価問題に悩まされることは先にも触れたが、その背景にはこうした貨幣制度をめぐる問題も影響していたのだ。

享保の飢饉後、米価がふたたび安値に転じると、大岡は貨幣改鋳によって米価を上げることを考えるようになる。つまり、金銀貨の品質を落として価値を下げれば、米価が上がるというわけだ。ただし、諸物価も上がるというリスクがある。金銀の品質にこだわる吉宗は、改鋳に難色を示した。大岡は、米価対

金1両に対する銀の相場

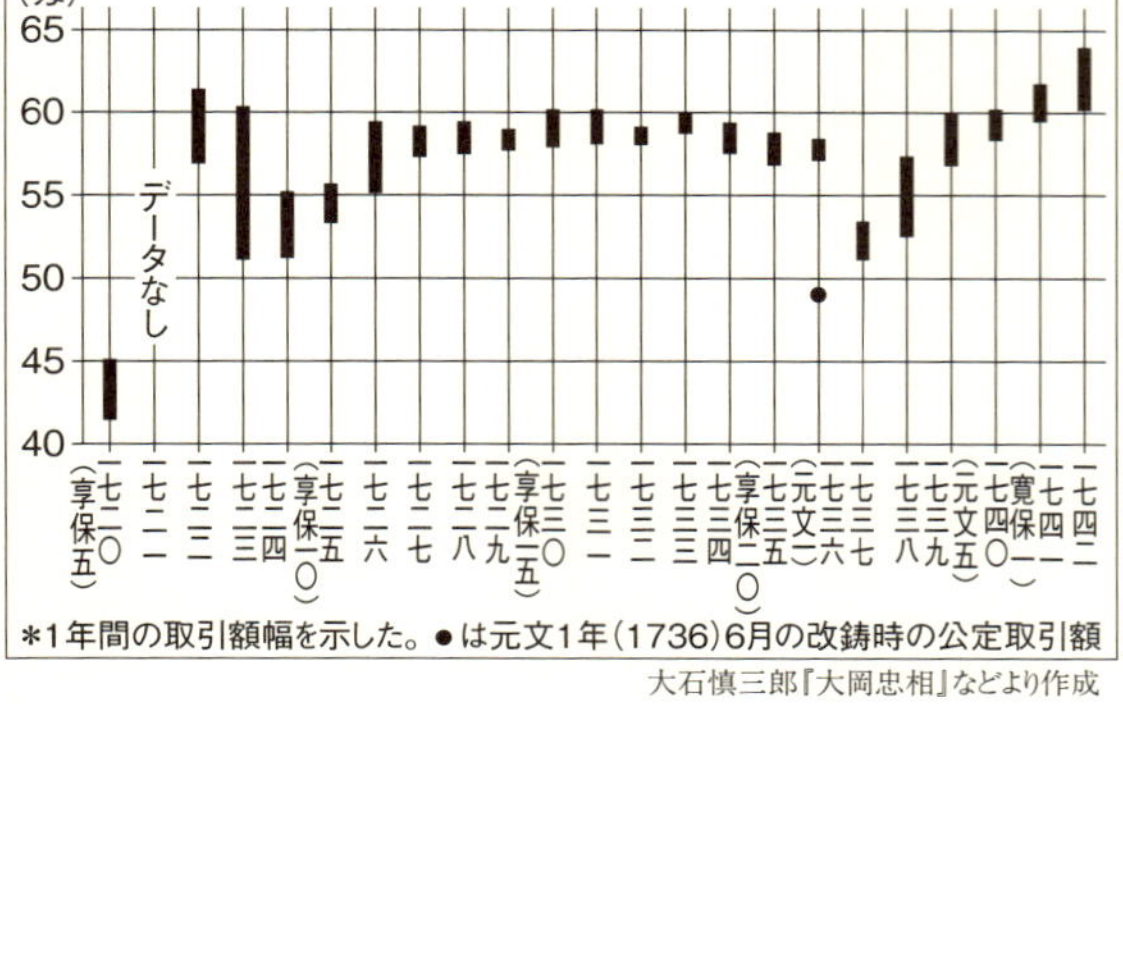

*1年間の取引額幅を示した。●は元文1年(1736)6月の改鋳時の公定取引額

大石慎三郎『大岡忠相』などより作成

策の切り札と主張して、吉宗を説得した。元文《げんぶん》元年（一七三六）、貨幣改鋳は実施された。幕府の触《ふれ》書《がき》では、改鋳の理由として「世上金銀不足」をあげている。享保金銀への切り替えによって金銀の流通量が減り、不景気になっているというのだ。これも事実ではあったが、大岡の真意は隠されている。物価高を嫌う「世間」に配慮した理由づけといえるだろう。

元文金銀は、「文」の字が刻印されていたことから、文字金《ぶんじきん》・文字銀《ぶんじぎん》と呼ばれた。ただし、つぎに改鋳される文政《ぶんせい》金銀に草書体《そうしょたい》の「文」の字が刻印されたので、それと区別するために真文《しんぶん》金銀と呼ばれることもある。品位は、金では享保金の五六パーセント、銀では享保銀の五八パーセントであった。しかし金では一枚あたりの量目（重さ）も七四パーセントに減らしたので、283ページの表の純分比からもわかるように、実質的には元禄金銀よりも劣悪になった。ただし、元禄改鋳と違うのは、出目《でめ》を目的にしなかったことだ。つまり、交換にあたっては、金は六割五歩、銀は五割の増歩を保証したため、交換比率は品位に対応しており、そこから差益が生ずることにはなっていなかった。しかし、もちろん「世間」での通用は同位であったから、金銀貨の価値は下落し、物価は上昇した。そのため改鋳はやはり不評で、金銀相場も不安定になった。

田沼の貨幣政策

享保《きょうほう》期には銀高で推移していた金銀相場は、宝暦《ほうれき》期（一七五一〜六四）になるとしだいに金高・銀安が目立つようになる。

明和《めいわ》二年（一七六五）、幕府は新たに五匁銀《もんめぎん》を発行した。五匁銀は、品位は元文銀《げんぶんぎん》と同じで、表に「文字銀五匁」と刻印されていた。つまり、従来の銀貨が量目不同でいちいち秤量《しょうりょう》しなければならなかったのに対して、一枚五匁で通用する定額貨幣であったのだ。こうした定額貨幣の発行は、両替を簡便にすることで銀貨の流通を促進しようとする意図があることは明らかだ。しかし、幕府のねらいはそれだけではなかった。文字五匁銀が発行されて三か月後には、五匁銀三枚を金一分《ぶ》として通用することが命じられた。これは金一分＝銀一五匁、すなわち金一両＝銀六〇匁で流通すること強制することだったのだ。つまり、文字五匁銀の発行は、金銀相場を公定相場に固定することが目的だったのだ。

こうした幕府の措置は相場の実情に相応していなかったため、「世間」では不評であった。そこで幕府は、明和九年、南鐐二朱銀《なんりょうにしゅぎん》の発行を行なう。「南鐐」というのは、純度の高い良質の銀のことである。たしかにこの銀貨は、純銀に対して九八パーセントという高品位であった。しかも、この銀貨の表には、「以南鐐八片換小判一両」（南鐐八枚をもって小判一両と換える）と刻まれていた。つまり、銀貨でありながら二朱という金貨の単位で流通する貨幣だったのだ。素材と通用単位が異なるという意味では、従来とはまったく異なる概念の貨幣である。

幕府は、丁銀《ちょうぎん》や豆板銀《まめいたぎん》を南鐐二朱銀に鋳直《いなお》して市場に投入した。これ

5　明和五匁銀

明和南鐐二朱銀

●定額化された銀貨
取り扱いが便利な小額貨幣として、広く用いられた。金本位制への転換の一歩でもあった。

は、銀貨の流通量が減り、金遣いが中心となることを意味する。しかもこの「金貨」は、銀遣い圏でも使われやすい高品位の銀で鋳造された。明和九年に一両七〇匁にまでなった銀安相場は、南鐐二朱銀の発行以降改善され、安永期《あんえい》（一七七二〜八一）には一両＝六〇匁に落ち着くようになった。

こうしてみてくると、相場というものは幕府の強制によって落ち着くものではないことがよくわかる。市場に受け入れられるように貨幣を操作することで、ようやく幕府の意図は実現されていた。いわば、「公儀」の権力に拮抗《きつこう》する経済社会が成熟していたといってよいだろう。また、田沼《たぬま》時代の貨幣政策が五匁銀とか二朱銀とかいった、どちらかといえば小額な定額貨幣に置かれたことにも注意したい。つまり、領主などの大口取引ではなく、民間の日常的な小口取引をスムーズに行なわせることが意識されていたのであり、経済社会の成熟という場合も、その機動力となっていたのは、民間の経済活動の深化であったのだ。

南鐐二朱銀発行の意味はそれだけではなかった。経済史家の中井《なかい》信彦《のぶひこ》によれば、田沼政権は金本位制へ貨幣制度を統一することを意図していたのだという。金貨・銀貨がともに金の名目で流通することになれば、実際の取り引きも金建てで表示されることが増えるに違いない。いわば、江戸を中心とした金遣い経済圏に銀遣い経済圏を包摂《ほうせつ》するかたちで国内市場の統一性を実現しようという構想ではなかったか。納得できる指摘だが、やはり結果は田沼の思惑《おもわく》どおりにはならなかった。

南鐐二朱銀が流通し好んで使われるようになると、全体として「金貨」の流通が増大する。しかし、それに見合って金建て取り引きが増加しなければ「金貨」がだぶつき、「金貨」の価値が下落する。しかも、大坂などでは小判などの金貨にかわって南鐐二朱銀が金建ての取り引きに使われ、もともとの金貨の価値はさらに下落する。天明期《てんめいき》（一七八一〜八九）になるとふたたび一両が五六匁ほどの金安・銀高になった。金遣いの江戸では金貨の価値が低下し、物価が上昇した。天明八年（一七八八）四月、発足早々の松平定信《まつだいらさだのぶ》政権は南鐐二朱銀の鋳造を中止した。

江戸時代前期の藩札

幕府が発行した「公儀」の通貨が金属貨幣であったのに対して、大名・旗本・商人などが私的に発行して地域を限定して通用させた通貨は、紙幣であることが多かった。最初に流通したのは伊勢《いせ》地方や畿内で商人が発行した羽書《はがき》といわれる私札で、おもに商取引に使われた。大名が発行した藩《はん》札《さつ》で、現物が残るもっとも古い例は福井《ふくい》藩のもので、寛文《かんぶん》元年（一六六一）に発行されている。ただし、鶴岡実枝子《つるおかみえこ》の研究によれば、記録に残るものとしては寛永《かんえい》七年（一六三〇）の備後国福山《びんごのくにふくやま》藩の例がもっとも古いという。鶴岡が確認した江戸時代前期の藩札は左ページの表のとおりで、寛文から元禄《げんろく》期を中心に五二例があげられている。地域的には西日本が多く、とくに中国地方（山陰・山陽道）が二三例と突出して多いのが注目される。活発な経済活動と大藩の存在が背景にあった。

藩札は、幕府の金銀銭貨との交換を前提に、領内限りでの通用が行なわれたものであったが、幕府の許可を得ずに発行されたものも多かった。東日本では金札《きんさつ》、九州地方では銭札《ぜにさつ》もあったが、多くは銀目《ぎんめ》を額面とした銀札《ぎんさつ》であった。銀札とは、銀目で通用し正銀との兌換《だかん》が保証された札である。

岡山藩では延宝《えんぽう》七年（一六七九）に銀札が発行されている。札役人は城下町の惣年寄《そうどしより》二名がつとめ、札場《さつば》は町会所に新築された。ただし、札役人は財力を担保に札を請け負う札元《さつもと》ではなく、たんなる札場の世話役で、惣年寄が交替でつとめており、札発行の責任はすべて藩が負っていた。いわば完全に藩営の通貨といってよい。札場は領内一〇か所の在町《ざいまち》にも置かれた。発行された銀札は、一匁《もんめ》・五分《ふん》・四分・三分・二分の五種類。銀貨が秤量貨幣《しょうりょうかへい》であったのに対して、銀札は定額通貨であり、しかも小額であった。つまり、民間の小口取引に便利な通貨として設計されていた。藩は、領内の取り引きでの正銀《しょうぎん》使用を禁止し、銀札通用を義務づけた。

延宝七年から天和《てんな》元年（一六八一）までの流通状況が岡山藩の留帳《とめちょう》に記されている。それによれ

1707年（宝永4）の禁令以前に発行された藩札

初発行年次	国	藩	領主
1630年（寛永7）	備後	福山	水野
1661年（寛文1）	越前	福井	松平
1662年（寛文2）	和泉	岸和田	岡部
1663年（寛文3）	土佐	高知	山内
1666年（寛文6）	尾張	名古屋	徳川
1674年（延宝2）	但馬	出石	小出
1675年（延宝3）	出雲	松江	松平
	播磨	姫路	松平
1676年（延宝4）	美作	津山	森
	因幡	鳥取	池田
1677年（延宝5）	摂津	麻田	青木
	長門	萩	毛利
	摂津	尼崎	青山
	肥前	平戸	松浦
1678年（延宝6）	豊前	小倉	小笠原
	周防	徳山	毛利
	周防	岩国	吉川
	但馬	豊岡	京極
1679年（延宝7）	備前	岡山	池田
1680年（延宝8）	阿波	徳島	蜂須賀
	播磨	赤穂	浅野
	美濃	大垣	戸田
1681年（天和1）	筑後	久留米	有馬
1683年（天和3）	陸奥	仙台	伊達
1692年（元禄5）	大和	郡山	松平
1694年（元禄7）	丹後	田辺	牧野
	石見	浜田	松平
1697年（元禄10）	大和	柳生	柳生
1698年（元禄11）	伊予	宇和島	伊達
	丹波	柏原	織田
1700年（元禄13）	摂津	三田	九鬼
	美作	津山	松平
	陸奥	会津	保科
1701年（元禄14）	加賀	大聖寺	前田
	越中	富山	前田
	播磨	龍野	脇坂
	備中	庭瀬	板倉
	備後	福山	奥平
1702年（元禄15）	備中	岡田	伊東
	紀伊	和歌山	徳川
1703年（元禄16）	備中	松山	安藤
	筑前	福岡	黒田
その他元禄期	但馬	出石	松平
	越前	丸岡	有馬
	越前	勝山	小笠原
	筑前	秋月	黒田
1704年（宝永1）	常陸	水戸	徳川
	伊予	松山	松平
	安芸	広島	浅野
	肥後	熊本	細川
	筑後	柳川	立花
1705年（宝永2）	讃岐	丸亀	京極

鶴岡実枝子「日本近世紙幣史管見」より作成

ば、この間の出札《でさつ》は一万二三七五貫《かん》九九六匁五分、戻札《もどりさつ》九五七九貫六五三匁八分で、領内にとどまっているのは二七九六貫三四二匁七分であった。出札のうち七七・四パーセントが戻札として正銀に換えられており、残留している銀札は二二・六パーセントにすぎない。年貢の代銀納部分は銀札で納めることが命じられ、藩蔵の米や大豆の払い、藩が領内でした借銀の返済や家中奉公人の給銀も銀札で行なわれたので、それなりの量の出札もあったのだろう。他方、その七七・四パーセントが兌換されたということは、藩の側にそれ相応の正銀の準備があったということである。いずれにしても、流通部分にあたる二七九六貫余の正銀が、当座藩財政に流用できる部分として浮き上がってきたことは、藩札発行の効果であった。しかも、出札のときに一〇〇匁に一匁の増歩《ましぶ》が加算されたのに対して、戻札の場合には二匁の歩合《ぶあい》を受け取ることになっていたので、戻札一〇〇匁に対して一匁の差額が生じる計算になっていた。この結果、天和元年までに九五貫七九六匁五分の銀が札場の利益になった。このうち一部は札場の諸入用《にゅうよう》にあてられたが、大部分は藩が京や大坂で行なっていた借銀の利子返済にまわされた。藩札の発行は、当座の正銀運用量を増加させるとともに、藩財政の補塡《ほてん》にもなったのだ。

岡山藩の場合、この時期には藩札をめぐるトラブルの記録も見当たらないので、そこそこ順調に

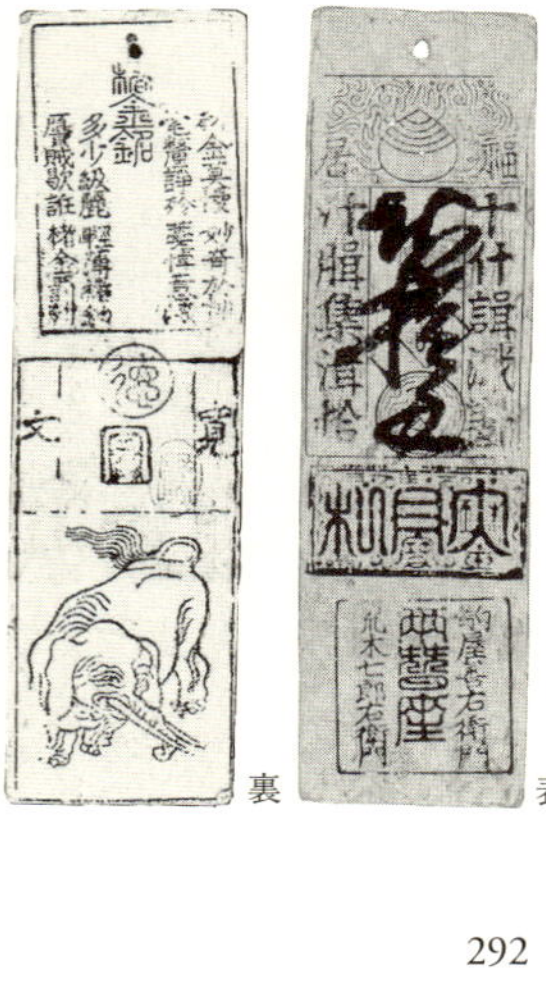

表　裏　6

◉福井藩の藩札
福井藩が寛文元年（一六六一）に発行した銀一〇匁で、現存最古の藩札。表面に両替座の商人の名前が、裏面には象の絵が刷られている。

運用されていたのだろう。しかし、全国的には問題を抱える藩も少なくなかった。そうした例では、藩が調達可能な正貨の量を超えて藩札を濫発《らんぱつ》したことが原因であった。濫発は藩札に対する不信感を広め、領民が正貨への兌換に殺到したり、領内での取り引きの渋滞をもたらしたりした。藩札の発行が百姓一揆の争点にもなったことは、先にも触れた。このため、藩札通用を中止せざるをえなかったり、政策責任者の処分に及ぶ藩もあった。元禄《げんろく》一三年（一七〇〇）に幕府の許可を得て実施された会津《あいづ》藩の金札が二年たらずで失敗したのも、その例であった。宝永《ほうえい》二年（一七〇五）、幕府は全国の札遣いの実情を調査し、同四年に藩札の通用を禁止した。

再発行された藩札の危うさ

幕府が藩札《はんさつ》通用を禁止した宝永《ほうえい》期（一七〇四〜一一）は、銀貨の悪鋳によって銭高が進行した時期であった。そのうえに小口取引に利用されていた藩札が禁止されたのだから、銭貨への需要が高まり、銭高がますます進んだ。くわえて、正徳《しょうとく》・享保《きょうほう》期の貨幣政策によって、先にも述べたように貨幣収縮が起こり、景気が後退した。金融梗塞《こうそく》と米価低落が、諸藩の財政をさらに悪化させた。

享保一五年（一七三〇）六月、幕府は金銀銭札遣《さつづか》いの禁止を解除し、前々から仕来《しき》たりのところについては札遣いを許可した。ただし、二〇万石《ごく》以上の大名は二五年間、二〇万石未満は一五年間という期限付きで、この期限を超えて札遣いを続ける場合は、勘定奉行に届け出ることを命じた。宝永期以前から発行していた諸藩では、この期に藩札の再発行に踏み切った。以前は発行していなかった藩や旗本知行所《はたもとちぎようしよ》などでも、幕府の法令にもかかわらず新規に発行するところが相次ぎ、初発年次不明分を含めてその数は二〇〇を超えた。しかしこの数も実際の藩札通用の状況からすれば、すべてを数えあげたとはいえないようだ。

岡山藩でも同年一〇月に藩札の通用を再開した。発行された銀札は従前と同じ五種類で、札場《さつば》は八か所になったが、引換《ひきかえ》規定なども同様であった。藩では、以前と同じように札遣いが財政に余裕と潤いをもたらすと期待したに違いない。しかし、藩の思惑《おもわく》どおりに事は進まなかった。藩札を取り巻く経済的環境が、変化していたからだ。

そのひとつは、銀札通用量に見合う正銀《しようぎん》をつねに準備することが困難になったことである。藩札通用が再開された三年後には、享保の飢饉《ききん》が起きた。その影響は岡山藩でも深刻であった。借銀が調達できずに飢人《きにん》救済費に事欠いた藩では、札場の用意銀を取り崩して流用した。そのため、札場での交換が不能となり、正銀への兌換《だかん》を一時停止せざるをえなかった。さらに元文《げんぶん》元年（一七三六）には、一人一日あたりの正銀への交換額を五〇匁《もんめ》以下、札場一か所での一日の交換総額を城下町では五貫目《かんめ》、在町《ざいまち》では七〇〇匁に制限した。買上米《かいあげまい》の販売が思うように進まず、正銀の用意が追いつかなかったのだ。藩財政の不調が、藩札通用を不安定にさせていた。

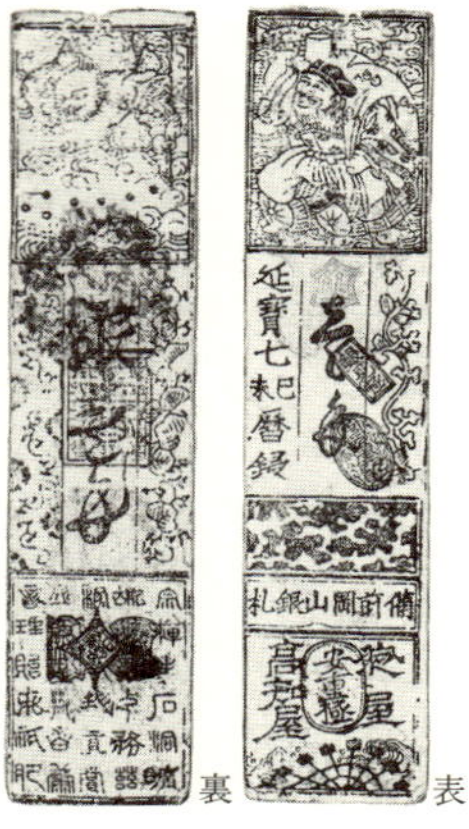
表　裏　7

◉岡山藩の藩札
現在の紙幣のように、額面に記された金額で使用された。この札は延宝《えんぽう》七年（一六七九）発行の銀札で、銀一匁として通用した。他藩では偽札防止に透かしを入れたものもある。

もうひとつは、藩札の流通量が増加したことだ。原因は、領内の民間経済が発展し、領内外での取り引きが活発になったためである。そのため藩札の発行量が増加し、正銀用意高との乖離《かいり》がますます広がった。正銀への交換制限が繰り返されると、藩札への信用は低下し、藩札の価値も下落する。そのため取引額に見合うだけの藩札が増刷される。さらに正銀との乖離が広がる。まさに悪循環である。

天明《てんめい》八年（一七八八）、岡山藩は一〇匁札を新規に発行した。流通量の増加に対応した措置であった。岡山藩以外でも、この時期の藩札には高額のものが目立つようになる。享和《きょうわ》三年（一八〇三）の岡山藩札流通量は七〇五八貫六八七匁八分、天和《てんな》期（一六八一～八四）の三倍に達していた。それでもこのころまでは、藩札のシステムが崩壊して藩札が潰《つぶ》れるという事態にまでは至っていなかった。岡山藩の藩札がついに持ちこたえられずに潰れるのは、幕末の安政《あんせい》元年（一八五四）のことである。

西日本に広まった銭匁勘定

民間経済の発展が小額貨幣への需要を高めていたことは、繰り返し述べているところだ。藩札《はんさつ》の解禁もそれへの対応であったのだが、同じ時期に幕府は銭貨の増鋳にも取り組んでいる。元文《げんぶん》元年（一七三六）の金銀改鋳にあわせて江戸・京・大坂・長崎・仙台・秋田などに銭座《ぜにざ》が設けられ、銭貨の増鋳が行なわれた。これはおもに、東日本での銭貨需要の高まりに対応する措置であった。さらに、元文四年からは鉄銭の寛永通宝《かんえいつうほう》が鋳造されるようになり、明和《めいわ》四年（一七六七）からは真鍮《しんちゅう》製の四文銭も鋳造された。これは一枚四文で通用するもので、一文通用のものよりやや大型で裏に波形が刻印されているのが特徴であった。鉄や真鍮を素材とした銭貨の発行は、長崎貿易の輸出用の銅を確保するための措置でもあった。

この銭貨増鋳期に、中国・四国・九州地方で銭匁勘定《ぜにもんめかんじょう》という独自の通貨制度が広がった。銭匁勘定（銭匁遣い）というのは、銀目《ぎんめ》（匁）建ての取り引きを銭貨で行なうこと、いいかえれば、銭貨を銀目（匁）で通用させることで、価格は「銭〇〇匁《もんめ》〇分《ふん》」と表示される。

銭貨は、小額の小口取引に広く使用されるとともに、金建てや銀建ての決済の端数《はすう》処理にも使われていた。三貨制のもとで流通が拡大すれば、なんらかのかたちで通貨を統一しようという動きが起こるのは必然であった。そのときに、大口取引を含めて銭貨を基準に統一を図ろうとしたのが銭匁勘定である。貨幣史研究者の岩橋勝《いわはしまさる》は、銭貨を基準通貨として選択する地域を、銭遣い経済圏と呼んでいる。銭匁勘定は地域独自の選択であった。金銀の悪鋳と銭貨の増鋳が、その後押しをした。

銭匁勘定では、ある量の銭が一匁として通用するのだが、その量が実際の銀銭相場に連動して変動する場合（変動銭匁勘定）と、相場にかかわりなく固定される場合（固定銭匁勘定）とがあった。変動銭匁勘定の場合は、銭一匁と実際の銀一匁とは同値であり、地域外との取り引きにはリンクし

表
裏
8

◉四文銭
銅の一文銭よりひとまわり大きいが、真鍮製のため、重さはあまり変わらない。裏面の模様から「波銭」と呼ばれた。銭形平次《ぜにがたへいじ》が悪人に投げつけるのはこの銭。一枚百数十円相当だった。

ているが、地域内の取り引きにはやや不便である。固定銭匁勘定の場合は、銭一匁と実際の銀一匁とは乖離《かいり》しているが、地域内の流通には便利である。銭匁勘定が地域内通貨としての性格を強めるに従って、変動制から固定制に移行したが、両者が併存した地域もあった。

　固定銭匁勘定は、藩領域単位でとられる場合が多い。岩橋によれば、元文年間に八〇文銭（銭貨八〇文が銭一匁として通用）が定着した萩《はぎ》藩が早い例であり、伊予国松山《いよのくにまつやま》藩（六〇文銭）・高知《こうち》藩（八〇文銭）では宝暦《ほうれき》年間、今治《いまばり》藩（六六文銭）・西条《さいじょう》藩（六七文銭）では明和《めいわ》年間、岩国《いわくに》藩（七六文銭）では安永年間にそれぞれ定着している。また藤本隆士《ふじもとたかし》の研究で、熊本《くまもと》藩で元文年間以降七〇文銭が続いたこと、佐賀藩（二〇文銭）や福岡藩（六〇文銭）では固定銭匁勘定を「国銭《くにぜに》」と呼んでいたことが知られている。まさに、藩領域単位で通貨が統一されるという意味では、固定銭匁勘定は藩札と同じ地域内通貨であった。実際、伊予松山藩では藩札が銀札から銭匁札に転換したように、銭匁勘定の藩で銭匁札が多く発行された。

　銭匁勘定は、不安定な貨幣環境に対する、「公儀」とは別の、地域の側からの対応と評価してよいだろう。

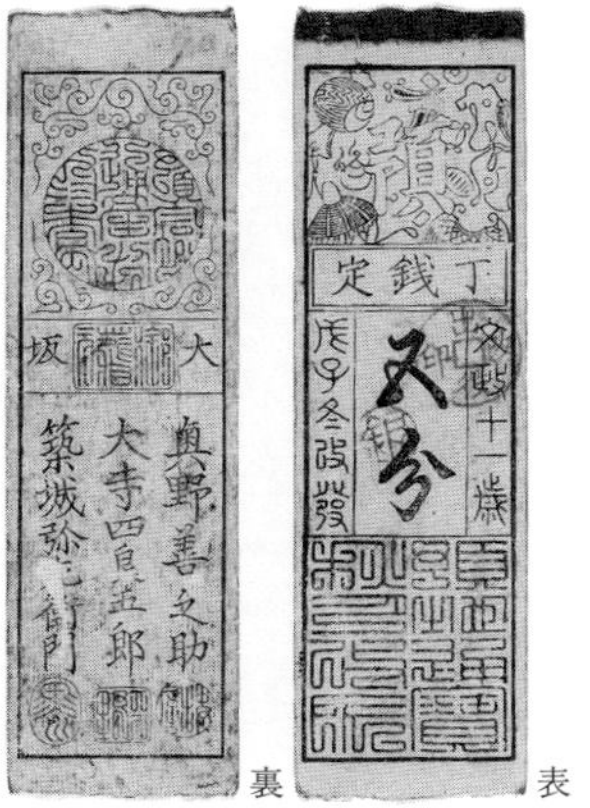

表　裏　9

◉高鍋藩（秋月藩）の藩札
丁銭五分札《ちょうぜにごふんさつ》。丁銭定というのは、銭一〇〇文を銭一匁として通用させる銭匁勘定。この五分札二枚が銭一匁で通用した。銭匁札の一例。

地域独自の通貨管理

幕府領や私領が混在していた非領国地帯でも、地域の側からの通貨対策がとられていた。出羽国《でわのくに》村山《むらやま》地方（山形市周辺）では、幕府領・私領あわせて一一〇数か村の代表が集会し、長期にわたってたびたび郡中議定《ぐんちゅうぎじょう》を作成して結束を図ったことは先にも触れた。この郡中議定の初発は安永《あんえい》七年（一七七八）二月のことなのだが、その議定の内容が仙台藩悪銭の流入を阻止することであった。

仙台藩は、寛永《かんえい》期（一六二四～四四）に幕府の命で寛永通宝《かんえいつうほう》を鋳造した経験をもっており、元禄《げんろく》期（一六八八～一七〇四）以降藩財政が窮乏するなかで幕府にたびたび銭貨鋳造を願い出ていた。当初幕府はこれを許可しなかったが、銭貨不足が顕著になった享保《きょうほう》一三年（一七二八）、領内産銅を使用すること、江戸での売払い高の一〇分の一を運上金《うんじょうきん》として幕府に上納することなどを条件に許可した。

仙台藩の鋳銭は元文《げんぶん》期（一七三六～四一）にも許可され、藩財政をしばし潤した。しかし、宝暦《ほうれき》の飢饉《ききん》などにより藩財政がふたたび悪化したため、明和《めいわ》五年（一七六八）に砂鉄銭の鋳造を願い出て許可された。しかし、この鉄銭は品質が極悪であったため、幕府は一時鋳造を差し止めた。仙台藩では藩内限りの通用を条件に再開を願い、結局安永六年までに六八万五四八貫《かん》八〇〇文《もん》を鋳造した。問題になったのは、この極悪の鉄銭である。領内限り通用の悪銭が、大量に領外に持ち出されたのだ。

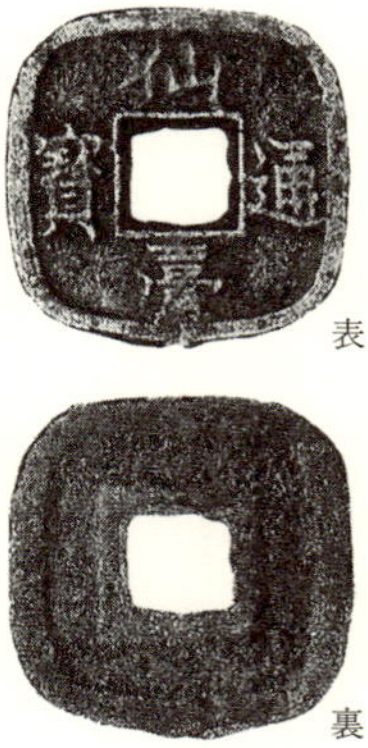

表

裏

10

◉仙台通宝

仙台藩が天明四年（一七八四）から発行した鉄銭。良貨にまぎれて出まわった結果、金貨に対してインフレを起こし、経済を混乱させた。

郡中議定にはつぎのようにある。「近年仙台領の商人が仙台鋳出《いだ》しの悪銭を持ち込んでさかんに商売している。なかには、仙台銭そのものを売り払う目的で、商売荷物のなかにまぎれ込ませて『商銭《あきないぜに》』を持ち込む者もある。そのために、金貨が仙台領へ吸い上げられ、村山・最上《もがみ》地方では金貨が流通しなくなっている。当然、銭相場は下落し、年貢納入にも差し支えるほどである。もしこのまま越銭《こしぜに》が止まらず銭相場が下がりつづけるようなら、郡中一統がさしつまるのは必至だ。ついては、仙台領からの越口《こしぐち》七か所に口留番人《くちどめばんにん》を置き、越銭を差し止める。たとえ商売の払い代であっても仙台銭を持ち越すことは一切禁止する」。このように地域として結束し、独自に通貨管理を行なおうとしたのだ。

天明《てんめい》四年（一七八四）にも銭相場が思いのほか下落したため、他領からの銭の流入差し止めを含む郡中議定がなされた。ここでもおもに問題となったのは、仙台藩の悪銭流入であったが、このときには酒田湊《さかたみなと》からの銭流入も差し止めになっており、銭相場の下落が、相当に深刻であったことがうかがえる。

11

◉『元禄版塵劫記《じんこうき》大全《たいぜん》』に描かれた両替商
金銀銭三貨の両替をはじめ、預金・手形発行・大名や商人への貸し付けなどで利潤を上げて成長し、幕府や諸藩の財政にかかわるようになる。

同じく非領国地帯である備中《びっちゅう》国南部においても、幕府代官所が置かれた倉敷《くらしき》を中心とした地域で独自の通貨制が取られていた。古賀《こが》康士《やすし》の研究によれば、倉敷地域では、明和年間ごろから七五勘定と通用勘定という二つの銭匁《ぜにもんめ》勘定が使われていた。七五勘定は、銭貨七五文《もん》を銭一匁《もんめ》として通用させる固定銭匁勘定で、米・麦・綿・干鰯《ほしか》などの売買や金融貸借など民間取引に広く使われていた。しかもその通用範囲は幕府領にとどまらず、旗本《はたもと》戸川《とがわ》領の早島《はやしま》や備中および備前《びぜん》国児島《こじま》郡の岡山藩領の村々にまで及んでいた。倉敷を中心とした民間経済に対応した地域内通貨といってよいだろう。他方、通用勘定は、一匁あたりの銭量が銀銭相場に連動して定まる変動銭匁勘定であった。この場合、一匁あたりの銭量は、町内惣代《そうだい》の提案を受けて村役人が村内に触れることになっていた。このことは、通用勘定が村入用《にゅうよう》や家賃・小作料などおもに倉敷の村内で使われたことに対応しているだろう。つまり、村方によって管理された地域内通貨といってよい。

しかも、この二つの銭匁勘定のうえに、銀貨や銀札による銀目《ぎんめ》勘定も行なわれていた。これは、おもに代官所にかかわる年貢や諸費用および広域的な郡中大割《ぐんちゅうおおわり》入用の支出などで使われた。いわば、全国的な領主支配や地域外との関係で機能した通貨であった。ただし、同じ地域外の決済でも、早島の商人が薩摩《さつま》との小麦の取り引きを貫文《かんもん》建てで、博多との煙草《たばこ》の取り引きは銭匁建てで行なっていたように、銭遣い経済圏とは銭貨を使用して行なっていたことも注目しておこう。

こうした倉敷地域の通貨制をみていると、地域の民間社会が複雑な三貨制度をじつに見事に飼い慣らしていることに感心せざるをえない。

記録の時代

幕府・藩での行政記録の管理

徳川綱吉《とくがわつなよし》以来、幕府が「公儀」としての機能を広げたことは、これまでたびたび触れた。そのためには政策の立案・遂行能力を高める必要があった。担い手となったのは、財政や農政、地《じ》方《かた》支配を担当した勘定方《かんじょうがた》の官僚たちであった。

政策立案・遂行機能を高めるためには、行政記録の整備も不可欠だ。徳川幕府では、将軍の動静や重要政務を記録した「右筆所日記《ゆうひつどころにっき》」や「御用部屋日記《ごようべやにっき》」が早くからつくられていたようだが、寛《かん》文《ぶん》一二年（一六七二）に右筆（祐筆）二名が記録役に任じられたころから整備が進み、正徳《しょうとく》二年（一七一二）には若年寄《わかどしより》・寺社奉行・大目《おおめ》付《つけ》らによる日記の管理体制が定められた。勘定方では、享保《きょうほう》五年から八年（一七二〇～二三）にかけて江戸城内の櫓《やぐら》や土《ど》蔵《ぞう》などに収納されていた諸記録の調査を行なっている。これによって確認された記録の総数は九万四二〇〇冊余。分類して目録が作成された。内容は、郷帳《ごうちょう》・国絵図《くにえず》、検地帳《けんちちょう》・反別帳《たんべつちょう》、人別帳《にんべつちょう》、知行割《ちぎょうわり》、年貢《ねんぐ》、普《ふ》請《しん》、諸勘定帳《しょかんじょうちょう》など、いずれも「公儀」の全国統治に不可欠なものであった。勘定方では、以後この目録にそって記録を整理するとともに、つねに「見合《みあわせ》（参照すること）」が可能なように保管することが命じられた。

享保一五年、徳川吉宗《よしむね》は寺社奉行に対して留書《とめがき》の作成を命じた。寺社奉行のもとには従来の裁判記録が保存されておらず、先例となる判決と齟齬《そご》が生じかねない状況が明らかになったからだ。大友一雄《おおともかずお》の研究によれば、その後寺社奉行のもとには月番箪笥《つきばんたんす》と年番《ねんばん》箪笥が設けられ、記録管理の体制が整備される。寺社奉行には数人の譜《ふ》代《だい》大名が任じられたが、専用の役所はなく、奉行の自邸で事務が行なわれた。奉行は月番交替で役務をつとめたが、引き継ぎが円滑に行なえなかったのだ。これ以降は、月番箪笥に現用文書が整理されて引き継がれることになった。年番箪笥には、当面は不要であるが保存すべき相伝文書《そうでんもんじょ》が収められ、ともに目録が作成された。吉宗は「公事《くじ》方御定書《かたおさだめがき》」や「御触書集成《おふれがきしゅうせい》」などの法典整備も行なっているが、これも官僚たちが行政を公正かつ迅速に処理するための措置であった。

　藩でも同じように行政記録の整備が行なわれる。岡山藩では、寛文六年七月に泉八右衛門《いずみはちえもん》が池田《いけだ》光政《みつまさ》から「留帳《とめちょう》」の作成・管理を命じられた。「留帳」は藩政の重要政務を記録したもので、項目別に整理・編集されている。このときに藩の記録の作成・保存・管理にあたる留方《とめかた》が確立し、学校《がっこう》奉行が責任者を兼ね、藩学校内で業務が行なわれることになった。寛文九年八月には津田永忠《つだながただ》が承応《じょうおう》三年（一六五四）の洪水以来の記録と「家中諸士家譜《かちゅうしょしかふ》」の編纂《へんさん》を光政からじかに命じられている。こ

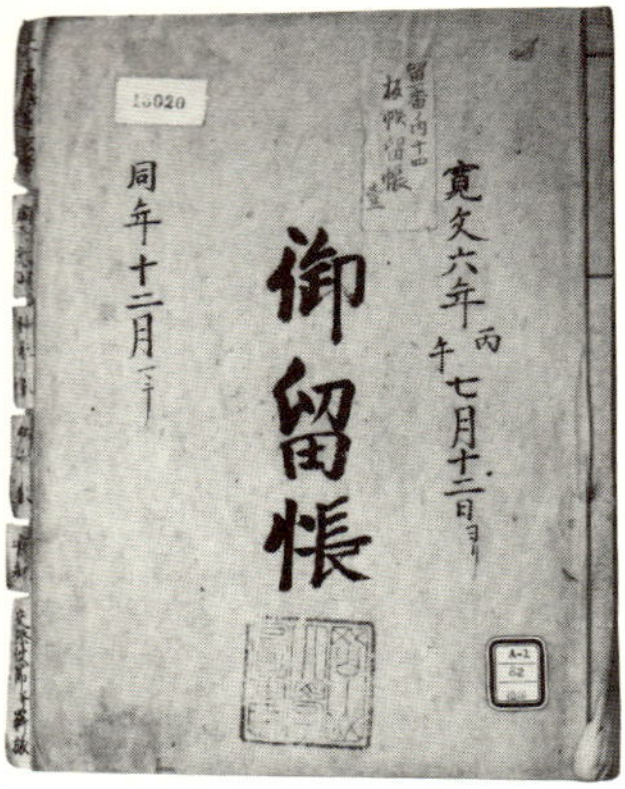

12

◉岡山藩「御留帳」
岡山藩の政務を記録した留帳類は、承応三年から明治四年（一六五四〜一八七一）の計三一二冊が残されている。留方が整理した留帳には、項目ごとの見出し箋が付けられている。

れによって寛文六年以前の「留帳」や家臣の先祖書上《かきあげ》が整理された。留方はそのほか、朝鮮通信使《ちょうせんつうしんし》接待、御手伝普請《おてつだいぶしん》、他藩との争論など、重要事件に関する記録の編纂も行なった。

江藤彰彦《えとうあきひこ》の研究による、福岡藩の例も紹介しておこう。福岡藩では、正保《しょうほう》期（一六四四～四八）から「日記」がつくられていたが、その内容は日々の出来事を雑然と記載するだけで、記事を採録する基準も項目分類も明確になっていなかった。それが元禄《げんろく》一六年（一七〇三）から「日記」と「御用帳」が分離される。幕府との交接など藩主黒田《くろだ》家の対外的な事項（御勤筋《おつとめすじ》）は「日記」に、領内の行政的な事項（御政治筋）は「御用帳」にそれぞれ区分して記載されることになったのだ。次いで享保元年からは「日記」の記載が勤め向きによって区分されるようになり、宝暦《ほうれき》一三年（一七六三）からは「御用帳」が一三部門に部分けされるようになる。あわせて、正保期以来の記事も一三部門に対応した書抜《かきぬき》帳がつくられた。こうした措置は、先例などを急いで調べるときの便宜《べんぎ》のためであった。記録を系統的に整理するのは、それを現実に活用するためであったのだ。

村の運営を支える記録管理

記録が作成され活用されたのは、幕府や藩だけではない。列島の隅々の町や村でも行なわれたことであった。

五章で取り上げた備前国《びぜんのくに》赤坂《あかさか》郡河原屋《かわらや》村（岡山県赤磐《あかいわ》市）の幸四郎《こうしろう》の家では、村の名主《なぬし》役を引き継ぐときに相伝された記録の目録がある。この村では三四種類の帳簿が帳箱に入れて相伝《そうでん》された。その内容は、①検地帳《けんちちよう》・名寄帳《なよせちよう》・発返帳《おこしかえしちよう》・永荒帳《えいあれちよう》など検地や土地に関するもの、②年貢・拝借銀・育《せ》麦貸付《むぎかしつけ》・夫役《ぶやく》など負担に関するもの、③宗門改《しゆうもんあらため》・跡株請込《あとかぶうけこみ》（家株相続）など戸口に関するもの、などであった。この村を給地《きゆうち》とする給人や出入りの座頭《ざとう》の印鑑の影印《えいいん》、斗枡《とます》・一升枡も入っていた。

河原屋村の目録にはないが、ほかの村では、村の財政にかかわる村入用帳《いりようちよう》や五人組帳、村の概況を示した村明細帳や村絵図などが相伝されることもあった。江戸時代の村では、年貢の割付《わりつけ》や村運営をめぐって村役人と村人とが対立する村方《むらかた》騒動がよく起こった。村相伝の文書は、名主が毎日の村運営に利用するだけでなく、村方騒動のときには必ず証拠とされたから、大切に保管されたのだ。

境界や入会地《いりあいち》をめぐる争論の裁許状や内済書《ないさいしよ》も、村にとっては重要な相伝文書《もんじよ》であった。先にも触れた児島《こじま》湾をめぐる備前《びぜん》と備中《びつちゆう》との国境争論は、幕府評定所《ひようじようしよ》で二度にわたって争われた大争議であった。その宝暦《ほうれき》の裁許絵図は一間《けん》（約一・八メートル）四方に近い大きなもので、裏に裁許文言が書かれている。争論にかかわった備中方の三か村では、これを一年交替で相伝し、大切に保存した。毎年一回三か村の村役人たちが当番

13

◉大野村（埼玉県ときがわ町）の検地帳
年貢納入量を管理するための検地帳は土地台帳でもあるため、村人に大切に保管されてきた。木箱に「非常持出」とある。

の村の寺に集まり、絵図の虫干しをしてともに飲食した。それが終わるとつぎの村に絵図が渡され、一年間の管理が任された。こうした慣習は、時に断絶することもあったが基本的に明治期まで続けられ、裁許絵図は現在にまで伝えられている。

冨善一敏《とみぜんかずとし》が紹介した信濃《しなの》国諏訪《すわ》郡乙事《おつこと》村（長野県富士見町）の場合も興味深い。この村では、四六六五点の江戸時代の文書が現在に伝えられている。一か村で数千点というのが全国的にも平均的なところで、岡山県下の場合も三〇〇〇から六〇〇〇〇点といった数字が知られている。乙事村には正《しょう》徳《とく》四年（一七一四）の「諸書覚帳」という史料があり、名主が交替するときに相伝すべき帳簿の目録がつくられていた。この相伝文書は年を経るに従って増加し、延享《えんきょう》四年（一七四七）・宝暦《ほうれき》一三年（一七六三）・文化《ぶんか》一〇年（一八一三）に再整理が行なわれ、それぞれに目録帳がつくられた。その際には、同種類の帳簿が束にまとめられて分類整理されている。

この村のすごいのは、この整理をふまえて文化一〇年に村の帳蔵《ちょうぐら》を建設していることだ。現代でいえば公文書館である。帳蔵の「定《さだめ》」には、「半紙一行之書付にても千金に替え難き品にてこれあり候」と記されている。村人の文書に対する意識の高さがうかがえる。帳蔵建設にあわせて、村の相伝文書は「当時入用これ無き分」と「役所常用の分」とに二分された。そして、当面必要のない保存分については帳蔵に収め、日々村運営に使用するぶんについては名主の手もとに置いて管理することにした。保存と活用を意識した機能的な文書管理システムが確立されたのだ。

こうした先人の努力によって、全国で多数の古文書が現代にまで伝えられた。それらによって、私たちは当時の人びとの生活に触れ、それに学ぶことができる。この資料をさらに後世にまで伝えることは、私たちに与えられた使命だ。

村の歴史を記録する

記録を整理・保存するのは、先例に照らして現在の判断を行なうためであった。こうした意識は、村の歴史に対する関心を高めたに違いない。

先にも述べた備前国河原屋村《びぜんのくにかわらや》の幸四郎《こうしろう》は、諸国順礼の旅に出る四年前の安永《あんえい》三年（一七七四）頃に村の年代記を書き出した。村の人びとによって語り継がれてきたことを記録し、後代に伝えようとしたのだろう。幸四郎は、慶長《けいちょう》七年（一六〇二）から毎年の年号を書き付けた。なぜ慶長七年からかは、よくわからない。徳川家康《とくがわいえやす》が将軍に襲職したのは翌慶長八年だが、徳川幕府の始まりを意識したのだろうか。しかし、この年から寛文《かんぶん》九年（一六六九）までは年号だけで、具体的な記事はない。寛文末年は、幸四郎が年代記を書きはじめたときから一〇〇年ほど前だ。これ以降は毎年のように具体的な記事が現われる。一〇〇年程度が、当時の村人の記憶の限界であったのかもしれない。

年代記の記事でもっとも多いのは、自然災害である。村を襲った大雨・大風・日照り・火事・落雷などの災害が、約一〇〇年間に三三回記録されている。平均すれば、三年に一回の頻度になる。これらの自然災害によって農作物にどの程度の被害があったかはわからないが、不作や凶作につながる自然災害に、人びとはじつに敏感であった。

次いで記事が多いのは、穀物や銀札《ぎんさつ》の相場情報である。年貢の納入や日々の生活に直接かかわるだけに、関心の高い話題であった。幕府による貨幣改鋳についても記載されている。そのほか、周辺地域での一揆《いっき》や騒動についての記事が三件、三都については火事の記事だけで、改元以外に政治向きの話題はまったくない。村人の関心のありようを示しているだろう。

大和《やまと》国山辺《やまべ》郡荒蒔《あらまき》村（奈良県天理《てんり》市）にも、「宮座《みやざ》中間《なかま》年代《ねんだい》記《き》」という史料が残されている。宮座の記録という体裁だが、内容は村の記憶といってよい。年代は、天正《てんしょう》元年（一五七三）から記されているが、最初のほうはその年の当屋《とうや》（祭りの当番の家）の名前が書かれるだけである。具体的な記事が現われるようになるのは寛永《かんえい》一八年（一六四一）からで、「此年《このとし》より国中ききんかつへ死に有り、米壱石《いっこく》七拾目づつ」とある。飢饉《ききん》によって餓死《がし》者《しゃ》が出たことと、米相場《こめそうば》のことである。しかし、このころの記事は一行程度の簡単なもので、数項目にわたる詳しい記載になるのは寛文二年からである。幸四郎の年代記に倣って想像すれば、寛文年間になって年代記の作成が思いつかれ、古い文書や村人の記憶が集められたのだろう。具体的な記憶が寛

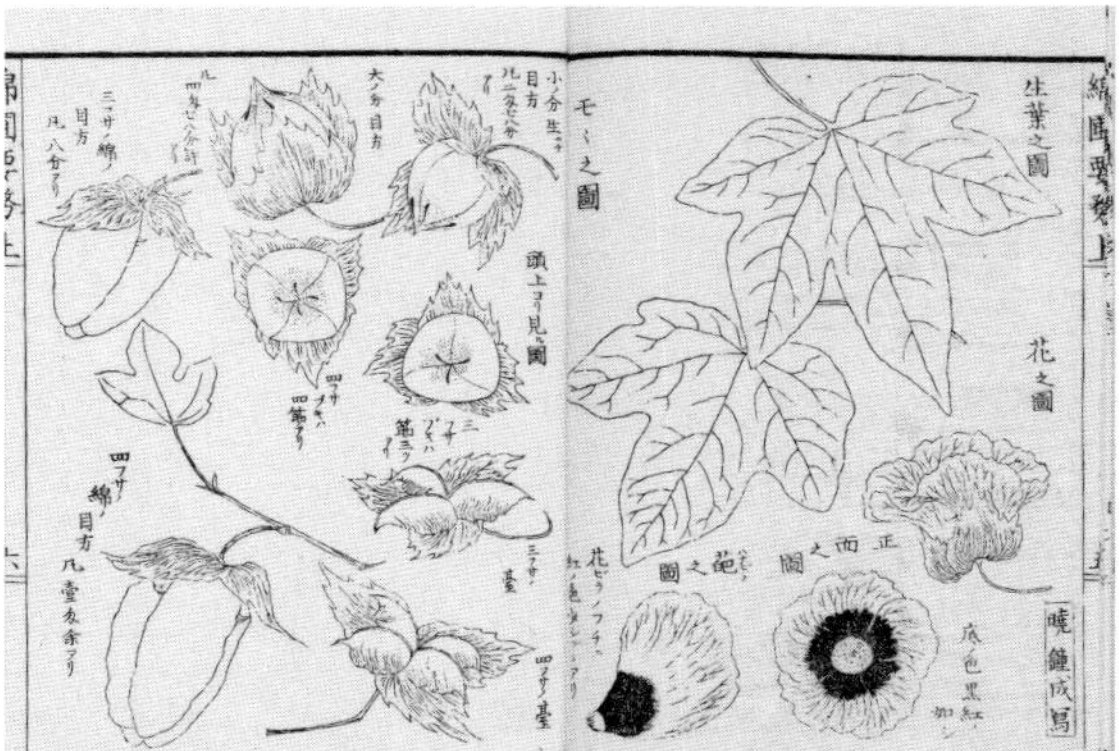

14

◉『綿圃《めんぽ》要務《ようむ》』（天保四年〈一八三三〉刊行）
農学者・大蔵永常《おおくらながつね》が、綿花の栽培方法などを記したもの。商品作物として有望な綿は、河内平野などで大規模に生産されるようになる。

永の飢饉の体験から始まるというのは興味深い。

また、慶安《けいあん》三年（一六五〇）に「雨風大地震、木綿壱反に五斤《たん》、七斤《きん》づつ。銀百目に弐拾貫《かん》のくりわた七貫八百に成り申し候」という記事がある。台風と地震で木綿《きわた》が不作となり、繰綿《くりわた》の値段が三倍近く上がったのだ。米価の動向とともに木綿作にも早くから関心が寄せられていることが注目される。商品作物栽培が盛んな畿内らしい状況だ。寛文期以降この年代記は宮座の当番によって書き継がれ、天保《てんぽう》六年（一八三五）までの四冊が残された。

河原屋村から北東に八キロメートル離れた美作国《みまさか》勝南《しょうなん》郡岩見田《いわみだ》村（岡山県美作市）の赤堀家には、享保《きょうほう》「年々日記帳《ねんねんにっきちょう》」という史料が残されている。この家の当主が四代にわたって書き継いだ記録で、享保一七年（一七三二）から天保一三年までの記事が載せられている。帳面の冒頭には、これを書く目的が、「世上《せじょう》の事かんがへ申《もう》すため、又は跡の事知らんため」と書かれている。世の中の流れを知ることで、世の中の渡り方を考えようというのだ。そんな思いにさせたのは、この年に起きた享保の飢饉であった。ウンカが大量発生し、日本中が傷《いた》んだ。しかし、思い返してみると前兆は五年ほど前からあった。篠竹《しのだけ》の笹《ささ》が実を結び、しだいに枯れ腐って三年ほどで竹藪《たけやぶ》が残らず枯れてしまったではないか。「とかくものごとに能々《よくよく》気を付け申す事かんよう也《なり》」というのだ。あのとき気づいていれば、こんな被害にならなかったのに、といった口ぶりである。流れに早く気づくことで未来に備えようというわけだ。そのためには、過去の歴史を記録し、それに学ばなければならない。「今年より書きはじめるといえども、品《しな》により五年拾年以前の事も書き印《しる》し置く也。子孫に伝え、幾年よもなく後々年《こうこうねん》書くべし」。今年より書きはじめるが、事柄によっては五年や一〇年前のことも書き置くべきだ。子孫に伝えて、のちのちまで書き継ぐようにと指示している。

この「年々日記帳」でも、もっとも多いのは自然災害や作柄についての記事である。つぎはやはり米価や金銀銭相場・貨幣改鋳などの記事が多い。木綿についての記事が現われるのは安永五年からだ。以後木綿の作柄や繰綿値段についての記述が増える。中山間地《ちゅうさんかんち》に近い岩見田村でも木綿作が行なわれていたことは興味深いが、畿内の荒蒔村と比べると記事が現われるのは一〇〇年以上遅い。

岩見田村は幕府領であったので、勘定奉行所や代官所の人事、代官の巡回などについての記述もある。宝暦《ほうれき》期（一七五一〜六四）以降は、周辺の寺院での開帳や芝居興行の記事も目立つようになる。明和《めいわ》八年（一七七一）の御蔭《おかげ》参りについては、津山《つやま》周辺の風聞を記している。当主の性格によって記事に精粗はあるが、四代一〇〇年以上にわたって村の歴史が書き継がれた意味は大きい。

15

◉大騒ぎの寺子屋の子どもたち
津山藩の御用絵師をつとめた鍬形惠斎《くわがたけいさい》が描いた寺子屋。静かに『論語《ろんご》』の素読をしていたかと思いきや、このありさま。（『近世職人尽絵詞《きんせいしょくにんづくしえことば》』）

家の記録と自伝

先にも取り上げた武蔵国川越《むさしのくにかわごえ》の塩商人榎本弥左衛門《えのもとやざえもん》は、五六歳になった延宝《えんぽう》八年（一六八〇）に自分の人生を振り返って「三子《みつご》より之覚《のおぼえ》」を書きはじめている。五年ほど前から隠居の希望をもっていたが、前年の延宝七年に嫡男に嫁を迎え、この年には次女を嫁がせることができた。少し肩の荷が下りたのだろう。弥左衛門は、家督を相続した承応《じょうおう》二年（一六五三）から「万之覚《よろずのおぼえ》」と題する雑記帳を書きためていた。時に二九歳。三六歳の万治《まんじ》三年（一六六〇）まで書き継いでいる。

この帳面には、家業や家政に関することを中心に、榎本家の先祖や川越の領主のこと、江戸の風聞や政治向きのこと、薬の製法から茶の作法まで、雑多な事柄が備忘録風に書きとめられている。これに対して「三子より之覚」は、寛永《かんえい》二年（一六二五）一〇月八日の日の出に生まれたときから、年を追うかたちでみずからの生涯を書き連ねている。最近、自分史を書く人が増えているが、「三子より之覚」は江戸時代の自分史といってよい。いわゆる自伝の走りである。

弥左衛門は、自分の生涯を語ることが息子への教えになると考えている。いきおい、成功や努力が強調される。家職をつとめ、油断なく稼ぐことを第一に考え、女遊びも芸事も慎んできた。そうした人生に彼自身誇りをもっていた。しかし、自己反省も忘れない。とくに商売に忙しくて、学問を修めることができなかったのが悔やまれる。うわべの理屈だけで、真実の道理を知らないから、心が落ち着くことがない。一生を迷い暮らしてしまった。性格も、生まれながらに臆病で甘えん坊、悪意地なところも直らない。やや厳しすぎる気もするが、冷静な自己評価もできている。

弥左衛門の二つの覚書は、家の存続を願って子孫への教訓として書かれたものだ。その意味では「家」の記録である。しかし、そこには、家職をつとめることを通じて得られたみずからの人生に対する確認がある。「家」を通じて語られる個人の自伝といってもよい。

たびたび参照している新井《あらい》白石《はくせき》の『折《おり》たく柴《しば》の記《き》』も、江戸時代を代表する自伝だ。正徳《しょうとく》六年(一七一六)、仕えてきた徳川家継《とくがわいえつぐ》が没し、吉宗《よしむね》が将軍となった。白石は、側用人《そばようにん》の間部詮房《まなべあきふさ》とともに罷免される。この年の一〇月四日に『折たく柴の記』の筆は起こされている。白石は六〇歳になっていた。この書を書く意図は、序の部分に書かれている。

「自分は父や祖父のことをよく知らず、悔しい思いをした。子どもたちにはそんな思いはさせたくない。父や祖父が身を起こした苦労、自分の身の上に起こったことを、わが子や孫に伝えたい。とりわけ自分は、前代の将軍家宣《いえのぶ》・家継君《いえつぐぎみ》から常ならぬお恵みを受けている。このことをよく見て、子孫たちは忠孝の道に違《たが》わぬようにしてほしい」。これが白石の願いであった。つまり、子孫のために書いた「家」の記録だというのである。

ただし、上中下の三巻からなる本書のうち、先祖のことは上巻の三分の一ほどで、上巻の残りは白石の誕生から綱吉《つなよし》時代のこと。なかでも詳しいのは、三七歳の元禄《げんろく》六年(一六九三)に

16

◉新井白石
朱子学者・木下順庵《きのしたじゅんあん》の門弟で、順庵に徳川綱豊《つなとよ》への仕官を推挙された。将軍のブレーンとして「正徳の治」を遂行したが、吉宗には疎まれた。

甲府宰相《こうふさいしょう》と呼ばれた徳川綱豊《つなとよ》(のちの家宣)に仕えて以降のこと。元禄大地震や富士山宝永大噴火《ほうえいだいふんか》のこともここで触れられる。

中巻と下巻は、宝永六年(一七〇九)から正徳六年まで、すべて家宣・家継時代のこと。正徳の治といわれる時期の諸政策が詳しく述べられる。そのすべてが白石自身が深くかかわったことだ。しかし、吉宗が将軍になると、間部詮房をはじめ近習《きんじゅう》の人びとはすべて職を解かれた。白石のことなども、「自分の思いどおりに天下のことを執り行なった」と非難めいてうわさされている。これは「世の常」のことで論ずるにたりないが、一〇〇年後の「公議定まらむ日」に将軍家宣のことが、悪《あ》しき様にいわれるのは許せない。これが、この書を閉じる白石の言葉だ。この書は、その日のために書き残された。いわば自己の存在証明の書なのだ。「外ざまの人の見るべきものにはあらねば」と白石自身が書いているように、この書は他人の目に触れぬよう白石の家に秘蔵された。

しかし、白石もその子孫もまた、いつかこの書が「世間」に出ることを考えていたと思われてならない。そのときこそ「公議」が定まるときなのだ。そこには「家」のうちに閉じているようで、「世間」に開かれた緊張感がうかがえる。「公議」というのは、「天下の人」が議すること。柔らかくいえば「世間」の評判であり、堅くいえば歴史的評価である。みずからの人生をかけがえのないものとして記録する自伝は、「世間」に対する個我《こが》の宣言でもあった。そうした記録が書かれるようになるのも、江戸という時代であった。

地域の個性を記録する地誌

年代記や自伝は、歴史や人生のうちにアイデンティティを確認しようとする営みであった。自己の存在証明であり、自己の同一性・独自性の確認である。江戸時代には、生活空間である地域のうちにアイデンティティを確認しようとする営みも盛んになった。いわゆる地誌の編纂《へんさん》である。

地誌の編纂は、行政的な関心に始まる。岡山地域を例に述べてみよう。

備前国《びぜんのくに》の最初の地誌は、石丸平七郎《いしまるへいしちろう》が編纂した『備前記』九巻である。元禄《げんろく》一三年から一七年（一七〇〇～〇四）にかけて成立している。石丸平七郎は名を定良《さだよし》といい、約四〇年間郡奉行《こおりぶぎょう》をつとめた岡山藩士である。「元禄国絵図《くにえず》」の改訂作業にもかかわっているから、その体験が地誌の編纂を促したかもしれない。内容は、村ごとに、村の立地、枝村、城下への距離、村高、田畠《でんぱた》畝《せ》数《かず》、家数・人数、寺院・神社、古城・古跡などを載せ、旧家や寺社に伝えられる古《こ》文書《もんじょ》、民間の伝承などについても記している。情報の中心は郡方の行政資料に基づくものだろうが、彼自身が村々をまわって収集したものも少なくないと

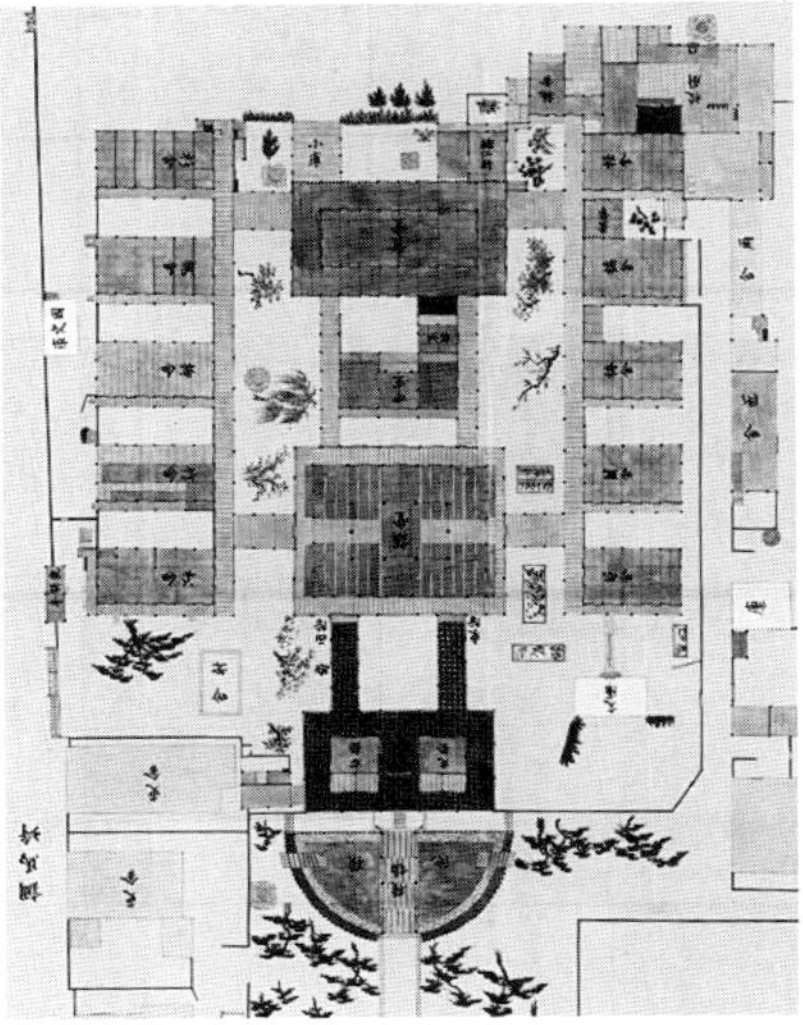

17

●**岡山藩学校の図**
初代藩主池田光政《いけだみつまさ》が、寛文《かんぶん》九年（一六六九）に開設した。中央に講堂・中室《ちゅうしつ》・食堂が並び、左右に生徒の居室が配置されていた。（『学校御絵図』）

思われる。郡奉行の勤めの合間に、独力で編纂した。村別につくられていて、いかにも支配行政に密着した形式をとっているが、支配文書のような冷たさはない。むしろ、地域をまるごと記録したいという熱意が伝わる。「治」者たる行政官としての生活が、地域への愛着をはぐくんだとすれば興味深いことだ。

次いで石丸定良は、享保《きょうほう》六年（一七二一）までに『備陽記《びようき》』二五巻を編んだ。『備前記』の内容を事項別に再編集したものだが、その間に集められた情報による増補が加えられている。事項別に改めたのは、中国の伝統的な地誌の形式に倣ったのだろう。中国では、こうした形式の地誌が一六世紀の明《みん》代に各地でつくられるようになり、一七世紀後半の清《しん》代に全国に広まった。それが長崎などで輸入され、日本の儒者《じゅしゃ》たちに受容された。いわば、学術的な形式といってよい。さらに『備陽記』には二六巻から三五巻までの一〇巻が後補される。これは、岡山藩に関する文献や資料を雑多に収録したもので、享保二〇年に隠居を許されたあとに編纂したものだろう。定良は寛延《かんえん》元年（一七四八）に九〇歳で亡くなった。家禄《かろく》は二〇〇石《こく》から四〇〇石に倍増している。能吏でもあった。そのかたわら、備前の地誌に没頭した一生でもあった。

元文《げんぶん》二年（一七三七）岡山藩主池田《いけだ》継政《つぐまさ》は、和田《わだ》弥兵衛《やへえ》（省斎《しょうさい》）ら藩学校の教授たちに『備陽国誌《びようこくし》』の編纂を命じた。藩による官撰の地誌で、元文四年に全一三巻として完成している。内容は城下および郡ごとに、郷《ごう》・庄《しょう》・保《ほ》、村里、山川、関梁《せきりょう》、官道、産物、産業、神社、仏閣、古跡・古城、人物、文書・遺物などの項目を立て、系統的に記述されている。『六国史《りっこくし》』をはじめとした古文献からの引用を中心に、学術的な体裁をとった正統的な地誌であり、地域を統治する藩の文化事業として位置づけられたものだ。

美作《みまさか》一国を領有した津山《つやま》藩では、藩主森長成《もりながなり》の命で『作陽《さくよう》誌《し》』がつくられることになり、西部六郡は京都の儒者《じゅしゃ》江村宗普《えむらそうふ》に、東部六郡は藩の儒医河越玄俊《かわごえげんしゅん》にそれぞれ分担させた。このうち西部分は、元禄四年に完成する。藩政が定着するなかで領国意識が深まり、領国に対する知識を収集・整理したいという要求が高まった。一九世紀になると、広島藩の『芸藩通志《げいはんつうし》』（文政《ぶんせい》八年〔一八二五〕）や萩《はぎ》藩の『防長風土注進案《ぼうちょうふうどちゅうしんあん》』（天保《てんぽう》一二年〔一八四一〕）などの大規模な地誌が編纂されるようになる。

民間の知識人たちが、藩の力を借りずに独自に地誌を編むこともあった。備前一国の地誌である『和気絹《わけぎぬ》』は、郡別に神社・仏閣・土産・名所などについて項目を立てて記述したもので、宝永《ほうえい》六年（一七〇九）の自序がある。作者は高木大亮軒《たかぎだいりょうけん》とあるが、詳しい経歴はわかっていない。

備中《びっちゅう》国は小藩・旗本《はたもと》領や幕府領が混在した非領国地域であるため、江戸時代に藩などの領主主導による地誌がつくられることはなかった。そのような備中においても、一国地誌の『備中集成志《びっちゅうしゅうせいし》』

18

◉萩藩『一村限明細絵図《いっそんかぎりめいさいえず》』のうち「吉田村清図《きよず》」　一点から周囲を見渡して描く「虫観図」と呼ばれる表現法による。領内地誌とともに、領地の村々の記録として作成された。

が編纂された。これには、岡山藩学校教授近藤西涯《こんどうせいがい》の宝暦《ほうれき》七年（一七五七）の序がある。作者は、備中国賀陽《かや》郡黒尾《くろお》村（岡山県総社《そうじや》市）出身の石井了節《いしいりようせつ》。黒尾村は足守《あしもり》藩木下《きのした》家領であるが、石井は当時岡山城下町に居住していた。故郷を離れても、郷土への強い愛着をもっていたのだろう。官撰の地誌に比べて、民間の文化人たちがつくる地誌は、同じ事項別の伝統的な形式をとっていても、どこか実用的であったり趣味的であったりする。そこに、作者の個性が感じられる。

列島の産物記録

岡山藩では、享保《きようほう》二〇年（一七三五）から翌二一年にかけて「備前国備中国之内領内産物帳《びぜんのくにびつちゆうのくにのうちりようないさんぶつちよう》」および「産物絵図帳《さんぶつえずちよう》」をつくっている。これを契機に領国を記録することへの意識が高まり、先に触れた『備陽国誌《びようこくし》』の編纂《へんさん》が企画されたと思われる。

「産物帳」の作成は、幕府によって諸国に命じられたものだ。その発端は、将軍吉宗《よしむね》と本草学《ほんぞうがく》者の丹羽正伯《にわしようはく》との出会いである。二人は、第三章で述べた薬種《やくしゆ》国産化計画を通じて知り合った。

正伯の師は、稲生若水《いのうじやくすい》である。若水は、金沢藩主前田綱紀《まえだつなのり》の命で元禄《げんろく》六年（一六九三）以来『庶物《しよぶつ》類纂《るいさん》』の編纂に専心していた。この書は、和漢の書物から有用な動植物や鉱物などについての記述を収録したもので、中国の『本草綱目《ほんぞうこうもく》』を超える博物学の集大成をめざしたものであった。しかし、若水はその完成をみずに死去した。これを知った吉宗は、享保四年、完成していた三六二巻を献上させた。それから一〇年以上たった享保一七年頃のことと思われるが、吉宗は丹羽正伯に『庶物類纂』の未完分の編纂を指示した。これを受けて正伯は、全一〇〇〇巻を元文《げんぶん》三年（一七三八）に完成させている。

この『庶物類纂』を編纂する過程で、幕府は享保一九年、諸大名に対して産物調査を命じ、翌年には「産物帳」の作成について具体的に指示した。岡山藩もこの指示に基づいて「産物帳」を作成したのだ。その作成にあたって正伯は、調査すべき項目を細かく指示し、提出された帳面についても点検して不明な点についての説明や再調査を命じている。諸国の産物にはその地域特有の呼び名のものも多い。正伯は、それらを中心に必要と思われる産物についての絵図帳の提出も求めた。こうして諸国の「産物帳」「産物絵図帳」が幕府のもとに集められた。

国絵図《くにえず》収集が「公儀」による国土の掌握作業であったとすれば、「産物帳」の作成は「公儀」による諸国の産物の記録作業であった。もちろん、それは「公儀」による産物開発が前提だったのだが、その作業は同時に、藩をはじめとした地域の側にも産物に対する関心を育てることになった。そしてそれが地誌の編纂につながることで、地域の自覚がさらに高まる。殖産興業や「国益」をめぐる幕府・藩・民間のせめぎ合いは、こうした記録作成作業を通じて始まっていたのだ。

19

◉「備前国備中国之内領内産物帳」
「おのミ鳥」「いかなご」と呼称を記し、特徴を書きとめる。岡山藩領内でみられる植物や鳥獣、魚介・昆虫の類《たぐい》まで丁寧に描いてある。

各地の一揆物語と「世論」

百姓《ひゃくしょう》一揆《いっき》を後世に伝えるためにつくられた記録も少なくない。事件の概略は事実に基づきながらも、細かな描写や百姓の言動などには、フィクション性の高い一揆物語もある。しかし、そうした物語もある意味では「世論」を反映している。

『美国四民乱妨記《びこくしみんらんぼうき》』という一揆物語がある。美作《みまさか》の山中《さんちゅう》一揆について、直後の享保《きょうほう》一二年（一七二七）六月に真島《ましま》郡高田《たかた》（岡山県真庭《まにわ》市勝山《かつやま》）の住人「神風軒竹翁《じんぷうけんちくおう》」が著わしたものだ。作者の人物像は不明だが、民間の知識人と思われる。文学の体裁をとってはいるが、事件の経過はかなり正確に描かれている。みずからの見聞に基づくものであることは間違いない。

　この物語で作者が行なった最大のフィクションは、一揆の指導者である徳右衛門《とくえもん》を、天草《あまくさ》・島原《しまばら》一揆の天草四郎時貞《しろうときさだ》の孫として登場させたことだ。物語の冒頭で、徳右衛門の父は天草四郎が遊女に生ませた「忘れ形見《がたみ》」とされ、徳右衛門は一揆にあたって「アマノ左衛門佐藤原時貞《さえもんのすけふじわらときさだ》」と名のると宣言する。以後一揆を通じて徳右衛門は「時貞」として叙述される。また、「時

20

◉読売に集まる人びと
すっぽりと笠をかぶった二人の男が、集まってきた人びとにニュースを読み聞かせている。時に反権力となるマスコミの走りか。幕府の摘発を避けるために素性を隠しているのだろう。笈《おい》仏《ぶつ》を背負った「六十六部廻国」の巡礼者も輪に加わろうとしている。（『熈代勝覧《きだいしょうらん》』）

貞」＝徳右衛門がみずからを平将門《たいらのまさかど》に擬しているように描いたり、指導者のひとりである「牧藤助《まきのとうすけ》」に、彼も徳右衛門の分身なのだが、その彼に由井正雪《ゆいしょうせつ》への同情を語らせたりしている。なにやら歌舞伎の世界のようだ。朱で数か所に〳の記号があり、語りの台本に使われたのかもしれない。作者は一揆に対して同情的でも批判的でもあって、その立場は第三者的なのだが、一揆の指導者を「公儀」に対する「叛逆《はんぎゃく》」の伝統を受け継ぐ者として描こうとする意図は明確だ。領主支配に対する厳しい評価や民間の危機意識を反映したものに違いない。

加賀《かが》の大聖寺藩《だいしょうじはん》一揆では、『那谷寺通夜物語《なたでらつやものがたり》』という一揆物語がつくられている。宝暦期《ほうれきき》（一七五一〜六四）に書かれたもので、作者は大聖寺藩士の児玉仁右衛門則忠《こだまにえもんのりただ》であった。一揆当時、児玉は二二歳であったから実際の見聞に基づくものに違いないが、五〇年後であるだけに表現はかなり誇張されている。

『那谷寺通夜物語』に描かれた打ちこわしの状況はすさまじい。「今からは我々らが心次第に、したい儘《まま》にするぞや。仕置《しおき》が悪《あ》しくば、年貢はせぬぞ。御公領《ごこうりょう》とても望《のぞみ》なし。仕置次第につく我々ぞ。京の王様の御百姓にならうと儘ぢやもの」という言葉が百姓の言ったものとして記されている。これをこのまま百姓の意識と考えることは難しい。作者の児玉が、彼なりに百姓の言動を理解し表現したものと考えたほうがよいだろう。それにしても、一揆によって高揚し解き放たれた百姓の気分がよくとらえられている。「心のままにしたいようにする」という「自由」な気運が広がり、「仕置《しおき》次第《しだい》」で「御公領《ごこうりょう》（幕府領）」にも「京の王様（天皇）」にもつくという。児玉は、百姓によって領主支配が相対化されようとしていると危機感をもったのだ。百姓は「仕置次第」で「敵」にも「味方」にもなる。治者身分である武士は、みずからの「仕置」を反省し正さなければならない。藩も幕府も、「京の王様」ですら絶対ではない。つねに「仕置」のあり方が百姓によって問われる。「治」をめぐるせめぎ合いから、緊張感が高まっている。一揆物語はそれを伝えようとした。

一揆物語は講談でも取り上げられた。有名なのは『森《もり》の雫《しずく》』。宝暦四年から八年まで闘われた郡上《ぐじょう》一揆《いっき》を題材としたもので、幕府評定所《ひょうじょうしょ》での一揆の審理が大詰めを迎えていた時期に、江戸榑正町《くれまさちょう》（中央区日本橋）で講釈師馬場文耕《ばばぶんこう》によって連続口演された。当時の講釈は軍談が中心であったが、文耕は時事問題もよく取り上げた。そのなかでは、無能な藩主や悪臣・佞臣《ねいしん》を批判することもあったが、善政を施す老中・町奉行や藩の忠臣などを取り上げることも多かった。とりわけ将軍吉宗《よしむね》には心酔しており、その「名君」としての逸話を好んで取り上げた。いわば、幕府や領主に「仁政」や「正義」を求める「世間」の代弁者といってよい。その立場から、郡上一揆を口演し、幕府や藩を批判したに違いない。

しかし、それが幕府の咎《とが》めるところとなった。文耕は町奉行所に逮捕され、郡上一揆の裁許が申し渡された四日後に小塚原《こづかはら》で獄門にかけられた。文耕に連座して貸本屋一〇人が所払《ところばら》いなどに処された。文耕の口演を貸本にして広めたことを咎められたのであった。出版取締令に引っかかったのだ。しかし、口演も貸本も風聞となって広がる。事態は、幕府にとって深刻だ。一揆に「雷同」する「世論」が「世間」を動かしつつあった。

「世直り」

食行身禄の願い

享保《きょうほう》一八年（一七三三）七月一三日、富士講の行者である食《じき》行身禄《ぎょうみろく》が富士山七合五勺《ごうしゃく》の烏帽子岩《えぼしいわ》の厨子《ずし》のなかで入定《にゅうじょう》した。入定は、修行しながら入滅《にゅうめつ》すること。三一日間に及ぶ断食修行の末のことであった。もともと食行は、六〇歳を機に登山した享保一五年に、八年後に入定すると決めていた。それを五年も早めて急遽《きゅうきょ》実行したのは、同年一月に起きた江戸の打ちこわしに激しい衝撃を受けたからであった。享保一八年一月二五日、三、四〇〇〇人が伊勢《いせ》町の高間《たかま》伝兵衛《でんべえ》の居宅に押し寄せ、家屋敷を潰《つぶ》した。家財を壊し、帳面類を破って川堀に投げ捨てた。私利を図り庶民の苦しみを顧みない者への社会的制裁としての打ちこわしであった。

食行身禄は俗名を伊藤伊兵衛《いとういへえ》といい、伊勢の生まれ。一三歳で江戸に出て商家に奉公し、一七歳のときに富士講に入った。

21

◉**葛飾北斎**『**冨嶽三十六景**』「**諸人登山**《もろびととざん》」
近景に描かれた富士は、一見それとわからない。岩室《いわむろ》の人びとは、御来光《ごらいこう》を待っているのだろうか。白装束は「富士講」の講中を示す。

富士講は、富士山を霊山《れいざん》として信仰する山岳信仰で、当時は中世以来の呪術《じゆじゆつ》的な要素の強いものであった。これを正直や勤勉といった通俗道徳の実践を中心としたものに切り替える端緒となったのが食行であった。

　富士講では、ご神体としての富士山を仙元大菩薩《せんげんだいぼさつ》として崇敬する。食行は、この仙元大菩薩の本体を「𨢈㑾様《ちちはは》」という独自の神格としてとらえる。この「𨢈㑾様」は男女一対《いつつい》の神であり、この世界と世界のあらゆるものとを創造した。「人間のたねと御ぼさつのたね」も「𨢈㑾様」の分身としてつくられた。「御ぼさつ」とは米のこと。だから人間は米を食することで「𨢈㑾様」と一体になることができる。そう考える食行にとって、米を私利私欲の道具としたり、人に米が行き渡らないようにする行為は、絶対に許すことができない。食行は高間伝兵衛を「高間あくま」と指弾する。「高間あくま」は地獄に落ちて永劫《えいごう》浮かばれることはないと断言する。それだけではない。「紀伊国《きいこく》」（徳川《とくがわ》吉宗《よしむね》）も高間を重用した幕府の役人も地獄に落ちると予言する。

　そもそも食行にとって真の「御しおき《（仕置）》」とは、「にんげん壱人《ひとり》お《（を）》御たすけ」なさるものであり、そのために「天より」「しんの御あかり」がくだされている。「しんの御あかり」というのは食行が伝える「𨢈㑾様」の言葉であり、それに照らされて一切《いつさい》の善悪を見分けることができる。元禄《げんろく》元年（一六八八）、食行は初めて富士山に登山し、「男《お》づな《（綱）》女《め》づな《（綱）》」を「御つなぎ」して「影願《かげねがい》」の世を「直願《じきねがい》」の世に振り替えた。「影願」というのは伊勢の「天照大神《あまてらすおおみかみ》」を祈ることであり、「影」への願いはむなしい。それに対して「直願」は「𨢈㑾様」に直接願うことであり、そのために食行が「みろくの御世《みよ》の御役人《おやくにん》」となった。それより「天照大神宮《てんしょうだいじんぐう》」は役目を取り上げられ、「天地御《てんちお》しおきふりかわり」、つまり世の中のあり方が変わって「みろくの世」を直接願うことになったのだ。

ところが「天子《てんし》」（天皇）も「天日《てんか》」（将軍）も、「しんの御あかり」を用いようとしない。そのために「大かみなり、あめ、大風、火事、ぢしん、片降り、片日でり」が絶えることなく、あまつさえ、元禄一六年の大地震、宝永《ほうえい》四年（一七〇七）の「御藤山《おんとうざん》（富士山）」の「すなふり（砂降り）」と

22

◉『富士曼荼羅図《まんだらず》』
ごつごつとした岩のかたまりのような富士の山頂に、阿《あ》弥陀《みだ》三尊が来迎している。画面下には「南無阿弥陀仏」の名号と、山岳信仰はじめ、日本中の神々の名称が書かれており、江戸時代には、さまざまな信仰の中心として富士が位置づけられていたことがわかる。食行身禄は、こうした富士信仰に独自の解釈を加えた。

なった。これは「天地《てんち》御願《おねがい》もんち仕候故《つかまつりそうろうゆえ》に、天地の役人共《ども》あばれ申」した結果である。「もんち」というのは「あべこべ」のこと。道理が逆さまになっているのだ。これも食行なりの天譴論《てんけん》だ。そのうえに今度の米騒動《こめそうどう》である。もはや猶予《ゆうよ》はならぬ。「みろくの御世の御役人」として「みろくの世」の実現を見定めるために、食行は入定を決意したのであった。

「みろくの世」を求める民俗

民俗学者の宮田登《みやたのぼる》によれば、「みろく」信仰は、仏教の弥勒《みろく》信仰が日本古来の民間の救済信仰と習合しながら列島社会に定着したものだ。もともとの仏教における弥勒信仰には、弥勒のいる兜率天《とそつてん》浄土への往生を求める上生《じょうしょう》信仰と、弥勒が人びとを救済するために現世に下生《げしょう》するという下生信仰とがある。このうち後者の下生信仰が、さまざまな在来信仰と習合して広まった。行基《ぎょうき》や聖徳太《しょうとくたい》子《し》・弘法大師《こうぼうだいし》をはじめ、入定《にゅうじょう》してミイラとなった出羽三山《でわさんざん》の行者《ぎょうじゃ》まで、特異な宗教的能力をもった者が弥勒の化身《けしん》として信仰された。下生した弥勒が苦難に沈む衆生を救済すると、そこに「みろくの世」が実現する。「みろくの世」は現世の兜率天浄土＝ユートピアであり、苦難から救済された衆生には豊穣《ほうじょう》と繁栄・安楽がもたらされる。「みろくの世」の出現はまさに「世直《よなお》り」であった。

弥勒が下生する年が「みろくの年」である。この「みろくの年」については二つの観念が錯綜《さくそう》していると宮田はいう。ひとつは「みろくの年」は飢饉《ききん》の年だというものであり、とくに東北地方では、六月に巳《み》の日が三回ある年を「巳六《みろく》の年」といって、この年には飢饉が起こると信じられていた。旧暦（太陰太陽暦《たいいんたいようれき》）では、毎日に十二支《じゅうにし》の干支《えと》を当てはめる。ひと月は三〇日か二九日だから、同じ干支《えと》の日は二回か三回ある。しかし、六月に巳の日が三回というのはめったにない。だから、これを「巳六の年」といって警戒した。もう少し単純に、干支《えと》の巳の年が「みろくの年」という民俗もある。この場合は、飢饉が周期的に襲うことへの警告だろう。

しかし、他方で「みろくの年」には「みろく」が現われて飢饉から救ってくれるのだと信じている人びともいた。「みろく」が山の木に団子《だんご》の花を咲かせて飢饉から救ってくれたという伝承をもつ村もあるという。飢饉を逃れて豊作が訪れるという願望から、もうひとつの、「みろくの年」は豊年だという観念が生まれたのだろうと宮田はみている。

辰《たつ》の年を「みろくの年」というところもある。干支で辰と巳は連続しているから、辰年に「みろく」が出現して「世直り」があって新しい巳の年を迎えると考えるのだ。辰の日にお籠《こ》もりをして「巳待ち」をする民俗と同じことだ。食行身禄は、この辰の縁を重視した。彼が富士山で「男づな女づな」をつないだのは、「元禄《げんろく》元年辰の御年、辰の六月一五日辰の刻《こく》辰の一天」であった。これによって世が振り替わり、

23

◉成田《なりた》山新勝寺《さんしんしょうじ》のみろく踊《おどり》（千葉県成田市）
太平洋沿岸を中心に伝えられる「みろく踊」は、東方の海上から弥勒菩薩が出現し、幸いをもたらすという弥勒信仰によるもの。

「影願《かげねがい》」から「みろくの世」の「直願《じきねがい》」になったのだ。災厄《さいやく》を送り福を迎えるために臨時に正月を祝う取越《とりこし》正月という民俗がある。悪い年を早く終わらせて良い年を迎えようと一年に二回正月をする。「みろくの年」にこの取越正月が流行するという。まさに「みろくの年」には凶年から豊年への「世直り」が起こるわけだ。

年を改めたり「世直り」を起こすためには、特別なパワーが必要だ。そのために集団的なオルギー（オージー）が演出される。オルギーとは、舞踏を伴う熱狂、乱痴気《らんちき》騒ぎ、無礼講。平常の年迎えの行事のうちに組み込まれて年中行事化したオルギーもあるが、なんといっても注目すべきは、社会的な不安や不満が突発的に爆発する集団的なオルギーだ。第一章で触れた天和《てんな》三年（一六八三）の江戸本所《ほんじょ》の踊りも、オルギーといってよいだろう。天明《てんめい》の飢饉の際に江戸近郊農村の老婆たちが踊り出したことから江戸町中に広がったおたすけ踊りや、天保《てんぽう》一〇年（一八三九）の米価高騰の際に京都から広まった豊年踊りなどに、宮田登は「みろく」信仰と結びついた「世直り」願望をみている。

江戸時代の集団的オルギーとして有名なのは、伊勢《いせ》信仰をめぐるものだろう。その最初は、慶長《けいちょう》一九年（一六一四）八月から始まった伊勢《いせ》踊りの流行である。発端は、伊勢神宮の託宣があったとして伊勢の各地から民衆が踊りながら集団参詣《さんけい》を始めたことだ。この動きがたちまちに京都や大和《やまと》・近江《おうみ》・美濃《みの》に波及し、さらに翌年にかけて全国に広がった。この年慶長一九年の七月には鐘銘《しょうめい》事件のために方広寺《ほうこうじ》大仏の開眼供養《かいげんくよう》が延期になり、一〇月には大坂冬《ふゆ》の陣《じん》が起こる。そして翌年の大坂夏《なつ》の陣と続き、豊臣《とよとみ》氏が滅亡する。まさに政治的な緊張が高まった時期であり、そのなかで民衆の不安心理が爆発し、集団的オルギーが生み出されたのだろう。

この伊勢踊りの流行は、元和《げんな》七・八年（一六二一・二二）、寛永《かんえい》元年（一六二四）、慶安《けいあん》三年（一六五〇）、延宝《えんぽう》六・七年（一六七八・七九）にも記録されている。西垣晴次《にしがきせいじ》の研究によれば、伊予《いよ》地方の伊勢踊りで、「菊の花かざして踊れや氏子ども、あとよりみろくのつづきたるぞ、イザヤ神楽《かぐら》を参らする」という歌謡が流行したことがあるという。伊勢踊りの興奮のなかに「みろくの世」への待望が込められていたことは間違いないだろう。

「治」を揺さぶる御蔭参り

伊勢《いせ》踊《おど》りが流行した慶長《けいちょう》一九年（一六一四）から一〇年前の慶長九年三月、『当代記《とうだいき》』によれば伊勢大神宮が近江国《おうみのくに》の膳所《ぜぜ》に飛来し、これに参詣《さんけい》するため大勢の民衆が押し寄せたという。近世史家の高尾一彦《たかおかずひこ》はこれが江戸時代における御蔭《おかげ》参りの始まりとみている。通常の寺社参詣には村役人への届け出が必要である。しかし、御蔭参りはほとんどが無届けの抜《ぬ》け参《まい》りであった。だから最初は領主も触書《ふれがき》を出して禁止の姿勢を示すが、実際にそれを咎《とが》めることはできなかった。御蔭参りには、突発性・集団性・熱狂性といったオルギーの要素がそろっている。百姓一揆《いっき》のような「徒党」とは違って、寺社参詣を目的とした集団的オルギーを領主はほとんど傍観した。「おかげでさ、ぬけたとさ」とうたわれたように、御蔭参りは日常の秩序からの束《つか》の間《ま》の解放であった。

これ以降、江戸時代には寛永《かんえい》一五年（一六三八）、慶安《けいあん》三年（一六五〇）、寛文《かんぶん》元年（一六六一）、宝《ほう》永《えい》二年（一七〇五）、享保《きょうほう》三年（一七一八）、明和《めいわ》八年（一七七一）、文政《ぶんせい》一三年（一八三〇）に御蔭参りが起こったと記録されており、慶応《けいおう》三年（一八六七）には「ええじゃないか」の乱舞も起こっている。このうち宝永・明和・文政の三つがとりわけ大規模で有名だ。

宝永二年の御蔭参りは四月に京都から始まり、あっという間に全国に広がった。参詣者は五〇日間で三六〇万人を数えたという。異常な熱狂が列島を駆け抜けたに違いない。元禄《げんろく》末年（一七〇〇年前後）には地震や大火など災害が続発した。そうした緊張状態からの解放が求められたのだろう。御蔭参りには、共通した事象が認められる。それらが、宝永のときからはっきり現われるようになった。

一つは、御蔭参りは伊勢神宮のお札が天から降《ふ》ることをきっかけに起こることが多い。それはまさに怪異な現象なのだが、他方では天からのお告げでもあった。天の意志に人は従わなければならない。天や神の意志を奉ずることで、人びとは行動の自由を得た。

24

◉伊勢神宮の門前町のにぎわい
文政一三年の御蔭参りの伊勢の町の様子。参拝者に施行したり、屋台売りが出たり、たいへんなにぎわいである。（『御蔭群参之図《おかげぐんさんのず》』）

二つは、御蔭参りにはさまざまな奇瑞《きずい》や神異《しんい》現象が伴った。お札降りがそのひとつなのだが、その神意に背いて抜け参りを妨害した村役人や雇い主は神の罰を受けた。逆に抜け参りを助けた人には福徳がもたらされた。病気や障害のある人が参宮して快癒《かいゆ》する神異も見聞された。御蔭参りの期間は、非日常の神の支配する時間と意識された。

三つに、御蔭参りは子どもの抜け参りで始まることが多い。参詣者全体のなかでも、子どもや女性の姿が目立つ。子どもはある意味で秩序外の存在である。ふだんでも大人と同じように処罰されることはない。だから、抜け参りをしても大人のように咎《とが》められはしない。はじめに子どもが動き出すことで秩序のすき間が押し広げられる。そこへ大人が大挙して押し寄せることで秩序に大きな穴が開く。御蔭参りはいつもそんなかたちで勢いを増した。

四つは、施行《せぎょう》。伊勢への街道にまず子どもたちが現われる。子どもはふだんでも保護されるべき存在であり、自力では旅を続けることはできない。沿道の人びとは宿を提供し、銭や食べ物を施した。やがてそこへ着の身着のままの大人たちが現われる。彼らも同じように施行を必要としていた。飢饉《ききん》時に「世間」への施行が求められたように、神の時間にも施行が求められた。御蔭参りは神の意志によるものであった。それへの施行は、神への報謝であり、「世間」への報恩であった。

明和八年の御蔭参りも、社会不安の高まりのなかで起こっている。明和六年から八年にかけて百姓一揆《いっき》が頻発した。明和七年は全国的な大旱《たいかん》で、稲にはカチと呼ばれる害虫が大量発生し、深刻な凶作となっていた。そんななか、やはり四月に山城国宇治郡《やましろのくにうじ》の子どもたちから抜け参りが始まった。

明和の御蔭参りでは、つぎのようなことが目立った。

ひとつは、社会的な逸脱の要素が強まったこと。「あらぬもののかたち」(性器)を絵に描いたり、張りぼてにつくって杖《つえ》の先に付けたり、淫《みだ》らな言葉を大声で叫んだりしながら歩いている。女性たちも、老若ともにふつうとは思えないような戯《ざ》れた姿であった。こうしたことは民衆的な祭礼においてはよくあることだが、そうしたものが参宮行列に持ち込まれ、反秩序性が強まった。そうした様子が、いくつかの記録にとどめられている。それは観察者の驚異や危機感を示すものでもあるだろうが、オルギーがパワーアップしたことも間違いない。

もうひとつは、参宮者の階層が下降し、下層民の姿が目立つようになったこと。それと対照的に富者による施行が増加した。そうすると口すぎを目的に参宮する者が出たり、「物乞《ものご》い」同然の者が増える。しかも二〇人、三〇人が幟《のぼり》や旗を持って参加することも目立つようになる。どこか、飢饉時に富者の施行を強要する雰囲気に似ていないだろうか。

御蔭参りや「ええじゃないか」が百姓一揆の高揚する時期に起こるために、民衆の反領主闘争のエネルギーをそらせて浪費させるものだという見方がある。しかし、そこには東照宮《とうしようぐう》祭礼のような権力や秩序に民衆を統合する志向は乏しい。むしろ抜け参りは、領主の支配秩序を一時的に無力化する。いわば領主の法にかわって民衆の祭礼空間が「世間」を覆う。列島規模に拡大した「ハレ」の興奮のなかで、秩序のほころびや「治」のゆらぎが目立ちはじめる。

非人姿で一揆する百姓

「世直り」願望の深まりは、百姓一揆などの民衆の動きにもゆらぎをもたらす。

元文《げんぶん》三年から四年（一七三八〜三九）にかけて、中国地方東部で百姓一揆が連鎖的に起こった。発端は但馬国生野《たじまのくにいくの》（兵庫県朝来《あさご》市）代官所管下の幕府領で、一二月一六日、生野銀山関係者三〇〇〇人ほどが代官所に押しかけ、銅の価格の引き上げと鉱夫家族の救済を求めた。さらに二九日には、朝来郡・養父《やぶ》郡の幕府領の百姓三〇〇〇人ほどが代官所を包囲し、年貢引き下げと夫食米《ぶじきまい》拝借を要求した。この年は風水害の影響で、西日本は各地とも凶作であった。

明けて元文四年の一月八日頃から美作《みまさか》東部の幕府領の百姓たちが動きはじめる。但馬の動きが伝播《でんぱ》したのだ。当時美作には、吉野《よしの》郡下町《しもまち》（岡山県美作市）・英田《あいだ》郡倉敷《くらしき》（同）・同郡土居《どい》（同）・大庭《おおば》郡久世《くせ》（同県真庭市）の四か所に代官所が置かれていた。管下の百姓たちが、それぞれの代官所へいっせいに押し寄せ、前年年貢の延納と夫食米の拝借を要求した。

さらにこの動きが美作の北隣の鳥取藩に飛び火する。一月二〇日頃、因幡《いなば》・伯耆《ほうき》の百姓たちがい

◉美作国周辺の地図
播磨国姫路藩、備前国岡山藩、因幡国鳥取藩と、大大名の領国に接した美作国や但馬国では、しばしば大規模な一揆が起こった。

っせいに村を離れ、鳥取城下町に押し寄せはじめた。一揆勢は、途中、年貢を厳しく取り立てて藩から褒賞《ほうしょう》された大庄屋や庄屋を打ちこわしながら行進し、村々で参加強制を行なって雪だるま式に勢力を増した。二三日に城下まわりの千代川《せんだいがわ》の河原に集まった百姓は、二万人を超えた。百姓たちと交渉した藩役人は、元文二年の増徴分の返納、同年分の小作料の未済分の帳消し、大豆納や麦年貢の減額など、百姓たちの要求の一部を認めた。新役の庄屋を、百姓が願う古役の者に取り替えることも認めた。

鳥取藩大一揆はふたたび美作に波及する。三月二日から六日にかけて勝北《しょうほく》郡の百姓たちが数百人から千数百人でまとまって集まり、「袖乞《そでご》い」と称して各地の「有徳成《うとくな》る者《もの》」の屋敷に押しかけて、米穀を供出させた。飢饉のときの施行になぞらえたもので、自然発生的にみえたが、じつはかなり組織だったものであった。蜂起に先立って天狗状《てんぐじょう》（一揆への参加を呼びかける宛名《あてな》も差出人もない廻状）がまわされていたことからもわかる。百姓たちはみな古笠《ふるがさ》・古蓑《ふるみの》を着した「非人拵《ひにんごしらえ》」で、牛《うし》の綱《つな》を入れた荷俵を背負ったり、手に鎌や屋根葺《ふ》きに使う竹の針《はり》を持ったりしていた。目的が米穀の強要と打ちこわしであることは、意思統一されていた。対処しかねた下町代官所は津山《つやま》藩に派兵を要請した。鉄砲一五挺《ちょう》・大筒《おおづつ》二門《もん》を含む総勢三〇〇人ほどが派遣され、一揆は鎮圧された。これを勝北《しょうほく》非人騒動という。

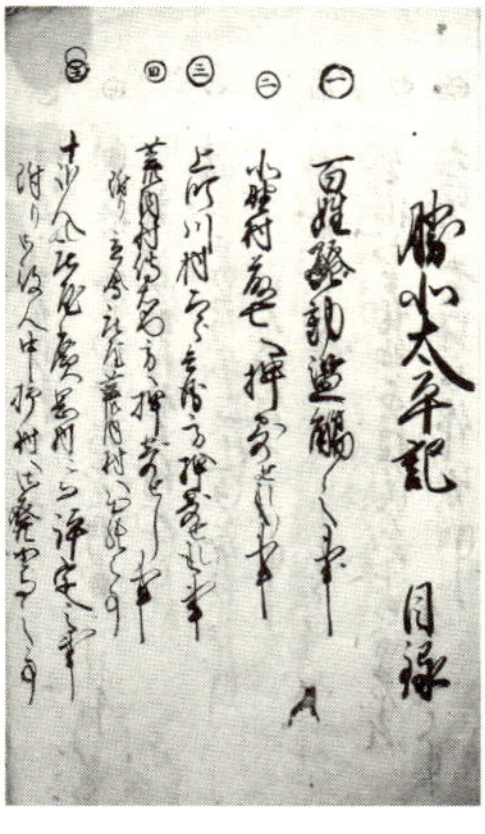

25

◉軍記物になぞらえて記録された一揆

勝北非人騒動から約九〇年後に書かれた。筆者は村の庄屋で、これより四年前には文政非人騒動が起きており、その衝撃から歴史が思い返されたのであろう。（『勝北太平記』）

美作の動きは、さらに播磨《はりま》西北部の佐用《さよ》郡に波及する。旗本《はたもと》松井《まつい》氏の平福《ひらふく》知行所（兵庫県佐用《さよ》町）では、二月頃から百姓が寄合《よりあい》を始めていた。三月に入って勝北非人騒動が起こると、蜂起を呼びかける天狗状がまわされた。これによって二〇か村の百姓たちが、異形の「非人躰《てい》」で平福の町に押し寄せ、飢扶持《うえふち》の支給か、さもなくば「乞食札《こつじきふだ》」を下されるように要求した。百姓が成り立たなければ非人になって袖乞《そでご》いするしかないというのだ。百姓たちの集結は断続的に四月まで続いた。

本来百姓一揆は、「百姓成立《なりたち》」を求めるものであり、百姓のいでたち、百姓の得物《えもの》で参加するものであった。ところが元文一揆では、蜂起の波が繰り返されるなかで、非人騒動という新しい運動形態が始まった。水戸《みと》藩宝永大一揆《ほうえいだいいっき》では、百姓たちが要求の認められないときには「非人に出る」と脅《おど》したと『月堂見聞集《げつどうけんぶんしゅう》』は記しているが、実際に「非人躰」で行動したわけではない。「非人拵」は、「百姓成立」の御救《おすくい》を放棄した領主に対する批判であった。それはまた、富裕者に対する米飯の強要や打ちこわしを正当化するものでもあった。「百姓成立」を求める訴願は個別領主を超えることはないが、「非人」の袖乞いは領域を越える。みずからを貧民と自認すれば、誰でも参加できる「開かれた」ものであった。「百姓成立」より先に「いのち」の存立を求めるものだといってもよい。

百姓一揆に持ち込まれた「非人拵」は、本音のところでは、むしろ百姓たちの百姓身分への執着を示しているだろう。しかし、現実には百姓もいつ野非人《のひにん》になるかもしれない。境界がなくなりつつあった。だから、それは同時に百姓の自意識のゆらぎの表現でもあった。美作や播磨西北部の出雲街道《いずもかいどう》沿いの地域では、非人騒動という運動が伝統となって幕末期まで続く。

打ちこわしの論理と心性

都市の打ちこわしにも「世直り」の気配は濃い。天明《てんめい》七年（一七八七）の江戸打ちこわしを分析した岩田浩太郎《いわたこうたろう》は、そこに江戸時代らしい独自の論理と心性を見いだしている。

たとえば打ちこわしでは、参加者が少数の実行部隊と、まわりではやしたり見物したりする多数の群衆からなっていた。このうち行動隊の中心になったのは、町火消《まちびけし》や大工・鳶《とび》人足たち。彼らは家屋解体のプロであり、非常時にも統制された集団行動が可能であった。しかし、町火消や鳶人足は町の有力者や大店《おおだな》とは日常的なつながりが深く、町や大店の防衛隊として期待される存在でもあった。いわば彼らがどちらにつくかで、その地区での打ちこわしの有無や成否が決まったといえるし、他方、彼らが打ちこわしで自由に活動できるためには、日常のしがらみを断ち切るだけの圧倒的な群衆の支持が必要であった。打ちこわしを可能としたのは、群衆の数に示された「世論」であった。

また、米騒動の背景には当時の民間での米売買に対する固有

26

の観念が存在したという。それは、売り手の利益追求を当然としながらも、本来米価は、売り手と買い手との相対《あいたい》で決められるべきであり、とりわけ非常時には買い手に配慮すべきというものであった。浅間《あさま》山《やま》噴火後の吾妻《あがつま》郡で米の安売りが行なわれたのは、こうした心理によるものであった（143ページ参照）。米の売買は「市場」の論理に終始すべきものではなく、民衆の「いのち」にも配慮したものでなければならない。「世間」は「相身互い」ということだ。こうした観念によれば、米価のつり上げや売り惜しみは「仁《じん》」にもとる行為ということになる。

　さらに、「打崩《うちくず》しの帳本《ちょうほん》という者はなく、自然と其の所々より起り立つ事、矢張《やはり》天よりなす所なり」といわれたように、「世間」では打ちこわしは「天の仕業《しわざ》」だと理解された。これも一種の天譴《てんけん》論だ。打ちこわしの先頭に立つ者が「天狗《てんぐ》」「牛若小《うしわかこ》僧《ぞう》」「大神宮《だいじんぐう》の神使《かみづかい》」など超人的で神的な存在として表現されたのも、打ちこわしを人為を超えた「天の命」とする観念につながるものだ。そして、こうした観念は悪徳商人への批判から幕府に対する批判に及ぶ。「公儀より一統《いっとう》の御《お》すくひもこれ無く見殺し成され候段《そうろうだん》、扨々《さてさて》むごき不《ふ》仁《じん》成《な》る御政道《ごせいどう》に御座候《ござそうろう》」とあからさまに記す記録も現われる。「公儀」からなんの御救《おすくい》もなく庶民を見殺しにするのは、まさに「不仁」のきわみだというのだ。これらはいずれも第三者による観察なのだが、彼らも、打ちこわしのなかで天命のありかが「公儀」から民間に移りつつあることを感じていたのだ。

●幕末の江戸の打ちこわし
慶応《けいおう》二年（一八六六）六月の江戸の打ちこわしを描いた図。米屋を襲った行動隊が、米を庭にまき散らし、取り巻きの窮民がそれを拾い集める。中央で俵を投げて見得《みえ》をきるような男は、打ちこわしの先頭を行く「牛若小僧」のような存在か。（『幕末江戸《えど》市中騒動図《しちゅうそうどうず》』）

杉田玄白のみた徳川日本

『蘭学事始《らんがくことはじめ》』の著者で蘭方医《らんぽうい》の杉田玄白《すぎたげんぱく》に『後見草《のちみぐさ》』という随筆がある。これを「終末観と世直し」を筋立てとした書物と読んだのは菊池勇夫《きくちいさお》だ。なかなかに鋭い読みである。ただし、このテキスト自体は複雑な構成をとっているので、あらためて順序立てて解剖してみよう。

『後見草』は上中下の三巻からなる。上巻は亀岡石見入道宗山《かめおかいわみにゅうどうそうざん》なる人物が書いた明暦期《めいれき》（一六五五〜五八）の火事の記録、中下巻は玄白自身が見聞した宝暦《ほうれき》一〇年から天明《てんめい》七年（一七六〇〜八七）までの天変地異を記録したものである。序によれば、もともと玄白としてはみずから書いた二巻の前に明暦から宝暦までの出来事を書いた記録を付け加えたかったのだが、適当なものがなく、やむなく亀岡宗山の記録と自分の記録とをあわせて一書を編んだという。つまり、当初玄白が意図していたものは明暦から天明までの災害史であり、その中心は江戸の大火であった。

同時代記録としては、まず宝暦一〇年から明和《めいわ》九年（一七六〇〜七二）までの中巻が書かれた。この期間は、「宝暦の辰《たつ》の年から明和の辰の年」までの一三年間である。辰の年は「みろくの年」であり、この区切りは明らかにそれを意識したものであった。玄白は享保《きょうほう》一八年（一七三三）に江戸で生まれた。この年は奇《く》しくも、江戸で最初の打ちこわしが起こり、食行身禄《じきぎょうみろく》が入定《にゅうじょう》した年だ。自分が生まれたこの年から二四、五年の間は、たいして驚くほどのことはなかった。宝暦八年に郡上一揆《ぐじょういっき》で悪政の責めを受けて改易《かいえき》された金森《かなもり》家の長屋が引き倒されたことぐらいだ。ところが翌宝暦九年の夏ごろから、誰いうとなく、来年は三河万歳《みかわまんざい》でうたわれる「弥勒《みろく》十年辰の年」にあたるといううわさが流れた。「みろくの年」には災難が多い。この難を逃れるためには、正月の寿《ことぶき》を祝うにこしたことはない。正月でもないのに雑煮《ぞうに》を食べたり蓬莱《ほうらい》を飾ったりと、取越正月《とりこししょうがつ》が流行した。宝暦一〇年になると将軍家重《いえしげ》が引退し、家治《いえはる》が襲職することとなった。まさに代《だい》すなわち世《よ》が改まろうとしていた。ところが、将軍襲職の祝儀が予定されていた二月四日、赤坂今井谷《あかさかいまいだに》から火が出て品川までを焼き尽くす大火になった。さらに六日には、今度は神田旅籠町《かんだはたごちょう》から出火し深川《ふかがわ》までが焼けた。四、五〇年来なかったような大火で、「左右より　ひの出をあおぐ右大将　実《じつ》おおやけの御代《みよ》ぞめでたき」という狂歌が流行《はや》った。「ひの出」はめでたい日の出とかけているが、じつは火事のこと。江戸城の左右から火の手が上がったのだ。「おおやけ」は「公儀」の「公」と「大焼」をかけている。「右大将」は徳川《とくがわ》将軍のこと。新将軍の登場は、民に苦難を与える大火に祝われて始まった。その御代がめでたいはずがない。「公儀」に対する江戸住民の皮肉がこもっている。玄白もそれを共有する。

以来一三年間は、火事・大雨風・突風・日照り・落雷・感冒の流行など災厄《さいやく》が続いた。朝鮮通信使《ちょうせんつうしんし》の随員が対馬《つしま》藩の役人に殺害された崔天宗《チエチヨンジヨン》事件、浄土真宗《じょうどしんしゅう》の異端とされた御蔵門徒《おくらもんと》が禁圧された事件、尊王《そんのう》を説いた山県大弐《やまがただいに》や藤井右門《ふじいうもん》が処罰され

27

◉杉田玄白
若狭国小浜《おばま》藩医。前野良沢《まえのりょうたく》らとオランダ語の解剖書を翻訳。『解体新書』として刊行。建部清庵《たけべせいあん》との往復書簡集『和蘭医事問答《オランダいじもんどう》』も残した。

た明和事件《めいわじけん》などが「世間」を騒がせ、「髪切《かみきり》」という通り魔的な犯罪が流行したこともあった。箒星《ほうきぼし》や異星の出現、老中板倉《いたくら》家の屋敷での化け物騒ぎなど、怪異にも事欠かない。幕府の増助郷《ましすけごう》政策に反対する伝馬騒動《てんまそうどう》に始まった明和期（一七六四〜七二）は、百姓一揆が各地で起こった時期でもあった。そしてついには、明和九年の目黒行人坂大火《ぎょうにんざかたいか》である。江戸の三分の一が焼けた。江戸の住民はじつに「天変」の極致だと恐れおののいている。そこに天譴《てんけん》の思いは深い。玄白もそれを共有する。

ここまで書き上げた玄白は、このほか諸国の徒党・火事・洪水・大風の類は書くことができないと断わりながら、最後に明和八年の御蔭《おかげ》参りに筆を進める。「伊勢《いせ》皇大神宮《こうたいじんぐう》の有難《ありがた》き御利生《ごりしょう》あり」といううわさが流れていた。「利生」というのは、「利益衆生」の略で、菩薩《ぼさつ》が衆生を利益し救済すること。庶民の救済願望が高まっていたと玄白もみている。しかし、「如何《いか》なる事の御利生にや覚束《おぼつか》なし」とも記す。御蔭参りの高揚にもかかわらず、翌年の目黒行人坂大火である。ほんとうに伊勢の神の「御利生」があるのか、確信がもてない。

「唯好事《ただこうじ》もなきにはしかじと申《もう》し侍《はべ》れば、無為《むい》にこそあらまほしけれ」と玄白はこの巻を結ぶ。「好事も

週刊朝日百科『日本の歴史72』などより作成

●目黒行人坂大火の焼失範囲
いまの目黒駅近く、行人坂《ぎょうにんざか》の途中にある大円寺《だいえんじ》が出火元という。強い風にあおられて、炎はまっすぐ北東へ進み浅草《あさくさ》あたりまでを焼け野原にした。放火が原因とされている。

なきにしかず」というのは、たとえよいことであっても何か事があるのは煩わしいから、むしろ何事もなく平穏なのがいいということだ。「無為」というのは、自然のありのままであること。老荘《ろうそう》思想でいえば、無作為であるという聖人の理想のあり方。仏教では、因縁《いんねん》に支配された有為《うい》の世界を離れた常住絶対《じょうじゅうぜったい》の境地《きょうち》。天変地異の果てに玄白がたどり着いたのは、天地自然の運行に身を任せるような境地だったのだろうか。

天運と呼応する民衆の力

『後見草《のちみぐさ》』下巻は安永《あんえい》改元（一七七二）から始まる。「年号は安く永しと替れども　諸色高直《しょしきたかね》いまだ明和九《めいわく》」という有名な狂歌が引かれる。「明和九」は「迷惑」の語呂《ごろ》合わせ。安永期（一七七二〜八一）も天変地異が絶えることはなかった。安永七年伊豆《いず》大島《おおしま》噴火、安永八年桜島《さくらじま》大噴火、安永九年全国大洪水と続き、安永一〇年の春に天明《てんめい》と改元される。この年号を、「よいことも天命、悪いことも天命」と受け取ればいいのに、江戸の住民はもっぱら悪事ばかりを天命と考え、文字の響きが悪いとさんざんの評判であった。天譴論《てんけんろん》が背後にあることは間違いない。事実天明年間も悪事の連続であった。浅間山《あさまやま》噴火や天明の飢饉《ききん》の惨状について、玄白も多くの筆を費やしている。

天明六年は干支《えと》が丙午《ひのえうま》で、元日も丙午の日であった。おまけに元日は皆既日食《かいきにっしょく》にあたっていた。今年はどんな「珍事」が起こるかわからないと人びとは不安な気持ちで新年を迎えた。一月二二日、江戸湯島台《ゆしまだい》から火が出て深川《ふかがわ》までが焼けた。二三日には西久保《にしくぼ》紙屋町《かみやちょう》から出火、二七日には本所《ほんじょ》・

本町《ほんちょう》・雉子橋《きじばし》門内と出火が続いた。二月六日には小石川《こいしかわ》から出火、同じ日、東照宮《とうしょうぐう》のある駿河《するが》の久《く》能山《のうさん》で火事、八日には日光山《にっこうさん》でも火事になった。権現様《ごんげんさま》からのお告げかと恐れない人はなかった。天和《てんな》三年（一六八三）の日光大地震のときと同じだ。同月二三・二四日には箱根山《はこねやま》で地震。江戸でも一〇〇回も揺れを感じた。

四月になると長雨と冷気が続き、ふたたび凶作の予感が強まった。七月になってついに大洪水が起きる。手賀沼《てがぬま》・印旛沼《いんばぬま》の開発を水泡に帰した関東大水害だ。この年の春ごろから、夜な夜な空中で怪しい音が鳴るのを人びとは聞いていた。なんとも怪異なことで「天鼓《てんこ》」と号して不気味に感じていた。大洪水を機に「天鼓」はピタッとやんだ。さては、大洪水を予言する天の声だったのだ。

八月に入ると将軍危篤《きとく》のうわさが広がった。八月二一日田沼意次《たぬまおきつぐ》は出仕《しゅっし》停止となり、二七日には御役召放《おやくめしはなち》となった。将軍家治《いえはる》は二五日に亡くなっていた。九月八日将軍薨去《こうきょ》が触れられた。近年天変地妖《ちよう》が打ちつづくなかにも今年はとくにそれのやむことがなく、人びとはいかなる天のお告げかと心安からず暮らしていたが、さてはこの変事のお告げであったかとはじめて納得した。

振り返ってみれば、『後見草』がカバーするのは将軍家治の治世である。宝暦一〇年辰の年に始まったその二七年間は、天変地異のやむことがなかった。「朝夕の御事まで下の意に任せ給いて、万事自由なる御行いも聞え給わず一生を終り給いし」。朝夕の寝食の世話まで家来まかせで、自由に振る舞うこともできずに一生を終わったというのは、早くに妻子に先立たれた家治の不幸に同情を示す言葉なのだが、暗には、田沼などに政治を任せきりにして治者として責任を果たさなかった将軍への批判が込められている。将軍や幕閣に対する玄白の言は、本音を隠した表向きのものであることが多い。戸田茂睡《とだもすい》の『御当代記《ごとうだいき》』が徳川綱吉《とくがわつなよし》に対する批判の書であったように、『後見草』は家治に対する天譴《てんけん》を論じた書として読むべきなのだろう。

だから玄白は、翌天明七年に家斉《いえなり》が将軍に襲職したとき、これからは将軍が「御政事御手《おんまつりごとおて》づから」行なわれると人びとが「歓喜」していると記したのだ。しかし、この期待はすぐに裏切られる。五月二〇日、繰り返し述べている江戸の打ちこわしが発生する。あわてた幕府は、町奉行や火盗改《かとうあらため》の役人を繰り出させ、鎮《しず》めさせた。他方では、市中四か所で米の支給も行なった。玄白は「目出度《めでた》き君《きみ》の御国恩《ごこくおん》」と悦《よろこ》びの声が「世間」にあふれたと記している。そして松平定信《まつだいらさだのぶ》が老中首座《しゅざ》となる。これを「天運循環《てんうんじゅんかん》して往《ゆき》て帰らずという事なし。三十年前頽敗《たいはい》せし風俗《ふうぞく》の改《あらたま》りぬる時至《ときいた》」ると記す。天命《てんめい》が革《あらた》まった。定信の登場はまさに「天の時」であった。「悪風《あくふう》改り、又逢《またあ》ひ難《がた》きとおもう世に逢い奉《たてまつ》る事の嬉《うれ》しさよ」と「名君」の登場を歓迎し、「仁政《じんせい》」への期待が表明される。定信の登場は「世直り」であった。しかし、この言も、そのままには受け取れない。玄白の眼はそんなに甘くない。

次いで玄白は、「賤《いや》しきたとえに雨降て地かたまるといえる如《ごと》く、若此度《もしこのたび》の騒動《そうどう》なくば御政事《おんまつりごと》は改るまじきなど申す人も侍《はべ》りき」と述べる。これこそ、「世間」の声を借りた彼の本音に違いない。天運循環は天地の自然な運行の結果である。しかし天運といっても、この騒動がなければ政治は改まらなかった。天運をめぐらしたのは、じつはこのたびの騒動、つまり打ちこわしであったのだ。「世直り」は民衆の力なくしては実現しなかった。それが玄白のたどり着いた時代認識であった。

コラム6

司馬江漢の長崎

江戸時代の長崎は、異国に開かれた大きな口であった。一八世紀にはヨーロッパの学術文化に憧れる人びとがしきりに長崎を訪れた。司馬江漢《しばこうかん》もそのひとり。長崎に着くと、最初に阿蘭陀大通詞《オランダだいつうじ》の吉雄耕牛《よしおこうぎゅう》を訪ねた。耕牛はオランダ商館長の江戸参府にたびたび同行しており、江戸の蘭学者とは深いつながりがあった。長崎を訪れた前野良沢《まえのりょうたく》や大槻玄沢《おおつきげんたく》も彼の世話になっている。

耕牛の家の二階はすべて西洋風に調度された「オランダ座敷」で、江漢はそこで葡萄酒《ぶどうしゅ》やパン・肉などの食事でもてなされた。会所役人の姿にまぎれて、出島《でじま》のオランダ商館や港内に停泊していたオランダ船も訪問している。長崎洋画派と呼ばれる人びととも交流したが、江漢は彼らを「一向《いっこう》の下手《へた》」と断じている。

自意識過剰で見栄っ張りの江漢だが、長崎滞在中に相当の刺激を受けたに違いない。江戸に帰ったあとには天文学・地理学にも関心を広げ、地動説の紹介や銅版地図の作成に熱中する。

その後も西からの風は強く、長崎は人びとを引きつけた。

◉江漢自画像
洋風画・銅版画で知られる江漢も、もとは浮世絵師。晩年、みずから死んだと称し自画像に辞世をつけて配った。

おわりに

「公儀」と「世間」

一八世紀の徳川《とくがわ》日本は、ある種の限界状況から出発した。一七世紀の人口増加と耕地拡大によって社会は飽和状態に達し、「治」の主役である幕府や藩の財政危機が本格化した。くわえて、地震・噴火・洪水・火事・飢饉《ききん》など大きな災害も頻発した。人びとの生活を支えていた領主支配・身分団体・「家」という直接的な関係の許容範囲を超えたり、個別の関係では対応できない公共的な課題が表面化するようになった。

こうした状況に幕府は、「公儀」の権能を拡大・強化するかたちで対応しようとした。綱吉《つなよし》に始まり吉宗《よしむね》から田沼《たぬま》に至る政権は、「公儀」のもとにより強く統合された社会をつくりだそうと「治」のシステムの改革に取り組んだ。改革では、一方で幕府の統治権限や財政基盤を強化するとともに、他方で藩や民間の力を「公儀」の事業に動員するシステムが工夫された。幕府主導の「公儀」のもとに藩や民間を巻き込みながら、危機への対応と復興の努力が重ねられた。しかし、それがしだいに「公儀」の公共機能を低下させ、逆に藩や民間の自立化を促すことになった。民間力が蓄積され、「治」のシステムが多層化しはじめた。これが一八世紀のひとつの到達点であった。

一八世紀を通じて、領主支配・身分団体・「家」といった個別的な関係からはみだした空間として重要性を増したのは、地域である。もちろん地域とひとくちにいっても、広狭さまざまに考えることができるし、実際に人びとはそのいくつかの重なりのなかに生きている。しかし、「いのち」や生活に直接かかわる空間とすれば、ほぼ、そのうちにいくつかの日常的生活圏を含む一郡から二、三郡程度のまとまりを実態として考えることができるだろう。具体的には、郡中議定《ぐんちゅうぎじょう》が繰り返された出羽国村山《でわのくにむらやま》地域や、地域通貨が通用した倉敷《くらしき》を中心とした備中《びっちゅう》南部地域などがあげられる。こうした地域は、領主支配からはみだしているという意味で、幕府領と私領とが混在した非領国地帯に現われやすい。ただし、一円的な藩領域であっても、転封《てんぽう》などで領主支配に空白が生じたときには、美作山中《みまさかさんちゅう》地域や播磨《はりま》姫路藩領域のように潜在していた百姓自治が噴出することもあった。地域には「公儀」も民間もかかわった。現われ方はさまざまであったが、地域が領主支配ではくりきれない「治」の空間として機能しはじめた。これも一八世紀の到達点であった。

災害・開発・流通といった個別的な関係では対処できない公共的な課題が広がるなかで、それにふさわしい心性や倫理も培われるようになった。一八世紀の徳川日本では、公共的な空間は「世間」と呼ばれ、その倫理は「世間の義理」と意識された。「世間」は個別的で直接的な関係のない人びとが出会う場、つまり「無縁」の人びとが「有縁」となる場であり、「世間の義理」は「相身《あいみ》互《たが》い」・「相親相愛」の精神であった。儒学《じゅがく》でいえば「仁《じん》」、仏教でいえば「慈悲《じひ》」のこころであった。

徳川日本では、民百姓を成り立たせるための「治」が領主の役割とされた。そのための勧農《かんのう》や御《お》救《すくい》が領主の「仁政」として期待されていた。しかし、「公儀」や領主の公共機能が後退するなかで、実質的な「仁」の機能は民間に投げ出された。綱吉《つなよし》による「仁」や「慈悲」の教化は、それを先取りしていたともいえる。「世間」で「仁風」を期待されたのは、まずは民間の「治者」たちであった。彼らの多くは経済的にも「有徳人《うとくにん》」と呼ばれる富裕層であったが、同時に道徳的にも「有徳」

であることが求められた。「世間」は相互的な世界であったが、そのうちでの役割と地位とは明確に区別されていた。つまり、その相互性は「分相応《ぶんそうおう》」であることであった。だから「有徳人」にはその分相応の「仁」が求められたのだが、同じように一般の平人《へいにん》にもそれ相応の「仁」が求められる。流浪する宗教者に一宿一飯一銭を施すことも、民百姓に求められた「仁」であった。とすれば、「人《じん》外《がい》」である非人《ひにん》に身をやつす「非人躰《ひにんてい》」は、はからずも、「仁」の連鎖の最底辺から「公儀」や「世間」の実態をあぶりだすことになったに違いない。

「いのち」の一八世紀

徳川《とくがわ》日本で「いのち」を守るための最初にして最後の関係は「家」であった。非人に堕《お》ちることは、「家」から見捨てられることであり、「家」の崩壊の結果であった。一八世紀には、一方で野非《のひ》人《にん》や非人類似の無宿人などが増加した。都市の周縁で伸縮する非人世界や飢饉《ききん》に施行が行なわれる非人小屋は、「いのち」が最後に見きわめられる場であった。しかし他方で、この時期には庶民の「家」がしだいに存続するようになったのも事実である。一八世紀を通じて人口は停滞的であったが、その内実は激しく動いていた。ひじょうに大ざっぱにいって、この間数世代にわたって存続したのは、村や町のなかの半数ほどの「家」であった。半数ほどの「家」は消滅したわけだが、全体人口は変動しなかったのだから、存続した「家」が分家を繰り返すことによって人口や戸数が維持されたと考えられる。ひとつの村の宗門改帳《しゅうもんあらためちょう》を追っかけてみた観察でも、そのような感触を得ることができる。一部の「家」が存続し細胞分裂を繰り返す過程で、「家」存続に対する意識と意欲はいや増しに濃くなったに違いない。適当な比喩《ひゆ》ではないかもしれないが、抵抗力のある強いＤＮＡが受け継がれた。

徳川日本の「家」は、「夫婦かけむかい」の単婚小家族が中心であった。この「家」を存続させていくためには、日々経営の維持に努めるとともに、何代かにわたって世代交代をうまく行なわなければならない。そのためには夫婦を核にしながら、それぞれの構成員の地位と役割が明確にされ、全員がそれを果たさなければならない。そのなかで、成年男子だけでなく女性・子ども・老人の「いのち」が大切にされるようになる。さまざまな工夫や知恵が蓄積され、女性・子ども・老人が生きられるようになる。厳しい自然的・社会的環境のもとで、「家」を存続させる。時代の底流に流れていたのは、「家」とともに生きようとする意志と努力であった。

一八世紀の徳川日本は、記録の時代でもあった。幕府・藩・地域・村・町・「家」において、その過去と現在を記録する作業がいっせいに起こった。その作業は、それぞれの組織や集団を維持管理し存続させるために、つまりは「治」のシステムのために有用なものであった。と同時に、それは構成員の組織や集団への帰属意識、構成員相互の一体感を醸成するものでもあった。何度も繰り返しているように、組織や集団に属することは「いのち」が守られることであった。その組織や集団との一体感を感じるなかで、人びとは自己の存在意義を確認していた。しかし、組織や集団の記録は、その内部に閉じたものではなかった。いつか将来には「公議」の俎上《そじょう》にのぼることが意識されはじめていた。「公議」は「世間」の評判であり、歴史的評価である。「世論」といいかえてもよい。「公儀」と呼ばれた幕府や藩も、「世間」の「公議」からまぬがれることはできない。社会のさまざまな場面に公共空間としての「世間」が広がり、集団も個人もそのなかで生きることになった。

一八世紀人・杉田玄白の見通し

天明《てんめい》の江戸打ちこわしと松平定信《まつだいらさだのぶ》の登場から二〇年後の文化《ぶんか》四年（一八〇七）、杉田玄白《すぎたげんぱく》は『野叟《やそう》独語《どくご》』を著わした。「田舎老人の独り言」という意味だが、「他見無用《たけんむよう》」の秘書であった。一八世紀を生き抜いた玄白は、七五歳になっていた。

『後見草《のちみぐさ》』に定信登場を「世直り」と記したのは、やはり仮初《かりそ》めのことであった。それ以降も、天明八年（一七八八）の京都大火による禁裏《きんり》炎上に始まり、文化四年の大雨風による「日光御祭礼大《にっこうごさいれいおお》荒《あれ》」まで、「天変地妖《てんぺんちよう》」の絶えることはなかった。「是皆天《これみなてん》より人に心を改めよとの御知らせなるべし」。この間玄白は、西洋医学の修得と治療活動に専念していたが、こころのなかでは天譴《てんけん》論も危機意識も持続していた。それどころか近年では「乱《らん》の萌《きざし》」さえみられる。その第一のものが「魯西亜《ロシア》国の外患《がいかん》」だ。二年前に幕府がレザノフの通商要求を拒否したことから緊張が高まっていた。

ロシアの対外膨張は、いまに始まったことではない。昔はモスコビアの一王国にすぎなかったものが、四、五代前の「英主ペテルデゴロート」（ピョートル大帝）が近国を切り従えて「帝位」に就き、いまでは「世界第一の強盛《きょうせい》の大邦」になったという。玄白は、蘭学者《らんがくしゃ》仲間の交流を通じてロシアやイギリスをはじめとしたヨーロッパ諸国の事情に通じていた。ロシアの要求に対してとるべき策は、「交易御免」か「合戦」かのいずれかだ。しかし、現在の「老廃せし我国弱兵」をもって、「常に軍事を操練し」「血気壮《さかり》の最中」であるロシアの「強兵」に敵することはできない。しかも戦闘が長引いて塗炭《とたん》の苦しみが続けば、「百姓徒党」し、諸侯も軍役に疲れて「内乱」になるだろう。ここはひとまず「交易」を許して、その間に国力の充実を図るしかない。玄白のなかにのちの「開国」路線はすでに芽生えていた。

さらに玄白はいう。国力充実をめざす改革のためには、現在のままではだめだ。「賢明の人」を登用しなければならない。多くの大名の内には賢人は必ずいる。この賢人は「諸人」の投票によって「人望多き方」に決めるべきだ。譜代《ふだい》とか外様《とざま》とかにこだわらず、とにかく御用に立つべき人材を「撰挙《せんきよ》」すべきだ。玄白は「諸人」の内容を具体的には示さないが、大名や幕府の奉行衆が想定されていただろう。「公儀」における「首相」選挙といってよい。幕末の諸侯会議構想につながるだろうか。ただし、これも「夢物語」。ある夜の影法師との問答。「必々《かならずかならず》他人に聞《きか》せ玉《たま》うな」といって影法師は消えた。

一九世紀初頭の徳川日本は、内と外から大きく揺さぶられていた。「野叟《やそう》」となった一八世紀人・杉田玄白の見通しは正しかっただろうか。

• 西山松之助「火災都市江戸の実態」西山松之助編『江戸町人の研究　第五巻』吉川弘文館、1978 年
• 林基『近世民衆史の史料学』青木書店、2001 年
• 広末保『辺界の悪所』平凡社、1973 年
• 南和男『幕末江戸社会の研究』吉川弘文館、1978 年
• 宮田登『近世の流行神』評論社、1872 年
• 宮本常一『忘れられた日本人』岩波書店、1984 年
• 妻鹿淳子「備前藩における非人と日蓮宗不受不施派について」『日本史研究』208、1979 年
• 守屋毅『近世芸能興行史の研究』弘文堂、1985 年
• 横田冬彦「近世の学芸」『日本史講座 6　近世社会論』東京大学出版会、2005 年
• 吉田伸之『日本の歴史 17 成熟する江戸』講談社、2002 年

第六章

• 青木美智男『近世非領国地域の民衆運動と郡中議定』ゆまに書房、2004 年
• 岩田浩太郎『近世都市騒擾の研究』吉川弘文館、2004 年
• 岩橋勝「小額貨幣と経済発展」『社会経済史学』57-2、1991 年
• 岩橋勝「江戸期貨幣制度のダイナミズム」『金融研究』17-3、1998 年
• 江藤彰彦「福岡藩における記録仕法の改革」西南地域史研究会編『西南地域の史的展開〈近世編〉』思文閣出版、1988 年
• 大石慎三郎『大岡忠相』岩波書店、1974 年
• 大石学「享保改革と社会変容」『日本の時代史 16 享保改革と社会変容』吉川弘文館、2003 年
• 大友一雄『江戸幕府と情報管理』臨川書店、2003 年
• 大野瑞男校注『榎本弥左衛門覚書』平凡社、2001 年
• 倉地克直『性と身体の近世史』東京大学出版会、1998 年
• 古賀康士「備中地域における銭流通」『岡山地方史研究』99、2002 年
• 定兼学『近世の生活文化史』清文堂出版、1999 年
• 高尾一彦『国民の歴史 13 江戸幕府』文英堂、1969 年
• 鶴岡実枝子「日本近世紙幣史管見」『史料館研究紀要』24、1993 年
• 冨善一敏「民間文書管理の進展」『日本の時代史 16 享保改革と社会変容』吉川弘文館、2003 年
• 中野美智子『岡山の古文献』日本文教出版、1988 年
• 長光徳和編『備前備中美作百姓一揆 史料集第 1 巻』国書刊行会、1978 年
• 西垣晴次『ええじゃないか』新人物往来社、1973 年
• 藤谷俊雄『「おかげまいり」と「ええじゃないか」』岩波書店、1968 年
• 藤本隆士「徳川期における小額貨幣」『社会経済史学』57-2、1991 年
• 宮田登『ミロク信仰の研究』未来社、1975 年
• 安国良一「貨幣の機能」『岩波講座日本通史 近世 2』岩波書店、1994 年
• 安田健『江戸諸国産物帳』晶文社、1987 年
• 安丸良夫『日本ナショナリズムの前夜』朝日新聞社、1977 年
• 吉井町史編纂委員会編『吉井町史 第一巻』岡山県吉井町、1995 年

全編にわたるもの

• 朝尾直弘『将軍権力の創出』岩波書店、1994 年
• 笠谷和比古『近世武家社会の政治構造』吉川弘文館、1993 年
• 菊池勇夫『近世の飢饉』吉川弘文館、1997 年
• 北原糸子『都市と貧困の社会史』吉川弘文館、1995 年
• 倉地克直『近世の民衆と支配思想』柏書房、1996 年
• 高埜利彦「一八世紀前半の日本」『岩波講座日本通史 近世 3』岩波書店、1994 年
• 谷口澄夫『岡山藩政史の研究』塙書房、1964 年
• 塚本学『生きることの近世史』平凡社、2001 年
• 中井信彦『転換期幕藩制の研究』塙書房、1971 年
• 林基『国民の歴史 16 享保から寛政へ』文英堂、1971 年
• 尾藤正英『江戸時代とはなにか』岩波書店、1992 年
• 安丸良夫『日本の近代化と民衆思想』青木書店、1974 年
• 脇田修『元禄時代』塙書房、1980 年

第三章

• 伊藤信『宝暦治水と薩摩藩士』鶴書房、1954年
• 牛島正『宝暦治水』風媒社、2007年
• 大石慎三郎『田沼意次の時代』岩波書店、1991年
• 大石慎三郎『天明三年浅間大噴火』角川書店、1986年
• 落合功「国益思想の形成と池上幸豊」『日本歴史』641、2001年
• 賀川隆行『江戸幕府御用金の研究』法政大学出版会、2002年
• 岐阜県『岐阜県史 通史編 近世上』大衆書房、1981年
• 高橋啓「徳島藩の中期藩政改革について」後藤陽一編『瀬戸内海地域の史的展開』福武書店、1978年
• 長野暹「藩政改革論」『講座日本近世史5 宝暦天明期の政治と社会』有斐閣、1988年
• 平川新「地域経済の展開」『岩波講座日本通史 近世5』岩波書店、1995年
• 藤田覚『田沼意次』ミネルヴァ書房、2007年
• 藤田貞一郎『国益思想の系譜と展開』清文堂出版、1998年
• 吉永昭・横山昭男「国産奨励と藩政改革」『岩波講座日本歴史 近世3』岩波書店、1976年
• 渡辺尚志『浅間山大噴火』吉川弘文館、2003年

第四章

• 朝尾直弘「十八世紀の社会変動と身分的中間層」『日本の近世10 近代への胎動』中央公論社、1993年
• 磯田道史『近世大名家臣団の社会構造』東京大学出版会、2003年
• 今井宏栄・倉地克直「近世の女性と婚姻」『岡山地方史研究』57、1988年
• 太田素子『子宝と子返し』藤原書店、2007年
• 大藤修『近世農民と家・村・国家』吉川弘文館、1996年
• 川鍋定男「江戸時代、隠居・老人の扶養と村・地域社会」『日本地域社会の歴史と民俗』雄山閣、2003年
• 倉地克直「近世後期の農民家族」『岡山地方史研究』76、1994年
• 倉地克直「変わる家族」倉地克直ほか編『男と女の過去と未来』世界思想社、2000年
• 沢山美果子『出産と身体の近世』勁草書房、1998年
• 沢山美果子『性と生殖の近世』勁草書房、2005年
• 菅原憲二「近世京都の町と捨子」『歴史評論』422、1985年
• 菅原憲二「老人と子供」『岩波講座日本通史 近世3』岩波書店、1994年
• 永田メアリー「直系家族システムにおける労働移動」落合恵美子編『徳川日本のライフコース』ミネルヴァ書房、2006年
• 成松佐恵子『近世東北農村の人びと』ミネルヴァ書房、1985年
• 速水融『江戸の農民生活史』日本放送出版協会、1988年
• 速水融「歴史人口学と家族史の交差」速水ほか編『歴史人口学のフロンティア』東洋経済新報社、2001年
• 平川新「忘れられた伝統—みちのくの姉家督をめぐって—」『米沢史学』16、2000年
• 真下道子「出産・育児における近世」『日本女性生活史3 近世』東京大学出版会、1990年
• 宮下美智子「農村における家族と婚姻」『日本女性史3 近世』東京大学出版会、1982年
• 妻鹿淳子『近世の家族と女性 善事褒賞の研究』清文堂出版、2008年
• 森下徹『武家奉公人と労働社会』山川出版社、2007年
• 谷田部真理子「赤子養育仕法について」渡辺信夫編『宮城の研究4』清文堂出版、1983年
• 柳谷慶子『近世の女性相続と介護』吉川弘文館、2007年
• 横田武子「福岡藩における産子養育制度」『福岡県地域史研究』14、1996年

第五章

• 浅野秀剛・吉田伸之編『大江戸日本橋絵巻』講談社、2003年
• 阿部謹也『「世間」とは何か』講談社、1995年
• 網野善彦『無縁・公界・楽』平凡社、1978年
• 池上彰彦「江戸火消制度の成立と展開」西山松之助編『江戸町人の研究 第五巻』吉川弘文館、1978年
• 倉敷市史研究会編『新修倉敷市史 近世下』倉敷市、2003年
• 倉地克直「延宝・天和期岡山藩の「非人」について」『岡山大学文学部紀要』3、1982年
• 子安宣邦『伊藤仁斎』東京大学出版会、1982年
• 今田洋三「元禄享保期における出版資本の形成とその歴史的意義について」『ヒストリア』19、1957年
• 今田洋三『江戸の本屋さん』日本放送出版協会、1977年
• 今田洋三『江戸の禁書』吉川弘文館、1981年
• 斎藤修『商家の世界・裏店の世界』リブロポート、1987年
• 桜井徳太郎「結衆の原点」鶴見和子ほか編『思想の冒険』筑摩書房、1974年
• 高尾一彦『近世の庶民文化』岩波書店、1968年
• 田原嗣郎『赤穂四十六士論』吉川弘文館、1978年
• 塚田孝『近世身分制と周縁社会』東京大学出版会、1997年
• 塚田孝『近世大坂と非人』山川出版社、2001年

参考文献

はじめに

- 鬼頭宏『日本二千年の人口史』PHP研究所、1983年
- 木村礎『近世の新田村』吉川弘文館、1964年
- 小林茂文『ニッポン人異国漂流記』小学館、2000年
- 中井久夫「戦争と平和についての観察」『樹をみつめて』みすず書房、2006年
- 中野美智子・頭士倫典「美作津山藩被差別部落関係史料（2） 人口関係資料」『岡山部落解放研究所紀要』3、1985年
- 速水融『歴史人口学で見た日本』文藝春秋、2001年
- 藤田覚『近世の三大改革』山川出版社、2002年

第一章

- 伊藤和明『地震と噴火の日本史』岩波書店、2002年
- 伊原敏郎『歌舞伎年表 第一巻』岩波書店、1956年
- 大森映子「大名課役と幕藩関係」『歴史学研究・別冊特集』1978年
- 岡山県『岡山県史 近世1』山陽新聞社、1984年
- 笠谷和比古「宝永五年の『国役普請』をめぐって」『日本史研究』162、1976年
- 神奈川県県民部県史編集室編『神奈川県史 各論編3』神奈川県、1980年
- 杉本史子『領域支配の展開と近世』山川出版社、1999年
- 杣田善雄『幕藩権力と寺院・門跡』思文閣出版、2003年
- 塚本学『生類をめぐる政治』平凡社、1983年
- 塚本学『徳川綱吉』吉川弘文館、1998年
- 辻達也「幕政の新段階」『岩波講座日本歴史 近世3』岩波書店、1965年
- 所理喜夫『徳川将軍権力の構造』吉川弘文館、1984年
- 永原慶二『富士山宝永大爆発』集英社、2002年
- 奈良国立博物館編『特別展・東大寺公慶上人』、2005年
- 藤井学『法華文化の展開』法蔵館、2002年
- 村田路人『近世広域支配の研究』大阪大学出版会、1995年
- 森杉夫「代官所機構の改革をめぐって」『大阪府立大学紀要』13、1960年

第二章

- 朝尾直弘『近世封建社会の基礎構造』お茶の水書房、1967年
- 池内長良「幕府の享保飢饉における幕府領・私領への救済」『歴史地理学』145、1989年
- 池内長良「近畿地方における享保一七年の蝗害と取箇の分布」『歴史地理学』173、1995年
- 内池英樹「近世義倉組織の一考察」『岡山地方史研究』80・81、1996年
- 大石慎三郎『享保改革の経済政策』お茶の水書房、1961年
- 大野瑞男『江戸幕府財政史論』吉川弘文館、1996年
- 岡山県『岡山県史 近世2』山陽新聞社、1985年
- 笠谷和比古『徳川吉宗』筑摩書房、1995年
- 菊池勇夫『飢饉の社会史』校倉書房、1994年
- 菊池勇夫『菅江真澄』吉川弘文館、2007年
- 黒正巌「旧岡山藩の社倉法に就いて」『経済史論考』岩波書店、1923年
- 田中圭一『百姓の江戸時代』筑摩書房、2000年
- 津田秀夫『近世民衆教育運動の展開』お茶の水書房、1978年
- 西日本文化協会編『福岡県史 通史編(4) 福岡藩2』福岡県、2002年
- 林基『松波勘十郎捜索』上・下、平凡社、2007年
- 兵庫県史編集専門委員会編『兵庫県史 第四巻』兵庫県、1979年
- 平川新「『郡中』公共圏の形成」『日本史研究』511、2005年
- ひろたまさき・坂本忠次編『神と大地のはざまで』三省堂、1984年
- 深井雅海『徳川将軍政治権力の研究』吉川弘文館、1991年
- 深谷克己『百姓成立』塙書房、1993年
- 保坂智『百姓一揆と義民の研究』吉川弘文館、2006年
- 前島郁雄「歴史時代の気候復元」『地学雑誌』93-7、1984年
- 源了圓『日本の禅語録17 鉄眼』講談社、1979年
- 宮崎県『宮崎県史 通史編 近世下』、2000年
- 柳谷慶子「江戸幕府城詰米制の機能」『史学雑誌』96-12、1987年
- 藪田貫『国訴と百姓一揆の研究』校倉書房、1993年
- 山田忠雄『一揆打毀しの運動構造』校倉書房、1984年
- 吉田伸之『近世巨大都市の社会構造』東京大学出版会、1991年

スタッフ一覧

口絵レイアウト	姥谷英子
校正	オフィス・タカエ
図版・地図作成	蓬生雄司
写真撮影	西村千春
索引制作	小学館クリエイティブ
編集長	清水芳郎
編集	一坪泰博
	阿部いづみ
	宇南山知人
	水上人江
	田澤泉
編集協力	青柳亮
	小西むつ子
	林まりこ
	原淳一郎
月報編集協力	㈲ビー・シー
	関屋淳子
	藤井恵子
制作	大木由紀夫
	山崎法一
資材	横山肇
宣伝	中沢裕行
	後藤昌弘
販売	永井真士
	奥村浩一
協力	株式会社モリサワ

所蔵先一覧

所蔵先と写真提供者、撮影者が異なる場合は、（　）内にその旨を明記した。

カバー・表紙

大乗寺

口絵

1・2・5東京国立博物館（提供：TNM Image Archives）／3山形美術館（長谷川コレクション）／4山口県立萩美術館・浦上記念館／6個人蔵（提供：兵庫県立歴史博物館）／7ベルリン国立アジア美術館／8蔭凉寺（提供：東方出版）

はじめに

1和歌山市立博物館／2千代田区／3読売新聞社／4東京都教育委員会／5天理大学附属天理図書館／6相国寺／7早稲田大学図書館／8京都大学附属図書館／9林原美術館

第一章

1・14国立国会図書館／2・5長谷寺／3国立国会図書館ホームページ／4崇福寺／6日光山輪王寺宝物殿／7岡山県立博物館／8・11国立公文書館／9西方院（提供：奈良国立博物館）／10東大寺／12玄福寺（提供：秋田県立博物館）／13個人蔵（提供：新潟県立歴史博物館）／（コラム）提供：岡山県

第二章

1会津美里町教育委員会／2個人蔵（提供：群馬県立歴史博物館）／3津山市教育委員会／4毛利博物館／5三原家（提供：白山文化博物館）／6成願寺（提供：日向市教育委員会）／7提供：念佛寺／8個人蔵（提供：兵庫県立歴史博物館）／9林原美術館／10国立国会図書館／11宝蔵院（撮影：中田昭）／12撮影：倉地克直／13岩手県立図書館（提供：川嶋印刷）／14早稲田大学図書館／15国立公文書館／16秋田県立博物館／17仙台市博物館

第三章

1個人蔵／2海蔵寺／3船橋市西図書館／4群馬県立歴史博物館／5嬬恋郷土資料館／6個人蔵（提供：大阪歴史博物館）／7国立公文書館／8大覚寺／9勝林寺／10上杉神社／11・13九州大学附属図書館／12・（コラム）東京国立博物館（提供：TNM Image Archives）

第四章

1本間美術館／2・9個人蔵（提供：石川県立歴史博物館）／3・16国立国会図書館／4岡山大学附属図書館／5個人蔵（提供：岡山県立博物館）／6撮影：鶴田国次／7埼玉県立歴史と民俗の博物館／8法明寺（撮影：三上七生）／10サントリー美術館／11出光美術館／12国立国会図書館ホームページ／13小松市立博物館／14山口県立萩美術館・浦上記念館／15白鬚神社（撮影：宮本剛義）／（コラム）個人蔵

第五章

1三井文庫／2ベルリン国立アジア美術館／3・4・10国立国会図書館／5神宮徴古館農業館／6平木浮世絵美術館／7東京国立博物館（提供：TNM Image Archives）／8国立公文書館／9千葉市美術館／11旧閑谷学校顕彰保存会／12天理大学附属天理図書館／13回向院／14智恩寺／（コラム）国立国会図書館

第六章

1東山白山神社(提供：高山市郷土館)／2・3・4・5・6・7・8・9・10・11日本銀行金融研究所貨幣博物館／12・17・19岡山大学附属図書館／13ときがわ町教育委員会／14国立公文書館／15・26東京国立博物館(提供:TNM Image Archives)／16個人蔵／18山口県文書館／20ベルリン国立アジア美術館／21山口県立萩美術館・浦上記念館／22個人蔵（提供：富士吉田市歴史民俗博物館）／23提供：成田市教育委員会／24神宮徴古館農業館／25岡山県立図書館／27早稲田大学図書館／（コラム）天理大学附属天理図書館

西暦	年号 干支	天皇	将軍	日本	世界
1765	2 乙酉	後桜町	徳川家治	5 幕府、江戸神田に医学館（躋寿館）設立を許可。9 幕府、五匁銀を新鋳。この年、鈴木春信、錦絵を創始。	イギリス、印紙法制定。
1766	3 丙戌			6 幕府、大坂に銅座を設置し、諸国の産銅を回送させる。7 徳島藩、藍玉仕法改革、大坂藍商人と対立。	イギリス、印紙法撤回。清、ビルマに遠征。
1767	4 丁亥			7 田沼意次、側用人となる。8 幕府、山県大弐・藤井右門を処刑し、竹内式部を流罪（明和事件）。10 幕府、間引きを禁止。この年、米沢藩主上杉治憲、藩政改革を始める。	インド、第 1 次マイソール戦争（～1769 年）。
1768	5 戊子			4 幕府、真鍮銭（四文銭）を鋳造。この年、仙台藩、砂鉄銭を鋳造。	イギリス、クック、太平洋探検航海に出発。
1769	6 己丑			2 幕府、百姓徒党強訴の取り締まりを命じる。8 田沼意次、老中格となる。この年、備中倉敷村の義倉始まる。	イギリスでアークライト、水力紡績機発明。
1770	7 庚寅	後桃園		4 幕府、徒党・強訴・逃散を禁じ、訴人褒賞の高札を立てる。	北米、ボストンで大虐殺。
1771	8 辛卯			この年、ロシアから逃亡したハンガリー人ベニョフスキーがロシアの日本進出を警告した書簡を送る。御蔭参り流行。	イギリス、『ブリタニカ百科辞典』刊行。
1772	安永 1 壬辰			1 田沼意次、老中になる。2 江戸に大火（目黒行人坂火事）。4 内藤新宿再興。9 幕府、南鐐二朱銀を鋳造。この年、幕府、樽廻船問屋株を公認。	ポーランド第 1 次分割。
1773	2 癸巳			4 飛騨国で再検地反対の一揆（大原騒動）。幕府、菱垣廻船問屋株を公認。9 幕府、江戸炭薪仲買組合を定める。	ボストン茶会事件。
1774	3 甲午			8 杉田玄白・前野良沢ら『解体新書』刊行。9 幕府、江戸・伏見の鉄銭鋳造を停止し、真鍮銭鋳造を半減。	フランス、ルイ 16 世即位。
1775	4 乙未			4 幕府、諸大名参勤時の従者数を制限。この年、恋川春町『金々先生栄花夢』刊行。	アメリカ独立戦争始まる（～ 1783 年）。
1776	5 丙申			3 幕府、対馬藩に朝鮮貿易の手当として年額 1 万 2000 両の支給を決定。11 平賀源内、エレキテルを完成。	アメリカ、独立宣言を決議。
1777	6 丁酉			5 幕府、百姓がみだりに江戸奉公稼ぎに出ることを禁止。	北米、サラトガの戦い。
1778	7 戊戌			3 幕府、俵物生産を奨励。6 ロシア船、蝦夷地に来航して松前藩に通商を要求。この年、三原山大噴火。	フランス、アメリカ独立戦争に参加。
1779	8 己亥	光格		1 幕府、鋳造量が増加した南鐐二朱銀だけでなく、金の通用も命じる。10 桜島噴火。	イギリスでミュール紡績機発明。
1780	9 庚子			8 幕府、大坂に鉄座、江戸・大坂・京都に真鍮座を設置。	マリア・テレジア没。
1781	天明 1 辛丑			1 津山藩で間引き取締り仕法始まる。8 上州絹一揆、起こる。	清、甘粛でイスラム教徒反乱。
1782	2 壬寅			この春以降、諸国に洪水。8 幕府、印旛沼の干拓に着手。	タイ、ラーマ 1 世即位。
1783	3 癸卯			7 浅間山大噴火。大黒屋光太夫らカムチャツカに漂着。11 田沼意知、若年寄となる。この年、東日本で大飢饉（天明の大飢饉）。大槻玄沢『蘭学階梯』完成。	イギリス、パリ条約によりアメリカ独立を承認。
1784	4 甲辰			3 佐野政言、江戸城殿中で田沼意知を刺す。8 幕府、大坂の二十四組江戸積問屋株を公認。この年、諸国大飢饉。	ドイツ、ツンベルク『日本植物誌』刊行。
1785	5 乙巳			2 山口鉄五郎ら、蝦夷地調査に出発。この年、林子平『三国通覧図説』完成。能登邑知潟新田、幕府領として開発。	イギリスのカートライト、力織機を発明。
1786	6 丙午			6 幕府、大坂に貸金会所を設け、全国に御用金を命じる。7 関東・陸奥に大洪水。8 幕府、田沼意次を罷免。	ベトナム、阮氏が南北統一。
1787	7 丁未		徳川家斉	4 徳川家斉、11 代将軍となる。5 江戸など各地で打ちこわし。6 松平定信、老中となる。7 幕府、寛政の改革に着手。8 幕府、諸大名・旗本らに 3 か年の倹約令。9 幕府、鉄座・真鍮座を廃止。	アメリカ、合衆国憲法制定会議。第 2 次露土戦争（～1792 年）。

西暦	年号 干支	天皇	将軍	日本	世界
1739	4 己未	桜町	徳川吉宗	2 鳥取藩大一揆。3 美作国非人騒動起きる。幕府、青木昆陽を登用。5 陸奥・安房などの沿海にロシア艦隊出没。	オーストリアとオスマン帝国、講和。
1742	寛保 2 壬戌			4『公事方御定書』完成。8 関東地方に大水害。11 幕府、産銅不足のため、長崎貿易額を半減。	フランス、デュプレクス、インド総督となる。
1744	延享 1 甲子			6 幕府、田畑永代売買の禁令を緩和。9 神尾春央、畿内・中国筋を巡見。この年、幕府の年貢収納高が最高となる。11『御触書寛保集成』完成。	フランス、イギリスに宣戦してオーストリア継承戦争に参加。
1745	2 乙丑		徳川家重	4 摂津・河内国の百姓、年貢増徴に反対して公家・朝廷へ越訴。10 老中松平乗邑、罷免される。	アラビア、サウード家、ワッハーブ派を保護。
1746	3 丙寅			3 幕府、長崎貿易を、オランダ船2隻、中国船10隻に制限。	
1747	4 丁卯	桃園		9 幕府、鳥取藩ら6大名に東海道筋の河川修復を命じる。この年、松江藩で松平宗衍による藩政改革始まる。	清、金川の乱（～1749年）。
1748	寛延 1 戊辰			8 竹田出雲ら作『仮名手本忠臣蔵』初演。10 出羽騒動。	アーヘンの和約。
1749	2 己巳			5 幕府、定免制の全面施行を命じる。8 関東に大風雨。	
1750	3 庚午			1 幕府、百姓の強訴・徒党・逃散を厳禁。12 幕府で予算制度が導入される。	朝鮮、均役法施行。
1751	宝暦 1 辛未			6 徳川吉宗没。7 田沼意次、側用取次となる。	
1752	2 壬申			8 幕府、東国33か国に適正な秤の使用を再令し、西国通用秤との混用を禁止。12 琉球使節、将軍家重に拝謁（恩謝使）。	イギリス、グレゴリウス暦を採用。
1753	3 癸酉			4 幕府、諸大名に江戸廻米量の報告と、1万石につき籾1000俵の囲い米を命じる。12 幕府、木曾川改修工事を鹿児島藩に命じる。	イギリス、大英博物館設立。
1754	4 甲戌			閏2 山脇東洋ら、京都で死体解剖。8 郡上藩領の百姓、検見取に対して強訴（宝暦郡上一揆）。10 貞享暦を廃し、西川正休らの宝暦暦を採用。	北米、イギリス領でオルバニー会議開催。
1755	5 乙亥			7 朝鮮貿易不振により、幕府、対馬藩に年額1万両を下賜。この年、奥羽に大飢饉。建部清庵『民間備荒録』完成。	リスボンで大地震。朝鮮で大飢饉。
1756	6 丙子			5 大岡忠光、側用人となる。6 米価高騰につき、幕府、米商の囲置・占売を禁止。	ヨーロッパ、七年戦争始まる（～1763年）。
1758	8 戊寅			6 幕府、備前備中の国境争論を裁許。7 幕府、竹内式部を捕らえ、公家17名を処罰（宝暦事件）。9 田沼意次、大名に列せられ、評定所に出座。12 徳川家重の子重好、清水家を興す。幕府、国役普請制度を再開。	フランス、ケネー『経済表』刊行。
1759	9 己卯			2 山県大弐『柳子新論』完成。この年、山脇東洋『蔵志』刊行。	イギリス、ケベック占領。
1760	10 庚辰		徳川家治	2 江戸に連日の大火。7 幕府、諸大名に1万石につき籾1000俵の備蓄を命じる。賀茂真淵『万葉考』完成。この年、大坂に繰綿延売買会所を設立。	イギリス、ジョージ3世即位。
1761	11 辛巳			12 上田藩の百姓、年貢などの減免を要求して強訴（上田騒動）。幕府、大坂商人に買米のための御用金を命じる。	インド、パーニーパットの戦い。
1762	12 壬午	後桜町		2 飯田藩の百姓、御用金賦課などに反対して打ちこわし（千人講騒動）。5 幕府、徳川（清水）重好に10万石を与える。	ロシア、エカテリーナ2世即位。
1763	13 癸未			3 幕府、諸国の銅山を調査。11 幕府、江戸神田に朝鮮人参座を設置。	パリ条約などで七年戦争終結。
1764	明和 1 甲申			2 平賀源内、火浣布を創製。3 長崎貿易不振につき、幕府、俵物の生産を奨励。閏12 武蔵・上野などの百姓、伝馬助郷役増徴に反対して蜂起（伝馬騒動）。	アメリカ、関税法成立。イギリスで紡績機が発明される。

西暦	年号 干支	天皇	将軍	日本	世界
1713	3 癸巳	中御門	徳川家継	1 貝原益軒『養生訓』完成。3 幕府、人宿組合を廃止。4 幕府領で大庄屋が廃止される。	スペイン継承戦争終結(ユトレヒト条約)。
1714	4 甲午			1 江島・生島事件。2 幕府、抜け荷を厳禁。5 幕府、金銀貨を改鋳(正徳金銀)。	イギリス、ステュアート朝断絶。
1715	5 乙未			1 幕府、正徳長崎新令(海舶互市新令)を定め、金銀の流出を防ぐ。この年、新井白石『西洋紀聞』完成。	フランス、ルイ 14 世没。
1716	享保 1 丙申		徳川吉宗	4 徳川家継没。5 徳川吉宗、間部詮房・本多忠良・新井白石らを解任。8 徳川吉宗、8 代将軍となる(享保の改革始まる)。9 幕府、鷹場を復活。	イギリス、7 年議会法制定。清、『康熙字典』完成。
1717	2 丁酉			2 幕府、大岡忠相を江戸町奉行に任じる。5 土橋友直ら、平野郷町に含翠堂を開く。	チベット大乱(～1720 年)。
1718	3 戊戌			閏 10 幕府、新古金銀の引替規則を定める。11 琉球の慶賀使、将軍吉宗に拝謁。この年、御蔭参り流行。	オスマン帝国とオーストリア、パサロヴィッツ条約で講和。
1719	4 己亥			11 幕府、金銀貸借・買掛けなどの訴訟を受理しないことを定める(相対済し令)。	清、『皇輿全覧図』完成。
1720	5 庚子			3 江戸に大火。5 幕府、大河川につき国役普請制度を始める。8 幕府、江戸町火消いろは 47 組を設置。12 近松門左衛門作『心中天の網島』初演。	清、チベットを占領。
1721	6 辛丑			2 田中丘隅『民間省要』完成。6 幕府、諸国の戸口の調査を命じる。8 幕府、評定所門前に目安箱を設置。江戸市中の商人・職人に組合結成を命じる。	北方戦争終結。
1722	7 壬寅			7 幕府、上米の制を定める。新田開発を奨励。11 出版取締りを強化。12 幕府、小石川薬園内に養生所を設置。この年、定免制・有毛検見取法の採用広がる。	イラン、サファヴィー朝滅亡始まる。
1723	8 癸卯			6 幕府、足高の制を定める。11 代官見立新田始まる。	清、キリスト教を禁止。
1724	9 甲辰			2 幕府、米価下落につき、諸物価引き下げを命じる。3 大坂に大火。6 幕府、諸大名・幕臣に倹約令を出す。	オスマン帝国、ペルシャに出兵。
1725	10 乙巳			10 幕府、諸国代官所の経費を定め、口米を廃止。11 幕府、江戸商人に買米を命じ、大坂に米会所の設置を許可。	清、『古今図書集成』刊行。
1726	11 丙午			6 酒匂川文命堤完成。12 津山藩で山中一揆起きる。幕府、諸物価・銭相場の引き下げを命じる。	スウィフト『ガリバー旅行記』刊行。
1727	12 丁未			2 幕府、堂島米会所の設置を許可するが、堂島の米仲買らが反対。9 幕府、大坂町奉行所門前に目安箱を設置。	ロシアと清、キャフタ条約。ニュートン没。
1729	14 己酉			3 陸奥国幕府領の百姓、一揆を起こす。太宰春台『経済録』完成。12 幕府、相対済し令を廃止。	清、イギリス商船と貿易。
1730	15 庚戌			2 江戸の人宿組合が再結成される。6 幕府、藩札禁止を解除。8 幕府、諸大名に囲い米を命じる。幕府、大坂堂島仲買人に米相場を公認。11 田安家創始。	オスマン帝国で、パトローナ・ハリルの乱起こる。
1731	16 辛亥			6 幕府、大坂の富商に買米を命じる。	清、アヘン禁止。
1732	17 壬子			この秋、西国に蝗害による大飢饉(享保の飢饉)。	清、軍機処設置。
1733	18 癸丑			1 米価騰貴で、江戸の窮民、米問屋高間伝兵衛を襲撃。	ポーランド継承戦争。
1734	19 甲寅			8 幕府、幕府領一揆鎮圧のため、近隣諸藩の出兵要請許可。	ロシア、『日本誌』刊行。
1735	20 乙卯	桜町		2 青木昆陽『蕃薯考』刊行。5 蓑笠之助、文命堤を復旧。	清、乾隆帝即位。
1736	元文 1 丙辰			5 幕府、正徳金銀を改鋳(元文金銀)。6 幕府、産銅減少のため、長崎来航の中国船を年間 25 隻に制限。	オスマン帝国、ロシア・オーストリアと開戦。
1737	2 丁巳			6 松平乗邑、勝手掛老中となり、神尾春央、勘定奉行となる。	メディチ家断絶。
1738	3 戊午			4 幕府、大坂に銅座を設置し、諸国の産銅を扱わせる。	

年表

西暦	年号 干支	天皇	将軍	日本	世界
1680	延宝 8 庚申	霊元	徳川綱吉	8 徳川綱吉、5代将軍となる。堀田正俊、勝手掛老中となる。12 大老酒井忠清を罷免。	朝鮮で庚申の大獄。
1681	天和 1 辛酉			6 綱吉、越後騒動を裁定し、松平光長を改易。12 幕府、堀田正俊を大老に、牧野成貞を側用人に任じる。	清、海禁を解く。北米にペンシルヴァニア植民地を建設。
1682	2 壬戌			2 前年より諸国飢饉。5 諸国に忠孝札。6 幕府、勘定吟味役を創設。12 江戸に大火（八百屋お七の火事）。	清、尚貞を琉球国王に封じる。
1683	3 癸亥			5 三井高利、江戸に両替店を開く。7 幕府、武家諸法度を改定。	清、台湾を領有。
1684	貞享 1 甲子			2 幕府、服忌令を制定。8 若年寄稲葉正休、大老堀田正俊を江戸城中で刺殺。10 幕府、貞享暦に改め、翌年採用。11 幕府、出版統制令。12 渋川春海、初代天文方となる。	オーストリア・ヴェネツィア・ポーランド、対オスマン神聖同盟結成。
1685	2 乙丑			8 幕府、長崎貿易額を定める定高仕法を発令。	清、ロシアと衝突。
1686	3 丙寅			6 井原西鶴『好色一代女』刊行。8 幕府、長崎奉行の定員を 3 名とする。10 松本藩、加助騒動。	ロシア、対オスマン神聖同盟に参加。
1687	4 丁卯	東山		1 幕府、生類憐みの令を発令（1708〔宝永 5 年〕まで繰り返し発令）。6 幕府、キリシタン類族改を命じる。	オーストリア、オスマン帝国を破る。
1688	元禄 1 戊辰			11 柳沢吉保（保明）、側用人となる。	イギリス、名誉革命。
1691	4 辛未			1 林鳳岡、大学頭になる。4 幕府、日蓮宗悲田派を禁止。	
1694	7 甲戌			4 賀茂の葵祭再興。12 柳沢吉保、老中格となる。	朝鮮で甲戌の獄。
1695	8 乙亥			8 幕府、金銀貨幣を改鋳（元字金銀）。10 幕府、江戸中野に犬小屋を設置し、野犬 10 万匹を収容。	清、黄宗羲没。
1696	9 丙子			4 荻原重秀、勘定奉行となる。この年、宮崎安貞『農業全書』完成。	ブラジルでゴールド・ラッシュ。
1697	10 丁丑			4 幕府、諸大名・旗本・寺社に、国絵図改訂の令を出す。	清、外モンゴルを支配。
1698	11 戊寅			9 江戸に大火（勅額火事）。12 英一蝶、三宅島に流罪。	
1700	13 庚辰			8 幕府、日光奉行を設置。11 幕府、金銀銭三貨を、金 1 両=銀 60 匁=銭 4 貫文と定める。	ヨーロッパ、北方戦争起こる（〜 1721 年）。
1701	14 辛巳			3 赤穂藩主浅野長矩、江戸城殿中で吉良義央に斬りつけ、切腹・改易を命じられる（赤穂事件）。	スペイン継承戦争（〜 1713 年）。
1702	15 壬午			12 赤穂浪士大石良雄ら、吉良義央を討つ。	北米、アン女王戦争。
1703	16 癸未			2 大石良雄ら 46 士切腹。5 近松門左衛門作『曾根崎心中』初演。11 元禄大地震。江戸に大火（水戸様火事）。	ピョートル大帝、新都ペテルブルク建設。
1704	宝永 1 甲申			1 〜 3 浅間山噴火。この年、幕府、大和川付替え工事。	
1705	2 乙酉			1 幕府、禁裏御料を 1 万石増進（計 3 万石）。4 〜 8 伊勢御蔭参り流行。5 淀屋三郎右衛門、闕所・追放となる。	イギリスで蒸気機関を製作。
1706	3 丙戌			6 幕府、元禄銀を改鋳（宝字銀）。	
1707	4 丁亥			10 諸国に大地震（宝永地震）。幕府、藩札の通用を禁止。	大ブリテン王国成立。
1708	5 戊子			閏 1 大銭（十文銭、宝永通宝）を鋳造。幕府、諸国に国役金を賦課。8 イタリアの宣教師シドッチ、屋久島に上陸。	イギリス、合同東インド会社を設立。
1709	6 己丑	中御門	徳川家宣	1 徳川綱吉没。幕府、新井白石を登用、生類憐みの令を廃止。水戸藩宝永大一揆。松波勘十郎罷免。	ロシア、ポルタヴァの戦い。
1711	正徳 1 辛卯			2 幕府、朝鮮通信使の待遇簡素化を決定。4 新井白石、国書に将軍を「日本国王」と記す。	イギリス、南海会社を設立。
1712	2 壬辰			2 幕府、江戸に大名火消を設置。9 幕府、勘定奉行荻原重秀を罷免。10 加賀大聖寺藩一揆起こる。	清と朝鮮、国境を定める。

や行

ら行

わ行

ま行

な行

は行

た行

さ行

か行

索引

000 —詳しい説明のあるページを示す。
000*—写真・図版のあるページを示す。

あ行

全集　日本の歴史　第11巻　徳川社会のゆらぎ

2008年11月1日　初版第1刷発行

著者　倉地克直
発行者　蔵　敏則
発行所　株式会社小学館
〒101-8001 東京都千代田区一ツ橋2-3-1
電話　編集　03(3230)5118
　　　販売　03(5281)3555
印刷所　凸版印刷株式会社
製本所　株式会社若林製本工場

Printed in Japan ISBN978-4-09-622111-2

全集 日本の歴史 全16巻

編集委員：平川 南／五味文彦／倉地克直／ロナルド・トビ／大門正克

1	旧石器・縄文・弥生・古墳時代 **列島創世記** 出土物が語る列島4万年の歩み	**松木武彦** 岡山大学准教授
2	新視点古代史 **日本の原像** 稲作や特産物から探る古代の社会	**平川 南** 国立歴史民俗博物館館長 山梨県立博物館館長
3	飛鳥・奈良時代 **律令国家と万葉びと** 国家の成り立ちと万葉びとの生活誌	**鐘江宏之** 学習院大学准教授
4	平安時代 **揺れ動く貴族社会** 古代国家の変容と都市民の誕生	**川尻秋生** 早稲田大学准教授
5	新視点中世史 **躍動する中世** 人びとのエネルギーが殻を破る	**五味文彦** 放送大学教授 東京大学名誉教授
6	院政から鎌倉時代 **京・鎌倉 ふたつの王権** 武家はなぜ朝廷を滅ぼさなかったか	**本郷恵子** 東京大学准教授
7	南北朝・室町時代 **走る悪党、蜂起する土民** 南北朝の争乱と足利将軍	**安田次郎** お茶の水女子大学教授
8	戦国時代 **戦国の活力** 戦乱を生き抜く大名・足軽の実像	**山田邦明** 愛知大学教授
9	新視点近世史 **「鎖国」という外交** 従来の「鎖国」史観を覆す新たな視点	**ロナルド・トビ** イリノイ大学教授
10	江戸時代(十七世紀) **徳川の国家デザイン** 幕府の国づくりと町・村の自治	**水本邦彦** 京都府立大学教授
11	江戸時代(十八世紀) **徳川社会のゆらぎ** 幕府の改革と「いのち」を守る民間の力	**倉地克直** 岡山大学教授
12	江戸時代(十九世紀) **開国への道** 変革のエネルギーと新たな国家意識	**平川 新** 東北大学教授
13	幕末から明治時代前期 **文明国をめざして** 民衆はどのように"文明化"されたか	**牧原憲夫** 東京経済大学講師
14	明治時代中期から一九二〇年代 **「いのち」と帝国日本** 日清・日露と大正デモクラシー	**小松 裕** 熊本大学教授
15	一九三〇年代から一九五五年 **戦争と戦後を生きる** 敗北体験と復興へのみちのり	**大門正克** 横浜国立大学教授
16	一九五五年から現在 **豊かさへの渇望** 高度経済成長、バブル、小泉・安倍・福田政権へ	**荒川章二** 静岡大学教授

http://sgkn.jp/nrekishi/